A HISTÓRIA DA HUMANIDADE CONTADA PELOS VÍRUS,

bactérias, parasitas e outros microrganismos...

Consulte nosso catálogo completo e últimos lançamentos em **www.editoracontexto.com.br.**

A HISTÓRIA DA HUMANIDADE CONTADA PELOS VÍRUS,

bactérias, parasitas e outros microrganismos...

Stefan Cunha Ujvari

editoracontexto

Ilustração da capa
"O triunfo da morte", Pieter Bruegel the Elder, *c.* 1562.

Montagem de capa e diagramação
Gustavo S. Vilas Boas

Coordenação de texto
Luciana Pinsky

Preparação de textos
Lilian Aquino

Revisão de prova
Daniela Marini Iwamoto

Dados Internacionais de Catalogação na Publicação (CIP)
(Câmara Brasileira do Livro, SP, Brasil)

Ujvari, Stefan Cunha
A história da humanidade contada pelos vírus, bactérias,
parasitas e outros microrganismos... / Stefan Cunha Ujvari. –
2. ed., 11ª reimpressão – São Paulo : Contexto, 2025.

Bibliografia
ISBN 978-85-7244-413-2

1. Civilização – História 2. Doenças transmissíveis – História
I. Título.

CDD-616.909
08-08792 NLM-WC 011

Índice para catálogo sistemático:
1. Humanidade : Doenças contagiosas :
Medicina : História 616.909

2025

EDITORA CONTEXTO
Diretor editorial: *Jaime Pinsky*

Rua Dr. José Elias, 520 – Alto da Lapa
05083-030 – São Paulo – SP
PABX: (11) 3832 5838
contexto@editoracontexto.com.br
www.editoracontexto.com.br

SUMÁRIO

APRESENTAÇÃO

"O século do genoma". Talvez assim venha a ser conhecido no futuro o século XXI. Direta ou indiretamente, o estudo do DNA está a nossa volta. Até programas populares de TV utilizam-se dele para alavancar sua audiência...

Este livro aborda os avanços no entendimento do DNA ou RNA dos microrganismos causadores de doença ao homem. Essa nova ciência alia-se à Arqueologia para esclarecer parte da história da humanidade. Mais ainda, a obra revela como vírus e bactérias têm sido protagonistas centrais, não meros coadjuvantes, do processo histórico. Capazes mesmo de "narrar" a História.

Os cientistas já são capazes de resgatar vírus que infectaram animais ancestrais e que contribuíram para o surgimento dos animais placentários, inclusive o próprio homem. Nosso DNA contém suas pegadas. Identificamos as infecções que acometeram desde hominíneos ancestrais até o homem moderno, desde nossa separação dos macacos até as doenças adquiridas na África, inclusive a tuberculose – companheira eterna do homem.

Os microrganismos mostram a trajetória seguida pelo homem desde nossa saída do solo africano. Acusam também quais hominíneos o homem moderno pode ter encontrado pelo planeta (afinal, convivemos com o *Homo erectus*?). Revelam ainda nossa provável rota de entrada na América, a época em que iniciamos o uso de roupas etc. Sítios arqueológicos mostram, agora, a presença de DNA ou RNA de microrganismos e revelam parte do caos instaurado por esses agentes microscópicos.

O material genético dos microrganismos escondia parte da história da migração de animais, bem como a humana. Agora, começa a mostrar a globalização antiga e contínua dos germes, revela a história geográfica do planeta e a origem de muitas doenças humanas. Por meio do DNA e RNA desses germes podemos saber quando e como as epidemias atuais (como a dengue, tuberculose, aids, "gripe do frango", ebola, hepatite etc.) iniciaram-se de maneira lenta e silenciosa anos e décadas atrás e de que forma elas condicionaram a existência humana, dizimando populações, estimulando conflitos, infectando combatentes, promovendo êxodos, propiciando miscigenação, fortalecendo ou enfraquecendo povos.

Um livro que traz a genética definitivamente para a área de ciências do homem. E que mostra que nunca mais se poderá fazer História como se fazia antes.

O editor

* * *

Nota do autor

Um último comentário antes de seguirmos os passos dos microrganismos. O objetivo principal deste livro é documentar como o estudo genético revela a origem e história das doenças infecciosas. Escrevi da maneira mais simples possível para que a leitura fosse agradável, e não cansativa. O termo "material genético", usado na comparação de agentes infecciosos, refere-se a algum fragmento de DNA ou RNA contido no microrganismo em questão que pode ser usado para a comparação. Da mesma forma que ao relatar que o DNA ou RNA de um determinado agente se assemelha a outro, quero explicar que são fragmentos que foram comparados. A mensagem transmitida permanece a mesma e maiores detalhes são encontrados nas notas. Utilizo o termo *hominíneo* para me referir aos ancestrais diretos do homem moderno já extintos, que surgiram do animal ancestral comum ao homem e chipanzé e que adquiriram a posição ereta e bipedalismo. Outras denominações já foram usadas no passado, mas esse é o termo preferido atualmente.

ÁFRICA: ESTAÇÃO DE ORIGEM

NASCIMENTO DE UMA EPIDEMIA

Muitos conhecem esta história. Narra o nascimento de uma das maiores epidemias virais da humanidade, e que perdura até os dias atuais. Porém, quanto mais aprofundamos o estudo genético do vírus, mais completamos o dossiê da doença. É um exemplo do que pode nos informar o DNA (ácido desoxirribonucleico) e o RNA (ácido ribonucleico), presentes nos seres vivos e responsáveis pelas suas sobrevivências e reprodução.

Vamos, então, a ela. A República dos Camarões, no oeste da África, é forrada por uma densa área florestal. Suas matas se estendem para o sul e englobam parte do Gabão. Alojam milhares de espécies de vida, inclusive primatas. Os chimpanzés vagueiam por essa floresta tropical. O rio Samaja funciona como uma fronteira territorial construída pela natureza, pois corta Camarões ao meio no sentido horizontal. A porção de terra ao norte abriga os chimpanzés *Pan troglodytes vellerosus.* Os chimpanzés do sul de Camarões, que também habitam o norte do vizinho Gabão, são os *Pan troglodytes troglodytes*. Foram eles que protagonizaram esta história: forneceram vírus mutantes responsáveis por uma nova doença humana.

Os chimpanzés testemunharam a história dessas nações. Habituados aos negros africanos desfilando abaixo de seus olhares, presenciaram a chegada de homens brancos por embarcações no litoral. Foram os portugueses na década de 1470. Os lusos exploraram a costa oeste africana em busca do extremo sul no qual teriam uma passagem para as Índias Orientais e suas valiosas especiarias. Os chimpanzés devem ter estranhado aqueles humanos desbotados nada habituais. Acostumariam com sua presença nos séculos seguintes. Viram caravanas de negros acorrentados chegarem ao porto de

Douala. Testemunharam embarcações superlotadas de escravos partirem mar adentro com destino incerto.

Os chimpanzés do Gabão testemunharam algo inverso. Negros foram desembarcados na boca do rio Komo, em 1849, ao invés de serem embarcados. Os franceses haviam apreendido um navio clandestino de escravos, em uma época em que o tráfico se tornara ilegal. Desembarcaram estes cativos como libertos naquele litoral. E eles colonizariam a região e fundariam a *Libreville* (cidade livre).

Os chimpanzés visualizaram outro cenário no século XIX com o fim do tráfico negreiro. Observaram invasões humanas para retirada de látex e óleo de palmeira. Suas matas eram invadidas cada vez mais. Restringia-se seu território a cada década. Foram obrigados a recuar mais ainda para o interior das matas. As epidemias de malária, transmitidas pelos mosquitos, defendiam seu habitat. A doença barrava a entrada de europeus ao interior do reduto desses primatas. Porém, essa defesa tornou-se transitória. A droga quinina que prevenia a doença foi disponibilizada na segunda metade do século XIX.

A política europeia determinou o que os chimpanzés testemunhariam. Os alemães chegaram para explorar Camarões, enquanto os franceses apoderaram-se do Gabão. Com a vitória da Primeira Guerra Mundial, os chimpanzés de Camarões viram franceses e britânicos dividirem suas matas. As plantações de café, banana e cacau empurraram esses animais ainda mais para o interior.

Além de testemunhas, eles viraram vítimas: caçadores adentravam a mata em busca de sua carne. Mortos, seus corpos eram destrinchados pelos facões, e seus pedaços, ensacados pelos homens armados. A jornada desses caçadores terminava nos mercados dos vilarejos próximos. Retornavam ensanguentados pela caça. Manipulavam a carne ensanguentada dos chimpanzés nos mercados. Os consumidores levavam a carne para suas residências e também entravam em contato com seu sangue. Os africanos não sabiam da existência de um vírus presente nesses chimpanzés de Camarões e Gabão.

Ele se encontra em um quinto dos animais de mais de trinta espécies de primatas. Entrou no organismo humano por escoriações e ferimentos da pele. E isso aconteceu em diversos momentos. Iniciou-se ao redor da década de 1930[1,2] por causa da caça, rotineira nos períodos de guerra, épocas de fome. O vírus do chimpanzé já presente no sangue de humanos ganhou a capacidade de alcançar as secreções genitais. Conseguiu atingir outros humanos pela relação sexual. Alastrou-se durante as guerras pelas independências. As guerras civis intensificaram sua disseminação. As mutações tornaram o vírus diferente do dos chimpanzés. Agora era restrito aos humanos. Nascia uma nova doença.

As guerras africanas intensificaram a degradação social. A prostituição, os estupros e as relações sexuais catalisaram o aumento da circulação do novo vírus, que apanhou carona em guerrilheiros, refugiados, comerciantes, miseráveis e viajantes. Alguns cientistas especulam se as campanhas de vacinação também auxiliaram sua disseminação, pois agulhas não esterilizadas e não descartáveis podem ter contribuído para o surgimento de novos portadores do vírus.[3]

A doença alastrou-se pela população africana de modo silencioso e lento. Ocultou-se entre as inúmeras mortes atribuídas às diarreias, desnutrição, tuberculose e pneumonias reinantes entre a população empobrecida. No Congo, dois cientistas coletaram sangue para estudos genéticos das diferentes etnias africanas. Puncionaram veias sem saber da existência do novo vírus circulante. Uma das amostras de sangue, coletada de um negro desconhecido em 1959, foi guardada em *freezer* nos Estados Unidos. Somente após a descoberta do vírus, já na década de 1980, o sangue estocado foi descongelado e testado. O resultado dos exames evidenciou a presença do vírus àquela época, que havia adormecido a baixa temperatura por 26 anos.

E há outras ocorrências. Cientistas visitaram novamente o Congo durante a primeira epidemia do vírus ebola em 1976. Coletaram novas amostras de sangue para estudá-la sem saber que já estava em curso uma outra epidemia pelo vírus então desconhecido. Na década de 1980, algumas dessas amostras guardadas foram testadas e acusaram sua presença. Muitas das vítimas do ebola de 1976 já estavam infectadas pelo novo vírus.

A nova doença espalhou-se pela África de maneira explosiva.[4] O vírus caminhou de nação para nação. Guerra, pobreza e urbanização com prostituição o ajudaram. O uso de medicamentos e vacinas com agulhas não descartáveis foram coadjuvantes da epidemia. Habitantes da costa do lago Vitória reportaram uma nova doença que ocasionava emagrecimento e diarreia com consequente morte. Muitas vezes soldados traziam o mal. Muitos africanos acharam ser obra de bruxaria.

O vírus atacou em outra frente de batalha. A quilômetros da África Central, na extremidade oeste do continente, um outro primata também forneceu ao homem um vírus similar. Foram os macacos mangabey da floresta da Guiné-Bissau. Esses macacos capturados também transferiram ao homem vírus semelhante àquele dos chimpanzés de Camarões e Gabão. Algumas diferenças sutis classificaram o vírus da Guiné-Bissau como um tipo

2 do novo vírus humano, enquanto o de Camarões e Gabão foi classificado como tipo 1.

O destino do vírus tipo 2 foi diferente. As rebeliões na Guiné-Bissau e Cabo Verde, visando a independência de Portugal, geraram miséria e migração de refugiados para as áreas vizinhas. Os conflitos se estenderam durante a década de 1960 e início dos anos 1970. O vírus tipo 2 espalhou-se entre as nações desta região. Conquistou a Guiné-Bissau, Cabo Verde, Gâmbia e Senegal. E chegou à Europa, mais precisamente em Portugal, por meio dos soldados infectados. Enquanto esse vírus tipo 2 se disseminava de forma contida, o mesmo não ocorria com o tipo 1 que, após dominar a África, foi exportado em larga escala.

O vírus apanhou carona em embarcações e aviações para novos continentes. Desembarcou na ilha do Haiti e disseminou-se entre a população pobre. Foi transmitido pela transfusão sanguínea a um geólogo francês em 1978 em Porto Príncipe. Contaminou um canadense através de relação sexual. Imigrantes haitianos infectados, provavelmente, levaram o vírus para os Estados Unidos da América, que circulou de maneira oculta entre homossexuais masculinos. Provavelmente disseminava-se entre os americanos desde o final da década de 1960, pouco mais de uma década antes de ser descoberto.[5]

Em 1981 médicos americanos descreveram infecções pulmonares em homossexuais masculinos.[6] Microrganismos considerados, até então, banais e inofensivos causavam essas pneumonias. Sabia-se que esses agentes infecciosos causavam infecção pulmonar desde que as defesas dos pacientes estivessem comprometidas. Não havia razão para aqueles homossexuais estarem com as defesas debilitadas. Exceto se algo desconhecido estivesse ocorrendo com aqueles pacientes. E estava.

Cinco casos ocorreram em Los Angeles. Dois doentes morreram de maneira inexplicável. No final daquele ano a doença matou 150 pacientes.[7] A maioria era homossexual. A doença destruía o sistema de defesa dos que adquiriam infecções por microrganismos considerados inofensivos. No mesmo instante surgiram casos na costa leste dos Estados Unidos, em Nova York. Uma nova doença entre a população de homossexuais masculinos surgia no início da década de 1980, após muito tempo se espalhando pelo continente africano. O vírus foi descoberto em 1983[8] e, posteriormente, recebeu o nome de HIV (vírus da imunodeficiência humana). A divisão em tipo 1, aquele nascido dos chimpanzés de Camarões e Gabão, e tipo 2, nascido do macaco mangabey da Guiné-Bissau, ocorreria algum tempo depois.[9] A aids ganhou as manchetes dos meios de comunicação. Os macacos ainda convivem com seus vírus que recebem o nome de SIV (vírus da imunodeficiência do símio). Hoje, após seu alastramento pelo planeta, são estimadas 40 milhões de pessoas portadoras do vírus da aids.[10]

A história da aids somente pôde ser contada após conseguirmos comparar as semelhanças do material genético do vírus da aids (HIV) com o vírus do chimpanzé (SIV).

* * *

Todo vírus da natureza precisa do auxílio de outro ser vivo para se reproduzir. Isso ocorre porque ele é constituído apenas do seu material genético, seja DNA ou RNA. E, ao contrário das bactérias, não contém o maquinário celular necessário a sua reprodução. Por isso invade a célula de um organismo vivo (animal ou vegetal) para emprestar suas moléculas, copiar o seu próprio material genético e construir novos vírus. Sob seu comando, as células invadidas produzem cópias de seu envelope para enclausurar o seu DNA ou RNA já replicados. Formam inúmeros novos vírus iguais ao invasor. A "prole" é expulsa e está apta a repetir a operação.

O vírus da aids é constituído de RNA e, como todo RNA vírus, tem uma característica peculiar. O RNA vírus que acomete um determinado tipo de animal pode sofrer mutações que criam condições de invasão e evolução em outra espécie de animal. Isso ocorre em virtude das características de replicação nesse tipo de vírus. Normalmente ocorrem erros na cópia do RNA dos futuros descendentes virais. Para que isso fique mais claro, vamos comparar o vírus com um livro. Seu material genético será a combinação de suas palavras. Uma pessoa que reproduz à mão esse livro com certeza cometerá inúmeros erros por distração. Palavras são trocadas, suprimidas ou escritas de maneira errada. Já um livro que representasse um vírus constituído de DNA passaria por uma equipe de revisores que corrigiria os erros. Assim, a cópia final seria muito fiel ao original. Enquanto o livro que refletisse o vírus RNA não teria essa equipe de revisores tão afinada e sua reprodução final conteria inúmeros erros. Isso porque as moléculas específicas responsáveis pela tal revisão são pouco eficientes no RNA e, assim, vírus constituído por RNA são mais sujeitos a mutações.

A intensidade de mutações aumentará quanto maior for o número de cópias virais. Imaginem a dimensão com que isso ocorre ao saber que, em alguns casos, um RNA vírus pode produzir até cem mil cópias em dez horas.[11] Um animal infectado por RNA vírus pode apresentar até um quatrilhão de vírus em seu organismo. Mas o perigo não para por aqui. O vírus pode trocar parte do seu material genético com outras formas de vírus e, também, pode incorporar parte do material genético daquele animal em que se replica.[12]

Cada mutação pode trazer mudanças no comportamento do vírus, como torná-lo capaz de reconhecer e invadir uma célula de outra espécie animal. Assim, ele evolui no novo albergue e as futuras mutações podem ser intensas a ponto de se tornar muito diferente do original. Estaremos diante de um novo tipo de vírus e uma nova doença em uma nova espécie animal. É por esse motivo que a maioria das novas doenças humanas da atualidade é decorrente de RNA vírus vindos de animais.[13] A aids se encaixa nesse exemplo.

A história da aids pôde ser revivida pelas alterações genéticas do seu vírus. A semelhança do seu material genético com o do SIV dos chimpanzés de Camarões e Gabão[14] denunciou esses primatas como fornecedores da doença ao homem. São vírus com parentesco muito próximo. Da mesma maneira encontramos os macacos da Guiné-Bissau como fornecedores da aids pelo HIV tipo 2.[15]

O vírus da aids disseminou-se na população mundial. As mutações acumularam-se a cada multiplicação e permaneceram em cada indivíduo recém-infectado. Comparamos essas mutações na população e calculamos a frequência com que ocorrem. Programas de computador fazem um cálculo retrospectivo. É possível, assim, desfazer as mutações de maneira retrógrada para chegar à primeira forma viral mais semelhante ao vírus dos chimpanzés. Dessa forma estimamos a data provável dos primeiros casos humanos ao redor da década de 1930. Seria a data em que o vírus transferiu-se dos chimpanzés ao homem.

As comparações genéticas vão além. Comparamos vírus de pacientes diferentes para saber se há semelhanças. O estudo do RNA viral entra na era dos tribunais.

UM VÍRUS NO BANCO DOS RÉUS

As impressões digitais deixadas pelos ladrões ganharam importância durante o século XIX. Reconheceu-se que eram marcas únicas de cada pessoa. Ou seja, um ótimo indício para encontrar os criminosos. Os filmes do século XX mostravam criminosos com lenços a limpar suas impressões em copos, mesas, talheres e objetos diversos.

Os criminosos do final do século XX, porém, tinham de ser ainda mais cuidadosos e já se preocupavam em não deixar vestígios de sangue, pele descamada, esperma ou fios de cabelos. A era do DNA chegara. As impressões escondiam-se no núcleo das células dos criminosos deixadas no local. Mapeando parte do DNA deixados na cena do crime, podia-se comparar com o do suspeito. Hoje, inúmeros crimes são solucionados com restos de material orgânico deixados pelo criminoso.[16] Muitos leitores estão familiarizados com casos policiais elucidados através do DNA. O que é novidade é o fato de também esclarecermos alguns casos criminais relacionados às infecções.

No final da década de 1980, o órgão americano responsável pelo controle de doenças infecciosas investigou a ocorrência de aids em uma paciente. A jovem americana descobriu-se portadora apesar de afirmar não ter se exposto ao vírus. A investigação de sua infecção não mostrava a forma de contágio. A jovem não usara drogas injetáveis, não recebera sangue em transfusões, não fizera tatuagens, não realizara acupuntura e negava ter mantido relação sexual com parceiros suspeitos. Seus dois antigos namorados fizeram exame de aids. O resultado de ambos foi negativo. O mistério permanecia.

A pista surgiu com a descoberta de que a jovem recebera tratamento dentário quase dois anos antes de descobrir sua infecção. Seu dentista da Flórida portava o vírus. Esse profissional poderia ter transmitido a doença? O tratamento foi habitual, o dentista não se cortou e nem perfurou sua pele com os instrumentos usados na paciente. Caso tenha havido a transmissão, foi de maneira despercebida. Uma pequena perfuração de suas mãos com a agulha da anestesia? Um mínimo corte dos dedos com o instrumento dentário? Esses pequenos acidentes poderiam levar seu sangue à paciente, mesmo usando luvas. Como comprovar que o vírus do dentista infectou a paciente? A resposta estava na sequência genética do vírus.

O vírus é transmitido de pessoa para pessoa. Um paciente (chamemos de paciente 1) transmite o vírus para outra pessoa (chamemos de paciente 2). Esta última passará seu vírus adiante para a próxima (paciente 3) e assim por diante. As mutações virais se acumulam em cada indivíduo infectado de tal maneira que o vírus do paciente 10 será bem diferente do paciente 1 que originou a sequência de infectados. Por outro lado, o vírus de qualquer paciente será muito semelhante ao da pessoa que o infectou.

Os vírus da paciente e do dentista foram analisados. O RNA de ambos era muito semelhante.[17] As mesmas mutações encontradas no vírus do dentista estavam presentes no da paciente, exceto por algumas pequenas diferenças em decorrência do tempo. Não havia dúvidas de que o vírus da jovem era descendente do vírus do dentista. Além disso, ambos eram bem diferentes dos vírus que circulavam entre a população daquela região.

Esse caso alertou as autoridades de saúde, que recrutaram os pacientes do dentista para realizarem exames. Aqueles com sorologias positivas para aids tiveram o material genético de seus vírus comparado com o do dentista. Encontraram mais cinco pacientes contaminados pelo vírus do profissional.[18,19]

Uma série de debates envolve o caso. O mecanismo da transmissão permanece um mistério, o que abre as portas para especulações.[20,21] Seria uma infecção intencional? Um ato criminoso? Provavelmente um acidente de perfuração com agulha ou fios de sutura expôs os pacientes ao sangue do dentista. Especulações quanto a real forma de transmissão são aventadas, porém a comparação do material genético dos vírus demonstra a enorme probabilidade da transmissão ter sido causada pelo dentista.

Assim, no início dos anos 1990 aconteceu a primeira provável confirmação de transmissão do vírus da aids. Abriu as portas para que pudéssemos comparar os vírus de pessoas diferentes a fim de resolver disputas jurídicas. O vírus da aids começou a sentar no banco dos réus.

* * *

Em agosto de 1994, um médico de Los Angeles vivia o fim de um relacionamento com uma enfermeira da mesma cidade. O desfecho não ficou apenas em mágoas e rancores. A enfermeira recebeu de seu amante uma injeção muscular supostamente de vitaminas para que desempenhasse suas tarefas com maior disposição. O leitor suporia o desfecho e presumiria que horas depois ela foi encontrada morta. Não foi o caso. A enfermeira continuou sua rotina diária normal até janeiro do ano seguinte. Época em que realizou um exame para aids como outros tantos. Esse exame diferiu dos demais. Para sua surpresa se revelou positivo. Estava infectada.

A enfermeira recebeu a notícia com transtorno e o que seria o término de um relacionamento amoroso tornou-se um caso criminal. Ela suspeitou e acusou seu ex-amante de tê-la contaminado com o vírus da aids naquela injeção. O gastroenterologista, o ex-amante, foi à corte. O médico não imaginava o avanço da ciência em comparar vírus para saber a fonte de origem. Da mesma maneira que os estupradores não imaginariam que a ciência viria a recolher seus espermas nas vítimas e submetê-los ao teste de DNA, para compará-los e comprovar que eram provenientes do suspeito.

Os investigadores vasculharam os prontuários dos pacientes do médico. Encontraram aqueles que haviam se consultado nos dias próximos ao suspeito crime. Identificaram uma ficha médica que pertencia a um paciente portador do vírus da aids. Ele se consultou no mesmo dia da tal injeção e teve uma amostra de seu sangue colhida no próprio consultório médico. A acusação era a de que o médico retirou amostra de sangue do paciente e misturou-a à seringa usada na sua ex-amante. O paciente e a vítima forneceram nova amostra de sangue para isolar seus vírus da aids. Ambos tiveram seu material genético mapeado e as mutações comparadas. Vírus de outros portadores da mesma cidade foram recolhidos para servirem de comparação. Os exames não deixaram dúvidas. As mutações dos vírus da vítima e do paciente eram idênticas.[22] A árvore genealógica provou que o vírus da enfermeira descendeu do vírus daquele paciente. As impressões digitais de ambos os vírus coincidiram. O médico foi sentenciado a cinquenta anos de prisão.

Casos como esse tornaram-se comuns na medicina criminal.[23] Na Europa, um imigrante da Ruanda foi acusado de cometer abuso sexual e de transmitir o vírus da aids para seis mulheres agredidas entre 1993 e 1995. O estudo do material genético mostrou que os vírus das vítimas eram semelhantes aos vírus circulantes em Uganda, Quênia, Tanzânia e no país de origem do imigrante suspeito, Ruanda.[24] As suspeitas se reforçaram com a análise do vírus do estuprador. Seu material genético assemelhava-se ao das vítimas. A árvore genealógica evidenciou que os vírus das seis vítimas se originaram daquele presente no suspeito. A ciência provava a culpa do imigrante ruandês.

A intenção deste livro é fornecer provas atuais de como e quando as doenças infecciosas atingiram o homem, desde o nosso nascimento nas savanas africanas. Por que, então, começamos com o nascimento da aids, uma vez que seria uma das últimas doenças a surgir? A resposta é simples. Usamos a aids como exemplo dos avanços da ciência no estudo do material genético dos microrganismos que nos possibilitam remontar a história do nascimento de infecções humanas. Mas, principalmente, porque uma das primeiras infecções ocorridas na humanidade é atribuída a uma família de vírus parente do vírus da aids. Essa família acometeu nossos ancestrais humanos e até mesmo animais anteriores aos primatas. Mudou a história da evolução animal e influenciou nossa atual vulnerabilidade à aids. Como sabemos dessas invasões tão antigas? Porque deixaram pegadas no interior de nossas células.

FÓSSEIS EM LOCAIS IMPREVISÍVEIS

Nossas células funcionam como fábricas. Especializam-se em diferentes tecidos que desenvolvem diversas tarefas no dia a dia. As células musculares contraem e relaxam. As células cerebrais ativam uma rede de comunicações.

Nosso coração contrai e bombeia ininterruptamente o sangue. As células do estômago secretam substâncias que auxiliam a digestão de alimentos. Células pancreáticas e hepáticas fabricam substâncias essenciais à vida. Glândulas secretam hormônios. Inúmeros tipos de células estão desempenhando tarefas diferentes neste exato instante. Funcionam como perfeitas fábricas produtoras de substâncias diversas. São, em geral, proteínas com muitas funções.

A linha de produção das proteínas ocorre em diversas etapas. O núcleo celular cumpre o papel de escritório central, dele parte o comando para as atividades diárias. Neste escritório – o DNA – há diversas informações disponíveis para a fabricação das proteínas. No momento certo, um dos livros da "estante" do DNA é aberto na receita apropriada. A receita de cada proteína encontra-se na sua porção de DNA, recebe o nome de gene. Por outro lado, o escritório sozinho não realiza a fabricação, e a receita (o gene) não pode deixar esse local da célula.

A informação é, então, copiada e enviada ao setor de produção. A cópia é transportada para a região externa ao núcleo, a área de funcionamento da fábrica. Dirige-se para salas menores que a lerão. Seguindo a receita, coletam-se aminoácidos que são reunidos na ordem correta para a fabricação da proteína específica.

Uma rede de corredores organiza a locomoção de substâncias no interior dessa fábrica. As paredes externas apresentam portas de diversos tamanhos que organizam e autorizam quem entra e quem sai da célula. Essas portas se abrem em momentos certos e adequados.

Como toda fábrica, ainda há um setor responsável pela energia. No caso, a celular. A sala das máquinas (mitocôndria) garante a eletricidade da fábrica. Nesse compartimento se consome o oxigênio que respiramos para a produção das moléculas de energia, que serão utilizadas em todas as reações celulares. As mitocôndrias recebem as diminutas moléculas de açúcar, em forma de glicose, quebrando-as em fragmentos menores. Em seguida, elas realizam sequências de reações com consumo de oxigênio e a energia celular é produzida.

As mitocôndrias também contêm estantes menores com alguns livros de receitas. São fragmentos de DNA, que recebem o nome de DNA mitocondrial (DNAm). O DNAm surpreende por estar nas mitocôndrias, e não no núcleo celular. E por que isso ocorre?

Os fragmentos de DNAm são, provavelmente, fósseis vivos de algum microrganismo. Acredita-se que surgiram à época em que os seres microscópicos dominavam o planeta. Alguma bactéria ancestral necessitava invadir outras células para sua replicação. Não conseguia desenvolver-se no meio externo. Provavelmente o invasor ancestral já apresentava condição de originar energia através do oxigênio. Assim, permanecia nas células invadidas para aproveitar as vantagens adquiridas no seu interior. Em troca, fornecia energia através da sua capacidade de produzi-la com açúcar e oxigênio.[25] A evolução fez com que esse ancestral perdesse sua capacidade de invasão. Transformou-se em uma estrutura com capacidade de se dividir e permanecer a serviço da célula.[26,27] Originou as mitocôndrias que acompanharam a formação de seres mais complexos, aquáticos e terrestres.

Portanto, as mitocôndrias dos animais de hoje, que os tornam capazes de adquirir energia através do oxigênio, são vestígios fósseis daqueles invasores do passado. Já se mapeou parte deste DNAm e comparou-se ao DNA de diversos tipos de microrganismos. Os cientistas estão à procura do descendente atual do ancestral invasor das células e responsável pela origem das mitocôndrias. Há um candidato que desponta como o provável benfeitor de nossa espécie: o microrganismo causador do tifo.

As epidemias de tifo costumam ocorrer nos períodos em que há infestações pelos piolhos. Isso porque o piolho carrega o microrganismo causador de tifo e o repassa aos humanos. Épocas de guerras, fome e grandes aglomerados são propensas, como veremos na segunda parte do livro. O agente causador do tifo penetra nas células humanas para desenvolver-se e se reproduzir. Isso ocasiona a doença. Seus ancestrais também invadiam as células para sobreviver. Portanto, são fortes candidatos a terem fornecido sua estrutura para mitocôndrias. O DNA desse microrganismo, que invadiu as células há milhares de anos, foi comparado com o de nossas mitocôndrias e mostrou muita semelhança.[28] Acreditamos que o mesmo ancestral do microrganismo causador do tifo foi o responsável pela invasão e, permanecendo no interior das células, originou as mitocôndrias. Achamos, por isso, um vestígio fóssil de vida passada nas nossas células. Mais surpreendente foi o encontro de outros fósseis no interior do núcleo de nossas células. Aqui entram os vírus primos da aids.

* * *

O vírus da aids pertence à família dos retrovírus que apresentam uma replicação peculiar. O vírus circula pela corrente sanguínea humana como uma cápsula de ataque à procura de seu alvo. Almeja principalmente as células de defesa. Atraca-se à superfície celular através de diminutas projeções presentes na sua superfície viral. Essas substâncias reconhecem apenas as moléculas contidas na superfície das células-alvo, portanto, o vírus reconhece e invade determinadas células. Após ocorrer o reconhecimento e ligação, surge uma fusão entre a superfície do vírus e da célula humana. Abre-se, assim, uma espécie de "escotilha". O material genético viral, seu RNA, desliza para o interior celular.

Uma próxima etapa se inicia, o RNA viral precisa ser transformado em DNA para continuar o processo de replicação. Isso é feito através de uma enzima que o próprio vírus envia para fazer essa transformação. O material genético viral, agora em sua forma de DNA, invade o núcleo da célula e adere-se ao próprio DNA da célula humana. A multiplicação viral ocorre por cópias do material genético viral incorporado no DNA da célula humana. Esse é o mecanismo resumido de proliferação de todos os retrovírus.

Cerca de quarenta milhões de humanos apresentam fragmentos genéticos do retrovírus da aids incorporados no DNA de suas células.[29] Mas mesmo aqueles que estão livres da doença apresentam fragmentos de material genético de vários tipos diferentes de retrovírus em seu organismo. São pegadas de nossa história evolutiva. Constatamos que cerca de 8% do nosso DNA é constituído por genes encontrados em retrovírus.[30,31] Portanto, são chamados de retrovírus endógenos humanos (sigla em inglês: HERV). São fósseis que, no passado, nos infectaram ou mesmo infectaram seres anteriores a nós na escala evolucionária e impregnaram o DNA. Esses retrovírus foram invasores celulares como o vírus da aids e, provavelmente, causaram diversas formas de doenças. Invadiram populações animais desde cerca de sessenta milhões de anos atrás. Alguns animais tiveram a capacidade evolucionária de sobreviver ao ataque desses vírus, enquanto outros morreram pelas infecções.

Os animais sobreviventes continham genes dos retrovírus em suas células. Forneceram a chance dos genes invasores permanecerem nos futuros descendentes animais. Milhares de vírus circulavam no animal atingido durante a infecção. Invadiam determinadas células, incluindo as germinativas. Ao invadirem e incorporarem seus genes no DNA das células germinativas, os retrovírus deixaram sua marca para a eternidade.[32] As células germinativas nos humanos são o espermatozoide e o óvulo materno. Após se unirem, formam uma única célula e futuro embrião. A célula originada pela fusão das germinativas sofre divisões intensas e gera um animal descendente dos pais. Portanto, o mesmo DNA é encontrado em todas as células de seu corpo. Os retrovírus alcançaram as células germinativas. Os animais descendentes apresentaram genes de retrovírus em todas as células que formam seu organismo, inclusive suas células germinativas. Isso fez com que transferisse o gene para as gerações futuras.

Descobriram-se vários genes de retrovírus em diferentes animais. Animais ancestrais foram invadidos em distintos momentos na escala evolucionária.[33] Alguns genes são encontrados tanto em macacos como em humanos. Isso prova que invadiram ancestrais dos primatas. Outros são encontrados em macacos do Velho Mundo,[34,35] mas não das Américas. Portanto, invadiram os primatas em um momento posterior à separação dos macacos ancestrais que originariam os africanos e americanos.[36] Chimpanzés que apresentam retrovírus não encontrados em humanos[37] foram acometidos após separarem-se dos hominíneos. Da mesma forma os humanos apresentam retrovírus que não encontramos em macacos. Infectaram os hominíneos após sua separação dos chimpanzés.[38,39,40,41] Retrovírus presentes apenas em humanos africanos, asiáticos e polinésios demonstram que esses retrovírus invadiram grupos restritos de humanos após sua saída do continente africano.[42]

A primeira preocupação que surge com a descoberta de retrovírus incorporados no nosso DNA é se eles poderiam causar infecções silenciosas. Afinal são vírus e estão em nosso DNA. Essa hipótese já foi afastada, pois eles já perderam o poder de causar doença. Fazem parte de nosso material genético como fósseis vivos, a exemplo das mitocôndrias. Estudos investigam a possibilidade de muitos desses retrovírus serem responsáveis pelo surgimento de algumas formas de câncer humano ou doenças chamadas de autoimunes. Os estudos avançam e novas descobertas ou confirmações surgirão. Por outro lado, esses retrovírus foram extremamente úteis à humanidade.

Provavelmente, foram importantes para a evolução das espécies desde as primeiras infectadas há milhões de anos. Os trabalhos mostram que esses retrovírus contribuíram para nos reproduzirmos. Como?

Muitas mulheres ficam felizes ao descobrir que estão grávidas. As gestantes vão ao obstetra depositar toda sua confiança nesse profissional que levará adiante uma gestação de maneira mais tranquila possível e com o mínimo de complicações. Porém, antes do obstetra iniciar suas condutas, o retrovírus endógeno já iniciou seu trabalho como um "obstetra interno". Isso mesmo, nós devemos a possibilidade de gerar filhos aos retrovírus incrustados no nosso DNA.

Após ocorrer a fecundação (momento em que o espermatozoide vitorioso atinge o óvulo materno), a futura célula que formará o feto inicia a sua migração para a cavidade uterina. No mesmo instante em que as divisões celulares caminham a passos largos, já no útero, algumas células iniciam a formação da placenta. Ela fornecerá nutrientes e oxigênio para o crescimento do futuro feto.[43] Algumas células se proliferam e se infiltram no interior da parede uterina. A placenta começa a ser formada e o futuro feto adere-se ao útero. Essas células crescem no interior da parede uterina como raízes de árvores que se ramificam no mesmo instante em que invadem o terreno. Em determinado momento, essas raízes de células se fundem para prosseguir a formação da placenta. Aqui entram em ação alguns genes pertencentes aos retrovírus endógenos.

No passado esses genes eram responsáveis pela produção de proteínas responsáveis pela fusão do vírus à célula invadida. Esses genes auxiliavam o ataque viral e a introdução do seu material genético na célula. Hoje, esses antigos e agressivos vírus estão incorporados em nosso DNA. Seus genes comandam a produção de proteínas liberadas nas células enraizadas na parede uterina.[44,45,46] Após invadirem a parede uterina, essas células se fundem com o auxílio dos genes de retrovírus. A etapa inicial é fundamental para a formação da placenta humana e de outros primatas.[47]

O nosso "obstetra oculto" não para seu trabalho por aqui. Há fortes indícios de que outros genes de retrovírus também entram em ação para a produção de proteínas que auxiliam a condução da gestação. As substância produzida por esses genes na placenta ocasiona uma diminuição da defesa materna nessa região. Isso reduziria o risco da rejeição materna ao feto.[48,49] No passado, essa substância depressora da imunidade deve ter sido uma arma para o retrovírus infectar animais. Outras substâncias comandadas pelos genes desses vírus auxiliariam o desenvolvimento fetal,[50] protegeriam contra infecções virais externas e comandariam a liberação de hormônios placentários.[51] Estes últimos indícios ainda estão em investigação.

Um lado da moeda mostra as vantagens reprodutivas que adquirimos com esses retrovírus. No outro lado da mesma moeda encontramos uma provável desvantagem. Recentemente, cientistas americanos descobriam uma nova consequência dessas infecções passadas. Os chimpanzés apresentam um tipo específico de retrovírus endógeno que não ocorre nos humanos. Até aí deduzimos que se infectaram após se separarem daquele ancestral que originou os hominíneos. Os humanos se livraram dessa infecção passada. Os cientistas descobriram que apresentamos uma proteína mutante do sistema de defesa que bloqueia a entrada desse retrovírus dos chimpanzés. Essa seria a nossa vantagem adquirida no passado. Ao passo que os chimpanzés, não tendo a mesma proteína humana, tornaram-se suscetíveis a esse retrovírus. A surpresa do estudo decorre do fato de essa proteína agir também contra o vírus da aids. Ao sofrer a mutação, a proteína protege contra o retrovírus do chimpanzé, mas deixa de proteger contra o vírus da aids.[52] Portanto, quando os humanos adquiriram defesa contra o retrovírus do chimpanzé, a perderam contra o vírus da aids. O oposto ocorreu com os chimpanzés, que são vulneráveis ao seu retrovírus, mas resistentes ao vírus da aids. Assim, a defesa de nossos ancestrais alterou-se para tornarmos imunes ao retrovírus do chimpanzé, mas ao mesmo tempo preparou-nos para sermos suscetíveis à aids que chegaria milhares de anos depois.

O vírus da aids, que herdamos de chimpanzés, é apenas um dos inúmeros vírus que adquirimos durante nossa evolução. Bem como os hominíneos, os chimpanzés, gorilas, orangotangos e outros primatas. Muitos retrovírus foram incorporados no DNA de nossos ancestrais e fazem parte do nosso organismo. Podem ser responsáveis por doenças que estão se confirmando e também nos expuseram a vulnerabilidade do vírus da aids. Porém, também trouxeram vantagens evolutivas para o surgimento de mamíferos placentários.

Os primeiros hominíneos africanos surgiram com fósseis infecciosos em sua bagagem genética. A epopeia de nossos ancestrais, bem como a nossa própria, seria marcada por novos agentes infecciosos adquiridos ainda no solo africano e durante nosso dispersar pelo planeta. No entanto, a ciência mostra que também nascemos com alguns microrganismos herdados de nossos ancestrais. Microrganismos que evoluíram conjuntamente com os hominíneos desde a separação dos chimpanzés.

NASCIMENTO CONJUNTO: HERPES e HPV

Um primata ancestral comum aos humanos e chimpanzés viveu na África há cerca de sete milhões de anos. Seus descendentes se separaram por algum motivo, provavelmente natural. Um grupo isolado sofreu mutações que originou os chimpanzés, enquanto o outro formou os hominíneos, que adquiriram a posição ereta. Nós, *Homo sapiens*, aguardaríamos outros milhares de anos para surgirmos destes últimos.

O ancestral comum do homem e chimpanzé poderia apresentar infecção viral permanente em seu corpo? Em caso positivo, o vírus ancestral acompanharia seus descendentes. O ramo que originou os chimpanzés evoluiria transferindo o vírus para os descendentes. No outro ramo evolucionário, o vírus saltaria para a sucessão de hominíneos até alcançar o *Homo sapiens*.

Teríamos, assim, a presença do vírus nos primeiros *Australophitecus* há mais de cinco milhões de anos. Espécies de animais semelhantes a macacos que andavam sobre os dois pés carregariam o vírus. Não teriam sucesso e se extinguiriam. Porém, o vírus mostrar-se-ia mais poderoso. Seria transferido para outros hominíneos durante a evolução. Há dois milhões de anos o vírus estaria presente no *Homo ergaster*. Saltaria para as duas espécies seguintes da evolução. Seria encontrado no *Homo erectus* e *Homo heidelbergensis*. O vírus acompanharia os galhos da árvore evolutiva e estaria presente em cada hominíneo que surgisse e se extinguisse. Ancestrais que atingissem a Europa originariam o homem de Neandertal que, também, seria portador do vírus. Finalmente, teríamos o último galho da evolução. O *Homo sapiens* também surgiria com a presença do vírus de seus ancestrais.

Isso ocorrendo, o vírus estaria presente no nosso organismo. E também teríamos a presença de vírus semelhante no outro ramo que originou os chimpanzés. Afinal, ambos se originaram daquele primeiro vírus presente no ancestral comum do homem e chimpanzé. A ciência pode comprovar a presença de algo semelhante? Sim. A resposta vem pela comparação de vírus em ambos os animais. Encontramos um candidato, o vírus causador do herpes.

Todos conhecemos alguém que ao menos uma vez na vida apresentou pequenas bolhas (vesículas) nos lábios. São causadas pelo herpes labial. A presença desse vírus é muito mais frequente do que imaginamos. A maioria das crianças entra em contato com o vírus do herpes, que permanece dormente nos seus lábios até a idade adulta. Não conseguimos eliminá-lo, mas temos sucesso em fazer com que retornem ao estado dormente.

Mesmo uma pessoa que afirme nunca ter tido o herpes labial corre um enorme risco de possuí-lo dormente, sem nunca ter tido chance de acordar. O vírus dormente se manifesta nos momentos em que nossas defesas encontram-se debilitadas. Essa queda de defesa não precisa ser severa, basta uma febre elevada por qualquer outra infecção – daí a expressão "fulano apresentou uma febre tão elevada que estourou feridas em seu lábio". Outras condições favorecem o "acordar" do herpes labial é a menstruação, a exposição exagerada ao sol, o estresse e o exercício físico extremo. Caso isso ocorra, o vírus se prolifera e invade células vizinhas. Pequenas vesículas se formam em decorrência da destruição das células. Com a ruptura dessas vesículas, há saída de um "esguicho" de vírus que reinfectará outras pessoas. O vírus conhece bem o meio de perpetuar sua presença entre os humanos. Mas como sabemos se nossos ancestrais apresentavam o herpes em seus lábios?

O vírus causador do herpes labial pertence a uma família constituída de vários tipos de vírus diferentes com doenças diferentes. Os vírus humanos apresentam um parentesco muito próximo com vírus presentes em outros animais. A família do herpes é encontrada em várias espécies de animais vertebrados.[53,54,55] A comparação do material genético trouxe informações sobre suas origens. Esses vírus evoluem há milhares de anos. Provavelmente acompanham a evolução dos animais que invadem.

O DNA de alguns vírus dessa família que acomete os macacos é muito semelhante aos vírus do homem.[56,57,58] Sabemos que o homem e os chimpanzés evoluíram de um mesmo ancestral por seus DNA diferirem em pouco mais de 1%. Da mesma maneira, o DNA de alguns vírus dessa família que acometem o homem apresenta grande semelhança com o DNA de vírus dos macacos e outros animais.[59] Isso é um grande indício de que os primeiros hominíneos já nasceram com esses vírus.

O herpes labial, provavelmente, acompanhou o nascimento dos diferentes *Australopithecus*, do *Homo habilis*, do *Homo erectus* e de vários outros hominíneos extintos até chegar ao surgimento do homem moderno.[60] E isso ocorreu pela sua bem-sucedida estratégia de sobrevivência. Um vírus que causasse doença grave levaria sua vítima à morte. Isso não seria vantajoso para o vírus em um mundo com tão poucos hominíneos. Correria o risco de extinguir sua única fonte de vida. Além disso, se fosse eliminado pelo organismo acometido teria grande dificuldade de encontrar outro hominíneo. A melhor estratégia em uma população restrita de primatas seria o vírus acometer sua vítima com baixa mortalidade e causar uma infecção dormente. Foi essa a estratégia do herpes humano que trilhou lado a lado a história do nascimento e dispersar do homem pelo planeta a partir do continente africano.[61] O mesmo ocorreu com o vírus da catapora humana, que também apresenta parentesco com vírus de macacos. Esse vírus também tem a capacidade de permanecer dormente no trajeto dos nervos. Nascemos no solo africano já portando o vírus da catapora.[62]

A história evolutiva da família do vírus herpes coincide com a história evolutiva entre os humanos e chimpanzés. Porém, podemos esmiuçar melhor o vírus e encontrar uma coincidência maior. Os primeiros hominíneos que se separam dos chimpanzés trouxeram consigo um tipo de vírus ancestral ao herpes.[63] A evolução desse ancestral originou dois tipos diferentes de vírus herpes humano: um que acomete nosso lábio e outro específico dos órgãos genitais. O vírus herpes que acomete os genitais se comporta de maneira semelhante ao labial. Também permanece "dormente" nas mucosas genitais masculinas e femininas. Acorda e se manifesta com vesículas dolorosas que cicatrizam. A queda da imunidade precipita o acordar do vírus e as lesões. Pacientes que sofrem de herpes genital sabem muito bem que de tempos em tempos surgem lesões genitais dolorosas e incômodas. É vírus causador de doença sexualmente transmissível.

Em algum momento, o vírus ancestral do herpes humano se separou para originar o restrito aos nossos lábios e o localizado nos genitais. Alguns especialistas aventam a possibilidade de a separação ter ocorrido à época em que os primeiros hominíneos adquiriram o bipedalismo, período em que começaram a permanecer em posição ereta.[64] Essa postura fez as regiões orais e genitais se afastarem e se isolarem. Essa distância causou o isolamento do vírus ancestral do herpes. Ambos os vírus sofreram mutações e adaptações que os diferenciaram geneticamente. Formaram-se assim o vírus herpes simples tipo 1, que acomete os lábios, e o tipo 2, que predomina nos órgãos genitais.

As diferenças genéticas dos herpes vírus tipo 1 e 2 podem ser comparadas e, assim, calculamos a época provável do ancestral comum de ambos. Seria a data em que se separaram: ou seja, no surgimento do bipedalismo. Surpreendentemente, há uma coincidência nas duas histórias. A data de separação do ancestral viral coincide, cerca de oito milhões de anos atrás,[65] com o surgimento dos primeiros hominíneos. A história contida no DNA desses microrganismos denuncia os passos ancestrais humanos. O herpes estaria só entre os primeiros hominíneos?

* * *

No último quarto do século XX, a ciência traçou alguns fatores de risco que favorecem o surgimento de câncer de colo de útero. A maioria das mulheres com essa doença tinha algo em comum. O tumor ocorria com maior frequência em mulheres com vários parceiros sexuais e que tiveram a primeira relação sexual com idade precoce. Tentou-se entender a lógica dessa estatística. O contato com diferentes espermas poderia irritar células do colo uterino? Diferentes espermas poderiam precipitar o aparecimento desse câncer? Foi uma explicação plausível e, por certo tempo, aventada como uma possível relação. Ainda não sabemos a relação do câncer com vários parceiros sexuais e início precoce da atividade sexual. Porém, ter vários parceiros sexuais favorece a aquisição de doenças sexualmente transmissíveis. Essas infecções repetidas também poderiam estar por trás da causa do câncer do colo uterino? A ciência progrediu e hoje sabemos que o câncer pode surgir devido a infecção por um vírus sexualmente transmissível, o papilomavírus humano. Também conhecido, se não mais, como HPV.

Descobrimos diversos tipos de vírus do HPV. São geneticamente diferentes. Alguns causam alterações nas células do colo uterino que favorecem o surgimento do câncer. Hoje é divulgado na mídia que a infecção pelo HPV pode causar o câncer do colo de útero. A infecção deve ser rastreada nos exames de rotina para tratamento precoce.

O HPV poderia também ter nascido conjuntamente com os primeiros hominíneos? Também utilizou as diferentes espécies de *Homo* como trampolins? Saltou para as espécies recém-nascidas deixando as anteriores se extinguirem? Alcançou, assim, o homem moderno? Trilhou seu caminho a exemplo do herpes vírus? A resposta só viria se encontrássemos um vírus semelhante entre os macacos. Nesse caso poderíamos supor que o ancestral comum ao homem e chimpanzés alojou também um vírus ancestral ao HPV. Outros primatas que não os humanos apresentam tais vírus?

Entre os primatas, quando os machos são em média maiores que as fêmeas, isso é sinal que eles costumam se relacionar em “haréns”. O gorila está acostumado a ser servido pelas inúmeras fêmeas que o cercam em troca de sua proteção. Sua poligamia é ameaçada apenas quando outro macho se atreve a desafiá-lo. Tudo é resolvido na força. O gibão prefere uma vida mais tranquila, mais familiar, com uma mesma fêmea e um casamento estável. O tamanho do macho e da fêmea é similar. Já o chimpanzé macho não possui um harém e nem a monogamia do gibão. Os machos cruzam com inúmeras fêmeas do grupo. Por outro lado, as fêmeas também se relacionam com diversos machos. Garantem a sobrevivência de seus filhotes, uma vez que essa promiscuidade evita o infanticídio cometido por alguns machos. Não matariam uma cria sem terem certeza de que não estariam eliminando seu próprio descendente.

O chimpanzé precisa vencer outros machos que ejacularão na sua fêmea. Para isso desenvolveu testículos maiores em relação ao tamanho de seu corpo.[66,67] O mesmo ocorreu com o bonobo. A chance de vencer os outros concorrentes e gerar um descendente será maior se lançar grandes quantidades de espermatozoides. Seus testículos precisaram aumentar de tamanho. O gorila e o gibão não necessitam vencer essa guerra e apresentam testículos de tamanho menor em relação ao seu corpo quando comparados com os dos chimpanzés e bonobos.

Entre estes últimos primatas há um vírus circulante, semelhante ao nosso HPV. São encontrados entre espécies de macacos e também são transmitidos sexualmente.[68,69,70] Nosso HPV atual apresenta, portanto, um ancestral comum com os papilomas vírus dos macacos.

Os diferentes ramos evolucionários originaram o surgimento de primatas, macacos e hominíneos. Provavelmente, os vírus acompanharam e diferenciaram-se para formar papiloma vírus específicos de cada uma dessas espécies. Da mesma forma, os primeiros hominíneos nasceram acompanhados pelos seus papilomas vírus, que se adaptaram a cada hominíneo emergente. No final dessa escala evolucionária surgiu o homem moderno com seu vírus adaptado, o HPV. Porém, ainda há casos em que adquirimos HPV de outros animais, o que mostra uma complexidade maior na evolução deste vírus.[71]

Nossos ancestrais africanos apresentavam infecções genitais pelo HPV. De modo semelhante ao herpes, o HPV não mata, mas causa doença crônica, ideal para sobreviver entre aqueles poucos humanos que encontrou à disposição.

O PORCO DE VILÃO A VÍTIMA... A VILÃO NOVAMENTE

Como já vimos, nascemos com pedaços de DNA de vírus passados incrustados ao nosso genoma, que nos trouxeram certas vantagens. Surgimos também com vírus ativos em nossos lábios e genitais herdados dos animais ancestrais da cadeia evolucionária. Esses acompanharam toda nossa história e circulam entre nossos amigos e parentes. Agora vamos conhecer outros microrganismos que nos invadiram durante a evolução de nossos ancestrais africanos. Nesse caso não nascemos infectados, mas adquirimos os vírus no solo africano. A ciência levanta essa possibilidade para dois agentes comuns na humanidade. A tênia, que causa parasitose intestinal, e a tuberculose.

A tênia é um parasita de nosso intestino. Alimenta-se vorazmente dos nutrientes de nossa dieta para seu desenvolvimento. Caracteriza-se por um agente filamentoso e achatado que pode chegar a até oito metros de comprimento.[72] É conhecida como o parasita causador da "solitária". Muitas pessoas não sabem como nos contaminamos. Porém, evitam seu contato pelo velho conhecimento de que não se deve comer carne de porco malpassada.

Somos carnívoros e adquirimos o parasita através da carne malcozida do gado ou porco. É mais do que divulgado que não se pode ingerir carne malpassada do porco, porque transmite a *Tênia solium*, assim como a carne malpassada da vaca ocasiona infecção pela *Tênia saginata*. Ambas causadoras da solitária. Esse alimento contém as larvas da tênia que, atingindo nosso intestino, se transformam em adultas. Há séculos nos infectamos por estes parasitas. Encontraram seus ovos em uma latrina de Jerusalém datada da época da invasão dos babilônios.[73] Acreditamos por muito tempo que o suíno e o gado eram os grandes responsáveis pelo início da doença no homem.

Acreditávamos que ao domesticarmos o porco e gado ganhamos esses parasitas de suas carnes. O estudo do DNA das tênias revelou, porém, que nossa intromissão no ciclo harmonioso do parasita se iniciou bem antes. Assim, a ciência mostrou que os vilões eram, na verdade, vítimas. E vítimas históricas, diga-se. Porque, depois de ter adquirido tênia do homem, suínos e gado devolveram o "favor", e o velho dito de nossas avós, para evitarmos determinadas carnes malpassadas, continua válido.

Vamos ver o que aconteceu. O ciclo de vida das tênias na natureza utiliza uma cadeia alimentar simples e eficaz para sua sobrevivência. É orquestrada de maneira racional para atingir o máximo de eficácia.

O adulto da tênia habita o intestino de animais carnívoros. Local em que se alimenta, cresce e desenvolve. Os ovos da tênia adulta são eliminados nas suas fezes. Uma vez na natureza, esses ovos permanecem em contato com os vegetais. Aguardam a chegada dos animais herbívoros. Estes pastam e ingerem vegetais presenteados com ovos do parasita. Uma vez ingeridos, atingem a corrente sanguínea e são levados até a musculatura desses herbívoros. Nos músculos, os ovos se transformam em larvas. Portanto, os carnívoros abrigam as formas adultas e eliminam seus ovos nas fezes. Os herbívoros ingerem os ovos e albergam as larvas em seus músculos.

Essas larvas, por sua vez, aguardarão dormentes na musculatura por uma oportunidade de atingirem a forma adulta da tênia. Isso só ocorrerá no momento em que um carnívoro avançar com seus dentes na musculatura do animal herbívoro. As larvas retornarão ao intestino de um carnívoro e formarão os adultos para recomeçar a história. Portanto, o ciclo da tênia é bem dividido. Carnívoros alojam os adultos, e herbívoros, as larvas.

O homem é acometido por três tipos diferentes de tênias: *Tênia solium*, *Tênia saginata* e *Tênia asiática*. Mas existem diversas outras espécies que habitam o intestino de outros animais carnívoros. Para investigar quais tênias são parentes das nossas basta compararmos o DNA dos nossos parasitas com o de outros animais. Assim, descobrimos quais animais forneceram suas tênias para originar o nosso parasita. A busca foi realizada e as tênias humanas são geneticamente muito próximas das que acometem os felinos, os canídeos e as hienas africanas.[74]

Esses carnívoros teriam eliminado os ovos de seus parasitas na natureza e foram ingeridos por animais herbívoros. O homem teria, pela caça, entrado em contato com as larvas da musculatura. Algum animal herbívoro caçado por nossos ancestrais seria o elo. O antílope se encaixa como grande candidato. Os primeiros hominíneos africanos já o caçavam e ingeriam sua carne. Nossos ancestrais, então, adquiriram a forma adulta das tênias dos felinos, canídeos e hienas. Após séculos de evolução, essas tênias sofreram mutações e adaptações no organismo dos hominíneos para formar tênias diferentes das primeiras. Agora os intestinos dos hominíneos continham a *Tênia solium, saginata* e *asiática*.

A África é o local provável da primeira invasão humana pelos parasitas da tênia. Poderíamos estar satisfeitos por saber a origem da infecção, porém o estudo do material genético conta os próximos passos do parasita. Pesquisadores descobriram que a *Tênia saginata* e a *asiática* apresentam DNA muito semelhante. Evoluíram de uma mesma forma ancestral. Admitindo que suas taxas de mutações ocorreram com frequência constante, calculamos a época provável da separação. Encontra-se entre 780 mil e 1,7 milhão de anos atrás.[75] Provavelmente as duas formas de tênias começaram a se separar e se originar entre essa época.

Esses achados trazem dois problemas. A *Tênia asiática* existe apenas na Ásia, e não na África, que seria o local de sua origem. Além disso, a data provável da separação do ancestral daquelas duas espécies de tênias – há mais de um milhão de anos – está muito distante do surgimento dos primeiros homens modernos. Teríamos um parasita humano nascido antes do homem moderno surgir? Teria sido carregado para o continente asiático antes de surgirmos? Quem teria levado o ancestral da *Tênia asiática* para fora da África?

Precisaríamos de um elo entre a origem das tênias e o homem moderno. Como essa lacuna seria preenchida? A resposta vem do primeiro hominíneo caçador que pode ter se contaminado e levado o parasita para fora do continente africano: o *Homo erectus*. Esse ancestral humano evoluiu na África e foi o primeiro hominíneo anterior ao homem moderno que conseguiu transpor os limites africanos para conquistar novos territórios. Os primeiros grupos de *Homo erectus* emigraram da África ao redor de 1,7 milhão de anos atrás.[76] Essa data coincide com o limite mais antigo da separação da *Tênia saginata* e a *asiática*. Várias ondas migratórias do *Homo erectus* partiram do continente negro para colonizar o oeste europeu e a região sul do continente asiático até a extremidade leste da Indonésia. Obtiveram sucesso na sua empreitada. Foram extintos, mas deixaram sítios arqueológicos com vestígios de suas moradias transitórias, restos de objetos artesanais e animais devorados.

As várias ondas migratórias do *Homo erectus* deixaram a África e levaram consigo formas de tênia para outras regiões. Estas já estavam se diferenciando em *Tênia solium, saginata* e *asiática*, diferentes das tênias originais que continuaram a acometer os animais carnívoros africanos.

O gado e os porcos devem ter entrado em contato com fezes humanas portadoras dos ovos da tênia e transformaram em veículos na transmissão da doença. Não originaram a doença humana, mas perpetuaram sua ocorrência até os dias atuais. A frequência do parasita elevou-se com a domesticação desses animais. Tornou-se frequente nos continentes asiático e europeu. A análise genética da *T. solium* dispersa pelo mundo ainda revela que provavelmente foi introduzida na América e África nos últimos quinhentos anos.[77,78,79] Nesse caso, a época das colonizações europeias seria a responsável por trazer o parasita para o Brasil. Teria chegado por europeus contaminados aliado às criações de porcos.

Os primeiros hominíneos, ainda nus, circularam pela África adquirindo parasitas dos herbívoros caçados. A ciência do DNA remontou os fatos ocorridos nessa época. Desmistificamos o porco como responsável pelo fornecimento do parasita ao homem durante sua domesticação. Colocamos os ancestrais humanos como responsáveis pela aquisição do parasita nas savanas africanas.

TOSSE NOS ANCESTRAIS HUMANOS

Um outro exemplo de microrganismo invasor dos ancestrais humanos vem de uma doença muito conhecida da humanidade: a tuberculose. Outro mito cairia. A bactéria da tuberculose humana, a *Mycobacterium tuberculosis*, é muito semelhante a outra que acomete o gado, a *Mycobacterium bovis*. Esta também atinge o homem e causa doença. Acreditávamos que a bactéria do gado originara a tuberculose humana na época da domesticação do animal. Sua bactéria eliminada nas secreções e líquidos teria atingido os criadores e, através de mutações, transformado na bactéria responsável pela tuberculose humana. Hoje em dia encontrarmos raramente doentes pela *M. bovis*. Porém, gerações passadas presenciaram sua agressão, principalmente os europeus entre os séculos XVIII e XIX.

O gado eliminava a bactéria em suas secreções, líquidos e no leite.[80] O transporte de gado levava a doença para outros rebanhos distantes e em outros continentes.[81] Os europeus ingeriam leite contaminado pela *M. bovis*. A bactéria entrava no organismo humano, proliferava-se e ocasionava a tuberculose. A forma mais comum dessa tuberculose acometia outros órgãos que não o pulmão. Era responsável principalmente pela tuberculose intestinal, renal, no abdome e nos gânglios (também conhecidos como ínguas). Causava emagrecimento, febre e colapço no estado geral. Cerca de 6% das mortes por tuberculose na Europa nesse período decorriam da *M. bovis*.[82]

A história mudou quando Pasteur descobriu que, ao aquecer e resfriar de maneira abrupta a cerveja, eliminava microrganismos prejudiciais a sua fermentação. Evitava, assim, o estrago da produção da bebida. Posteriormente, essa técnica de pasteurização foi empregada também para eliminar bactérias no leite, e contribuiu para a eliminação da *M. bovis* entre outros microrganismos. Os rebanhos foram vigiados para se evitar a doença ou eliminar o gado doente.[83,84] O século XX presenciou uma queda acentuada dos casos de tuberculose transmitida pelo leite contaminado.

Não foram apenas nossas gerações passadas que estiveram em íntimo contato com a bactéria. Nossos filhos têm muito mais contato. No início do século XX, os cientistas franceses Albert Calmette e Camille Guérin isolaram a *M. bovis* e iniciaram sua replicação em meios de cultura artificiais de laboratório. As bactérias multiplicadas eram recolocadas novamente em um novo caldo de cultura. Este, porém, pobre em ingredientes nutritivos. Sem a oferta de nutrientes adequados, reproduzia-se uma bactéria "desnutrida" com baixa força de agressão. Após realizarem várias passagens sucessivas nessas culturas, centenas de vezes, chegaram a uma forma de *M. bovis* bem alterada em relação à primeira.[85] Formou-se um tipo de bactéria sem capacidade de causar doença no gado ou homem, uma bactéria enfraquecida. Apesar de fraca, era capaz de estimular a defesa das pessoas quando administrada. Posteriormente passou-se a administrá-la por injeção na pele (intradérmica). Esse bacilo enfraquecido é parente do bacilo causador da tuberculose humana. Compartilham, portanto, semelhanças genéticas. Por esse motivo, sua infusão na pele humana também estimula a defesa contra a tuberculose e protege da doença. Ele recebeu o nome de seus criadores, o bacilo Calmette-Guérin (BCG). Iniciou-se a ampla administração da vacina contra tuberculose aos recém-nascidos, a BCG dos dias atuais.

A hipótese que a domesticação do gado trouxe sua bactéria ao homem e originou a tuberculose tinha fundamento. Ambas são semelhantes e parentes entre si. Além disso, a *M. bovis* também causa doença no homem. Portanto, somos suscetíveis à sua invasão. Apesar de toda evidência, a ciência começou a desmontar essa hipótese, até então aceita, com descobertas realizadas no material genético de bactérias da tuberculose. Para isso teve que também ir buscar DNA da tuberculose em pessoas mortas há milênios.

* * *

Em uma sala pouco iluminada, encontramos um homem pardo de meia-idade em pé ao lado de uma mesa. Esse homem é uma das pessoas mais respeitadas de sua cidade. Encontra-se no seu local de trabalho, na sua oficina. Talvez esteja acompanhado de um de seus filhos, que herdará sua arte profissional. Receberá os segredos de seu pai. Perpetuará sua tradição familiar de embalsamador. Um cadáver egípcio encontra-se na mesa. Estamos em algum momento bem anterior ao surgimento dos primeiros filósofos da Grécia antiga. Sua tarefa é evitar a decomposição daquele proeminente cidadão. Os egípcios antigos acreditavam que a destruição do corpo ocorria por obra da caixa de pedra em que eram colocados. Eram verdadeiros sarcófagos (do latim: comedor de carne).

Teve início a arte do embalsamamento. Foi adquirida após séculos de tentativas com acertos e erros. Agora, o segredo era guardado entre os profissionais específicos dessa prática. Introduzem uma espécie de fio de arame na narina do cadáver. Perfuram o osso situado atrás dos olhos e atingem o cérebro. Esse órgão extremamente sensível está liquefeito pela morte, e inclinar a cabeça para uma posição inferior ao resto do corpo será suficiente para escorrer o líquido pelo orifício. Esvazia-se, assim, todo crânio.

As bactérias intestinais proliferam-se após a morte. Destroem a parede do intestino e alastram-se pelo corpo. Suas enzimas decompõem os tecidos gordurosos, musculares e outros. Essas mesmas bactérias produzem gás com odor fétido, característico dos corpos em decomposição. Os embalsamadores precisam retirar esse ninho de bactérias intestinais responsáveis por parte da decomposição. Realizam um pequeno corte do lado esquerdo do abdome, suficiente para enfiar a mão e retirar a maioria dos órgãos abdominais e torácicos. Saem o estômago, intestinos, baço, rins, pâncreas, pulmões e coração.

A retirada do domicílio dessas bactérias não basta. Nossas próprias enzimas extravasam de dentro das células e, também, destroem nossos tecidos. Como elas agem na presença de água, é necessário retirar o máximo de umidade presente no cadáver. Para isso, os dedicados profissionais preenchem a cavidade abdominal com o natrão. Essa substância apresenta altas concentrações de bicarbonato de sódio, cloreto de sódio e carbonato de sódio. Em resumo, é fundamental a administração do sódio, sal, que desidrata o tecido e impossibilita a decomposição pelas enzimas e algumas bactérias que ainda permaneceram. O corpo ainda é inteiramente coberto com sal e permanece assim por mais de um mês.

Após o repouso salgado, lavam o cadáver com álcool, mirra ou cássia para eliminar algum vestígio de bactérias e untam com uma resina que o impermeabiliza do contato com o meio ambiente. O segredo da resina está na mistura de mirra, óleo de canforeira e óleo de zimbro,[86] mas sua fórmula exata permanece desconhecida. Até mesmo asfalto proveniente do mar Morto foi identificado como um dos ingredientes. A múmia, agora envolvida por ataduras de linho, está pronta para a vida após a morte. Os embalsamadores nos fizeram um enorme favor ao criarem condições para preservação dessas múmias. Preservaram também seus inquilinos invisíveis, as bactérias da tuberculose.

Os egípcios mumificados permaneceram em repouso no silêncio de suas salas mortuárias. Talvez ouviram os acontecimentos históricos que ocorreram na superfície daquele solo, invasões, guerras, revoltas e disputas, apesar do silêncio predominar em seu repouso de milênios. Algumas múmias viram a luz do dia entrar com a sombra dos saqueadores de tumba. Outras foram incomodadas com a abertura de suas salas por homens com outras ambições, as científicas. As expedições científicas pelos arqueólogos se intensificaram a partir do século XIX, época em que houve uma febre de interesse da população europeia e americana pelos mistérios do Egito antigo. Escavações descobriam uma a uma as múmias e seus tesouros.

Europeus e americanos aglomeravam-se em salas de teatro e circos para presenciar a exposição de múmias trazidas do Egito. No século XIX apresentações sobre as misteriosas múmias egípcias eram comuns. A plateia deslumbrava-se com aquele emaranhado de linho misturado a corpos escuros e opacos de possíveis homens respeitados que viveram há mais de três mil anos. Porém, jamais suspeitavam que no seu interior estaria preservada a bactéria da tuberculose que aquele proeminente egípcio adquirira à época em que seu sangue era quente. Aliás, muitos arqueólogos nem desconfiavam da presença de microrganismos na própria superfície das múmias. O ambiente lacrado, pobre em oxigênio, em que repousaram durante milênios, favorecia a proliferação de um fungo. Muitos desses cientistas, ao manusearem o corpo mumificado, suspendiam sua poeira repleta de fungos. Flutuando nas salas, eram inalados pelos arqueólogos[87] e ocasionavam infecção pulmonar que condenou alguns cientistas a dias na cama ou mesmo à morte. Ficou conhecida como a doença dos arqueólogos ou, por alguns místicos, como a maldição dos faraós contra aqueles que interromperam seu repouso. Tanto essas formas de fungos como a bactéria da tuberculose seriam descobertas no futuro.

Como a bactéria da tuberculose preservou-se em múmias egípcias? Um doente pela tuberculose poderá sofrer uma disseminação da doença. A bactéria atinge sua corrente sanguínea e espalha-se por outros órgãos além do pulmão. Há casos de tuberculose nos rins, no cérebro, no coração, no abdome, no olho, em articulações e outras regiões. Existe um local que deixa marcas, cicatrizes

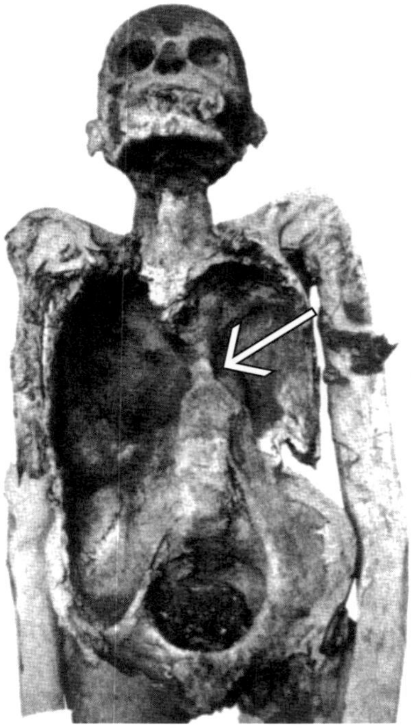

Múmia de um sacerdote egípcio com destruição de vértebra do tórax pela tuberculose. Note na região central do tórax o afinamento da coluna vertebral. A comprovação da tuberculose pelos achados microscópicos ocorreu em 1910.

da doença. Esse local é a coluna vertebral. A tuberculose acomete os discos intervertebrais que, maleáveis, funcionam como amortecedores do impacto entre as vértebras. São os mesmos que causam as hérnias de disco quando abaulados. Com a progressão da infecção, a tuberculose atinge o corpo ósseo da vértebra e o corrói. A destruição é muito característica da doença. Podemos quase afirmar que se trata de tuberculose vertebral quando avaliamos a lesão em algum exame de imagem, como a radiografia, a tomografia ou ressonância magnética.

Os arqueólogos egípcios encontraram essas lesões em vértebras de algumas múmias. Esses achados mostravam que a tuberculose era uma doença presente na população antiga do Egito. Os exércitos do faraó afastavam homens debilitados pela doença. Os camponeses cuidavam de algum familiar acamado e emagrecido pela tuberculose. Escravos eram afastados por fraqueza, emagrecimento e eliminação de sangue em sua tosse. Os cientistas do século XX sabiam da presença das lesões da tuberculose em múmias egípcias, porém não imaginavam que ali também havia o material genético da doença. Apenas avaliaram lesões grosseiras nas vértebras e achados sugestivos de tuberculose ao microscópio. A ciência conseguiu, agora, isolar e estudar o material genético da tuberculose nas múmias. Revelou-se algo mais surpreendente.

Pesquisadores alemães partiram em busca do material genético da tuberculose nos restos ósseos de múmias do Egito. Rasparam ossos para coletar o material do seu interior, livre de contaminações. Uma série de reações químicas esfarelava o componente ósseo e iniciava-se a busca do material genético. Os pesquisadores encontraram o DNA da tuberculose em algumas múmias egípcias após milênios de repouso. Algumas revelações vieram a público.

Os cientistas encontraram o DNA em múmias tanto dos períodos recentes da história como também nos períodos antigos.[88] Encontraram o DNA em múmias da necrópole de Abydos datadas do período pré-dinástico até o primórdio das dinastias. A tuberculose incomodava os egípcios desde a unificação do Alto e Baixo Egito, pelo primeiro rei egípcio. Múmias da necrópole a oeste de Tebas também apresentaram DNA da tuberculose.[89] Gerações anteriores a essas bactérias acometeram o pulmão de trabalhadores da construção da grande pirâmide de Quéops e da elevação da misteriosa Esfinge. Encontrou-se material genético da tuberculose também em múmias da necrópole de Tebas datadas de uma época mais recente da história. A tuberculose estava presente na idade áurea do Egito. Presenciou a expulsão dos hicsos, a saída dos judeus no Êxodo e a chegada dos persas. Em suma, o DNA nos mostrou presença da tuberculose em quase todo o período da história do Egito.

A frequência da doença é outra informação importante. Apenas uma pequena parcela das pessoas infectadas pela tuberculose tem comprometimento em seus ossos. Assim, se acharmos uma quantidade grande de múmias com comprometimento ósseo, significa que a doença acometia uma quantidade muito maior de pessoas. Foi o que ocorreu. O DNA da tuberculose foi encontrado entre 21% a 29% dos fragmentos ósseos testados. Essa frequência é muito elevada dada a baixa proporção de pacientes que encontramos com lesão óssea. Uma parcela dos achados da tuberculose ainda ocorreu em ossos sem qualquer tipo de lesão. A tuberculose foi uma doença comum e epidêmica nessa civilização. Os aglomerados populacionais e urbanos conviviam com emagrecimento e morte pela doença. Caso retrocedêssemos no tempo, encontraríamos pessoas menos favorecidas com sintomas da doença, já que se constatou ser doença comum devido à alta frequência encontrada, e muito semelhante à de nossas grandes cidades atuais. O estudo do material genético trouxe mais descobertas. Revelou parte da origem da doença na humanidade. Caminhávamos para abolir a tese da domesticação do gado como origem da doença humana.

* * *

Os pesquisadores conseguem buscar sequências de DNA específicos para cada tipo da bactéria, pois sabem qual é a sequência que diferencia a *M. tuberculosis* da *M. bovis*. Assim, eles submeteram uma série de múmias recuperadas na necrópole de Tebas ao método de isolamento do DNA da bactéria. Resultado: nenhuma múmia egípcia apresentou a *M. bovis*. Encontraram as sequências da *M. tuberculosis*.[90,91] Os antigos egípcios que sucumbiram pela ou com a bactéria da tuberculose nessa necrópole não foram acometidos pela *M. bovis*. Esse achado contraria a hipótese da origem da doença pela domesticação do gado, pois se esperava encontrar algum DNA da *M. bovis*, uma vez que seria a primeira a infectar os humanos. Mas os argumentos não param por aqui.

Encontrou-se indício maior em defesa do gado nas diferenças genéticas dessas formas de bactérias. Se pudéssemos registrar em que momento da história cada uma dessas espécies surgiu, encontraríamos a sequência de sua evolução. Traçaríamos a sucessão de qual bactéria surgiu primeiro e quais espécies vieram depois. Um grupo de pesquisadores conseguiu a façanha e comprovou que o gado não foi responsável pela origem da tuberculose humana. Faremos uma pausa para exemplificar como são comparadas essas diferenças genéticas.

Imaginem um grupo de pessoas reunidas e enfileiradas. Fala-se para a primeira uma determinada frase. A seguir, essa pessoa falará a mesma frase para a próxima, em seu ouvido. Essa segunda pessoa novamente repetirá a frase ouvida para uma terceira. Cada pessoa ouvirá e repassará a frase ouvida para a próxima que estiver ao seu lado, como na brincadeira infantil conhecida por "telefone sem fio". Várias transformações na frase ocorrerão de tal maneira que a última pessoa ouvirá uma frase bem diferente da original. A sentença sofre uma série de mudanças ao ser ouvida e repassada de forma consecutiva. Isso devido a vários fatores de erros na interpretação, no escutar ou no falar. Agora, suponhamos que as transformações da frase sejam apenas na perda de artigos ou preposições, e não em alterações de suas letras ou palavras. Peguemos como exemplo uma frase inicial e listemos as frases ouvidas e repassadas mostrando as suas transformações:

Frase 1: o homem de branco bebeu um copo cheio de água
Frase 2: homem de branco bebeu um copo cheio de água
Frase 3: homem branco bebeu um copo cheio de água
Frase 4: homem branco bebeu copo cheio de água
Frase 5: homem branco bebeu copo cheio água

Se tivéssemos que organizar como a frase foi modificada e a sequência em que isso ocorreu, compararíamos as frases com ênfase nos artigos e nas preposições suprimidas. Assim, a frase 1 está mais próxima da frase 2 por ter sido suprimido apenas o artigo "o", e não da frase 3, que não apresenta o artigo "o", além da preposição "de", que se mantém ainda na frase 2. Portanto, a frase 1 é mais semelhante à frase 2, que, por sua vez, se assemelha mais à frase 3. A primeira pessoa que ouviu a frase sem o artigo "o" passou essa supressão adiante. Dessa forma, todas as frases descendentes não terão mais esse artigo. O mesmo ocorrerá com a preposição "de" e com o artigo "um". Assim, podemos organizar a sequência de frases nesse grupo de pessoas. Mesmo que fornecêssemos as cinco frases não ordenadas, seria fácil organizarmos a ordem pela qual a frase foi modificada nas diversas passagens pelos ouvintes.

Nas bactérias que pertencem ao mesmo gênero da tuberculose ocorre algo semelhante. Durante as gerações de descendentes bacterianos ocorreram vários erros na cópia do material genético. Essas sequências alteradas seriam os artigos e as preposições, como no exemplo das frases, e estiveram envolvidas na origem das novas espécies. Os cientistas identificaram sequências de DNA alteradas durante a evolução. Ao compará-las, puderam construir a ordem com que as mutações se acumularam e, portanto, a sequência do surgimento das diferentes formas da bactéria.[92,93] Ao que tudo indica, um ancestral bacteriano originou primeiro a *M. tuberculosis*. A *M. bovis* foi a última a surgir na escala evolucionária.[94] Assim, já teríamos humanos com a tuberculose mesmo antes da domesticação do gado e antes do surgimento da *M. bovis*. Um nocaute à teoria da transmissão do gado ao homem.

Sabemos que a data da invasão da doença no homem foi bem anterior. Mas quando foi? Seria antes de deixarmos o solo africano? Seria nos primeiros homens modernos? Ou em algum hominíneo ancestral ao *Homo sapiens*?

Para responder, precisaríamos achar indícios da doença em fósseis de épocas remotas. Algum fóssil africano com DNA da tuberculose. Não se encontrou ossada tão antiga com os indícios da doença. Nem por isso ficamos sem pistas do seu nascimento. Descobertas do ano de 2005 responderam a essas perguntas. Para nossa surpresa, a resposta não veio de fósseis, mas sim de humanos bem vivos.

* * *

No final da década de 1960, o pesquisador Georges Canetti deparou-se com uma forma diferente de bactéria causadora da tuberculose. Ela foi isolada em um paciente francês. Ao ser colocada em um meio de cultura, multiplicava-se mais rapidamente que a bactéria habitual. Após atingir uma grande quantidade de bactérias, o meio de cultura mostrava as marcas de seu crescimento; isso visto a olho nu. A exemplo das colônias de bolor em pão envelhecido, em que as manchas esverdeadas demonstram o crescimento de fungos. No meio de cultura bacteriana vemos também manchas ocasionadas pelas bactérias que se proliferaram. A forma bacteriana de Canetti também mostrava um aspecto muito diferente do comumente visto na tuberculose. Originava manchas esbranquiçadas com superfície extremamente lisa, ao contrário do aspecto enrugado da forma habitual da tuberculose. Essas características foram suficientes para a bactéria descoberta ser classificada como uma forma diferente de tuberculose. Foi batizada como *Mycobacterium canetti*.

Durante anos, a *M. canetti* permaneceu esquecida entre as prateleiras da ciência. Foi mais uma das raras bactérias descobertas. Pouco vista pelos médicos no dia a dia de sua profissão. Mas ela forneceu novas pistas sobre a origem da tuberculose humana.

Alguns casos de tuberculose por essa forma de bactéria surgiram na década de 1990.[95,96] Os pacientes diagnosticados com a *M. canetti* tinham uma peculiaridade. Todos se infectaram em solo africano, mais precisamente na região do chifre da África. Tudo indicava que o leste africano era a região fornecedora dessa forma bacteriana. Lá viviam populações com suas formas infectantes se proliferando. Um verdadeiro caldo de cultura isolado em que a bactéria mantinha sua sobrevivência saltando de pessoa para pessoa. O número de doentes acometidos permanecia raro. Apesar disso, um grupo de cientistas franceses conseguiu, entre 1998 e 2003, agrupar uma coleção de poucas dezenas dessa bactéria entre habitantes doentes de Djibouti.

Analisaram o DNA dessa coleção e uma grande variedade do material genético das bactérias foi encontrada. Apesar de serem de uma região africana específica, havia uma diferença muito grande entre o DNA de cada bactéria. Isso sugere que sofrem mutações há um longo tempo. Como se comparássemos três homens modernos atuais, um oriental, outro africano e um terceiro caucasiano. Apesar de serem *Homo sapiens*, apresentam diferenças tão grandes que sugere uma diferenciação muito antiga que se acumulara e os transformara. Porém, as bactérias que causam a tuberculose mundial não apresentam diferenças genéticas tão intensas quanto as de Djibouti. Portanto, evoluíram em período mais recente da história.

A tuberculose poderia ter nascido no solo africano com os primeiros hominíneos. Algumas partes do DNA foram alteradas durante a evolução das bactérias modernas da tuberculose. Porém, esses fragmentos genéticos ainda são encontrados íntegros nas formas primitivas de bactérias analisadas em Djibouti. Esses achados indicam que as bactérias da tuberculose atual se separaram e evoluíram de um ancestral de bactérias nascidas da *M. canetti*. Este último tipo teria permanecido no leste africano.[97] A proposta seria que os humanos eram acometidos pela tuberculose, através da *M. canetti*. Em algum momento surgiu, por mutações, a *M. tuberculosis* responsável pela tuberculose mundial.[98] Esta última teria melhor capacidade de ocasionar doença com transmissão mais eficaz. Tornou-se mais bem-sucedida. Conseguiu disseminar-se de maneira mais eficiente e espalhou-se pela humanidade. Mas qual seria a data do surgimento da tuberculose humana?

Os cientistas franceses calcularam as etapas da evolução dessa forma africana. Aplicando-a entre as diferentes formas de *M. canetti* de Djibouti, os franceses encontraram um ancestral comum dessas bactérias há cerca de três milhões de anos.[99] Nessa época hominíneos no leste africano portavam a doença. Não se sabe quão agressiva e letal seria essa forma de tuberculose. Os *Homo habilis* e os *Homo erectus* surgiram com a presença da bactéria em sua terra natal. A tuberculose pode ser tão antiga quanto a habilidade em construir utensílios de pedra.

Nós, *Homo sapiens*, chegamos muito tempo depois do surgimento da tuberculose. Provavelmente, a doença acompanhou nossos ancestrais. Podemos ter sido invadidos no primeiro minuto de nossa história. Resta ainda saber como as primeiras formas bacterianas atingiram os primeiros hominíneos. Bactérias semelhantes à nossa tuberculose invadem muitos animais. É bem provável que algum animal africano forneceu bactérias ancestrais da tuberculose. Nos hominíneos, esses microrganismos podem ter originado a *M. canetti* através de mutações. As respostas talvez venham no futuro.

PEGADAS MICROSCÓPICAS NA MIGRAÇÃO HUMANA

O *Homo sapiens* surgiu na África. A teoria atual mais aceita é a de que grupos do homem moderno emigraram desse continente e, após milhares de séculos, colonizaram todo o planeta. Invadimos áreas até então desconhecidas em ondas migratórias partidas da África. Descobrimos terras novas em pouco menos de cem mil anos.

Um grupo de cientistas analisou os sedimentos de três grandes lagos africanos. O depósito soterrado pelo tempo auxiliou a reconstruir a história do clima. Uma intensa seca assolou a África há cerca de cem mil anos. Seus lagos praticamente secaram. As condições para sobrevivência dos homens modernos evaporaram.[100] As vegetações escassearam pela falta de água. Esse contexto inóspito à sobrevivência coincide com a provável data da emigração humana. Esses cientistas aventam a possibilidade de termos sidos expulsos, obrigados a caminhar em busca da sobrevivência em áreas longínquas. Partimos para a conquista de novas terras em novos continentes.

Acredita-se que a saída desses prováveis refugiados do clima ocorreu pelo nordeste africano. Atravessaram o Sinai ou transpuseram o mar Vermelho para atingir a região da península arábica.[101] Encontraram terras férteis no atual Oriente Médio. Grupos humanos partiram em direção à Turquia e entraram na Europa.[102] Outros seguiram rotas terrestres que os levaram para a região central da Ásia. O litoral guiou aqueles que alcançaram as costas da Índia e Sudeste asiático. Embarcações os levaram às ilhas da Indonésia e Austrália. Posteriormente, seguiram em conquista das terras nórdicas frias. Venceram as adversidades do clima frio e chegaram ao norte europeu e asiático. Transpuseram o norte do Pacífico para chegar à América pelo nordeste da Ásia. Desceram pela América do Norte e habitaram as Américas

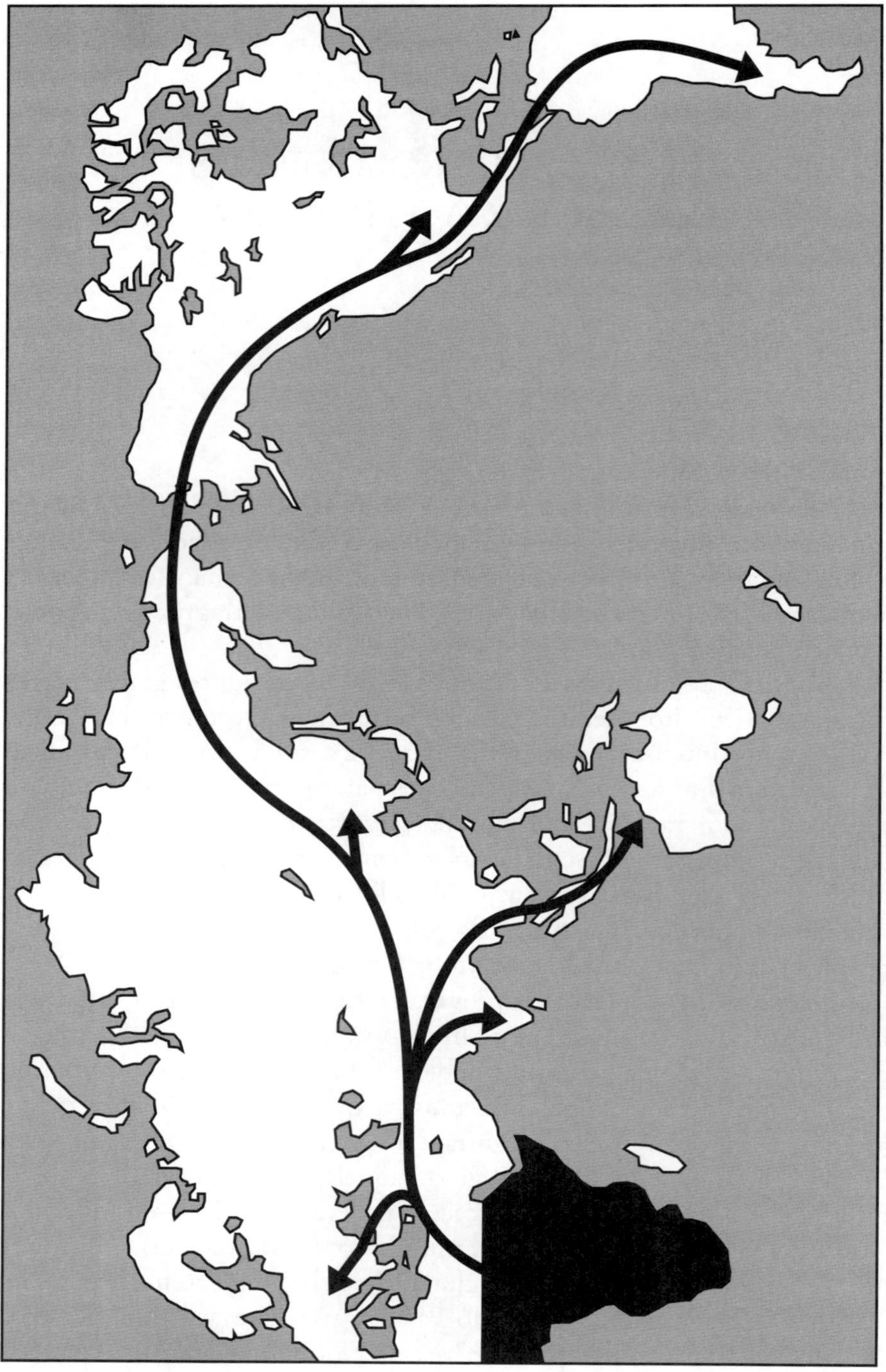

Prováveis rotas migratórias percorridas pelo homem após deixar a África e conquistar os demais continentes.

Central e Sul. Algumas ilhas permaneceram livres de nossa presença por mais tempo. Acabaram por se render à chegada do homem em sua última estação, principalmente as ilhas do Pacífico. A conquista do planeta ocorreu por essas prováveis rotas nos últimos cem mil anos.[103,104,105,106]

Os caçadores e coletores aproveitaram todos os recursos naturais encontrados nas novas terras.[107,108] Caçaram rena, javali, cabra, gado, cavalo, mamute, cangurus, lebre, raposa, gazela, bisão, porco, aves, alce, entre tantos outros animais. Coletaram ovos, raízes, sementes, frutas e grãos. Pescaram e coletaram moluscos nos litorais. Melhoraram a eficácia de seus instrumentos de sílex para caça, anzóis de ossos, redes e outros artefatos. Pele e couro dos animais abatidos transformaram-se em roupas, que, aliadas ao fogo, contribuíram para a conquista das terras geladas.

As rotas traçadas pelo homem moderno após sua saída da África são cada vez mais detalhadas pela ciência moderna. Sítios com vestígios humanos e ossos são vasculhados dia a dia. Nos últimos anos o estudo do DNA ou RNA dos microrganismos que aqueles humanos carregaram também vem ajudando a esclarecer a rota migratória. Os microrganismos levados pelos nossos ancestrais mostram essas rotas. Deixaram pegadas microscópicas.

O vírus HPV, aquele nosso conhecido do capítulo "Nascimento conjunto", multiplica-se no organismo infectado e sofre mutações constantes. Os vírus descendentes apresentam cópias diferentes do seu DNA. Gerações futuras do vírus inicial serão geneticamente diferentes. Cada grupo humano que se desgarrou dos demais levou consigo vírus responsáveis por uma geração geneticamente diferente dos demais que ficaram para trás. Nesse caso teríamos comunidades humanas portadoras do vírus HPV com características genéticas específicas. Comparando as alterações do seu DNA em população nativa de regiões diferentes, podemos traçar a rota percorrida pelo vírus HPV que coincidiria com o trajeto de seu carregador, o homem moderno.[109]

Pesquisadores coletaram alguns tipos de HPV de humanos oriundos de regiões da África, Europa, leste da Ásia e América. Compararam fragmentos de DNA desses vírus.[110] O material genético do HPV dos índios americanos é muito semelhante ao dos vírus que afetam a população do leste asiático. Os vírus americanos são descendentes dos asiáticos. Foram trazidos pela migração humana vinda do leste da Ásia. O vírus HPV dos asiáticos, por sua vez, assemelha-se geneticamente ao vírus dos povos da proximidade do Oriente Médio e Europa. Portanto, um grupo de humanos desgarrado dessas regiões migrou para a extremidade leste asiática levando consigo seu HPV. Já o HPV presente em povos europeus e do Oriente Médio é geneticamente similar ao dos povos africanos. Descenderam dos vírus presentes na África.

Essa sequência de origem dos diferentes tipos de vírus HPV coincide com a sequência de regiões atingidas pela migração do homem moderno desde sua saída do continente africano. A história da migração humana é contada pelo estudo do material genético do HPV que acompanhou o homem e também se instalou nas diferentes áreas do planeta.[111,112] Todos os tipos de HPV humanos de hoje são descendentes daqueles que acometiam os primeiros humanos africanos, antes de sua saída da África.[113,114] Podemos realizar essa pesquisa para outras formas de microrganismos. Uma bactéria também denuncia essa mesma rota.

* * *

Pacientes que recebem antibióticos apresentam com frequência dores no estômago. É a chamada "queimação na boca do estômago". Há certo tempo, incriminávamos os antibióticos como agressores e causadores de gastrites e úlceras. O que não imaginávamos é que os mesmos vilões trariam também a solução para muitos desses problemas.

A balança se inverteu com a descoberta da bactéria *Helycobacter pylori* no estômago de alguns pacientes. Os trabalhos mostraram a relação entre a doença e a bactéria, que consegue se desenvolver no meio ácido do estômago, diferentemente de inúmeras outras que não resistem à acidez. Qual sua estratégia? A resposta está na produção de substância alcalina pela bactéria. Essa substância a engloba e neutraliza a acidez do estômago. Funciona como uma capa alcalina isolante daquele mar ácido em que a bactéria se encontra mergulhada. O que é bom para o *H. pylori* passa a ser ruim para o homem. As substâncias alcalinas agridem a parede do estômago e causam inflamação ou ferimentos. Outras substâncias produzidas pela bactéria causam os mesmos efeitos. Surgem, dessa maneira, as gastrites ou úlceras desencadeadas pelo *H. pylori*.

Passamos, então, a pesquisar sua presença nos exames de rotina realizados para visualizar o estômago. A endoscopia digestiva relata as alterações gástricas visualizadas pelo examinador, bem como suas fotos. A novidade dos últimos anos é que o exame também traz o resultado da pesquisa do *Helycobacter pylori*. Evitávamos o emprego de antibióticos em pacientes portadores de gastrites e úlceras. Hoje, se houver a presença da bactéria, podemos associar antibiótico específico com a finalidade de curar gastrites e úlceras gástricas.

Podemos transmitir a bactéria para outra pessoa pelo contato próximo e, nesse caso, há uma porcentagem enorme de crianças que adquirem a bactéria de suas mães. Portanto, a bactéria também é carregada pelas migrações humanas. Também poderia ser usada para traçar a rota humana de dispersão africana? Seu DNA mostraria coincidências?

As comparações genéticas da bactéria de diferentes regiões mostraram como ela se espalhou pelo nosso planeta.[115] Mais uma vez – como no caso do HPV –, o estudo genético de outro agente revela a trajetória humana pelo planeta. As bactérias encontradas no estômago de humanos do extremo leste asiático se originaram das presentes nas proximidades do Oriente Médio, que por sua vez se assemelham ao *H. pylori* presente nos europeus. As bactérias presentes em humanos da Europa e do Oriente Médio descenderam das presentes na África.

Os humanos que partiram da África levaram consigo o *H. pylori* em seus estômagos. A bactéria acompanhou as ondas migratórias e colonizações do planeta. Permanecia nos descendentes humanos de cada região. Traçamos a trajetória humana através das variações genéticas encontradas na bactéria de cada região estudada.[116,117] A bactéria saída da África chegou ao Oriente Médio, desviou sua rota para a Europa e seguiu para a extremidade leste do continente asiático.[118] Ao final, um grupo desceu em direção ao sudeste asiático e atingiu a Oceania e suas ilhas. Mas e os americanos? Trouxeram também o *H. pylori* para a América pela proximidade do nordeste asiático?

Após o descobrimento da América, os espanhóis entraram em contato com índios americanos sem saber que apresentavam o *H. pylori*. Os europeus fizeram contato com populações indígenas de áreas alagadas e recortadas por riachos, rios e brejos ao norte da América do Sul. A região foi batizada como Veneza pequena (Venezuela). A chegada dos europeus seguida dos escravos africanos fez com que as populações de *H. pylori* se misturassem entre os descendentes miscigenados nos últimos quinhentos anos. Perdeu-se, assim, a trilha da bactéria nativa na América.

Porém, um grupo de pesquisadores seguiu o rio Orinoco até a cidade de Porto Ayacucho no interior florestal da Venezuela. Pesquisaram a presença da bactéria no estômago de uma população indígena nativa. Encontraram-na em mais da metade dos habitantes estudados. Representava o *H. pylori* nativo que chegou com os primeiros humanos da América. O seu DNA foi mapeado e comparado com o de outras bactérias de regiões diferentes do planeta. Assemelhou-se de maneira íntima ao DNA do *H. pylori* presente na população do extremo leste asiático.[119] Portanto, a proximidade do estreito de Bering foi a porta de entrada da bactéria em solo americano. Foi transportada pelos primeiros humanos que aqui chegaram há mais de dez mil anos.

A comparação do DNA dessa bactéria é tão rica que podemos ir além. O *H. pylori* presente na população atual das Américas é descendente daquele que acomete europeus e africanos. Isso aconteceu em decorrência da colonização europeia e do tráfico de escravos africanos. Da mesma maneira, a colonização da África do Sul e Austrália levou *H. pylori* europeu para essas regiões.

Portanto, os primeiros americanos que conseguiram atingir o noroeste da América do Norte e descer por suas terras até atingir o extremo sul da Argentina e Chile trouxeram consigo microrganismos[120] que nasceram com nossos primeiros homens modernos da África. É o caso do HPV, herpes e *H. pylori*.

Outros microrganismos também acompanharam humanos partidos da África. O DNA de um tipo de bactéria da tuberculose também mostra a trilha percorrida pelo homem moderno. Carregamos da África para a Ásia e, posteriormente, a levamos para a América.[121] Estudos mostram o mesmo para a catapora e herpes.[122,123]

PIOLHO & CIA: TESTEMUNHA DE UM ENCONTRO

Os agentes infecciosos não contam apenas a trajetória seguida pelo homem. Relatam também fatos ocorridos durante essa grande odisseia. Um parasita nos ajuda a estimar a época em que começamos a vestir roupas para vencer as adversidades do clima. Esse mesmo parasita revela ainda se ocorreu encontro do homem moderno com outros hominíneos. Até há pouco tempo acreditávamos que jamais o *Homo sapiens* encontrara outro hominíneo, exceto o homem de Neanderthal. Porém, essa história está sendo recontada e novas teorias ganham força ao longo dos últimos anos. Houve outro encontro?

O *Homo erectus* saiu da África mais de um milhão de anos antes do homem moderno. Estendeu sua conquista por quatro continentes. Colonizou a Ásia, Europa, África e Oceania. Apesar da façanha, não suportou as adversidades climáticas. Extinguiu-se e deixou apenas vestígios fossilizados. Achava-se que o *Homo erectus* não mais existia à época do *Homo sapiens* deixar a África. Nesse caso, não ocorrera o encontro entre ambos. Exceto se as datações dos sítios arqueológicos dissessem o contrário ou se ouvíssemos a história que um parasita tem para relatar.

Nosso primeiro contato com o *Homo erectus* ocorreu por intermédio do médico holandês Eugene Dubois. Dubois interessou-se pelas aulas de anatomia comparada, na época em que frequentava a escola de Medicina, no século XIX. A matéria apoiava-se nas teorias evolucionistas de Darwin. Acreditava-se àquela época que os macacos sofreram modificações adaptativas e evoluíram para uma criatura com feições semelhantes às do homem moderno. Achava-se que a evolução humana se dera por uma linha contínua de modificações em macacos até os humanos. A ciência da época aventava a possibilidade da existência de um fóssil animal que comprovaria a ocorrência da transformação do macaco ao homem moderno. Seria o elo perdido que explicaria a teoria da evolução humana.

Dubois decidiu buscar a existência de fóssil do elo perdido. Acreditava-se que orangotangos eram os primatas mais próximos do homem. Dubois procuraria seu fóssil no local em que existiam esses primatas, a região do sudeste asiático e Oceania. Fazendeiros da ilha de Java relataram a descoberta de fósseis. Tal notícia fez o médico holandês transferir sua busca para lá. Dubois encontrou fósseis de partes de esqueleto ao longo do rio Solo em 1891. As medidas de seu crânio tinham um volume intermediário ao dos macacos e homens modernos. Tudo indicava ser uma espécie transitória e, portanto, o elo perdido. O mundo conheceu o "homem de Java", provável homem-macaco que adquiriu a posição ereta. Com o avanço das descobertas científicas do século XX, esse hominíneo foi renomeado como *Homo erectus*, mas Dubois morreu acreditando ter encontrado a ligação evolucionária que faltava.[124]

Na década de 1920 foi descoberto, em terras chinesas, um outro fóssil semelhante ao "homem de Java". Outro elo perdido surgiu nessa nação, o "homem de Pequim". Foi, posteriormente, reconhecido como outro *Homo erectus* que também migrou para regiões ao norte da Ásia. Os holandeses continuaram suas escavações na ilha de Java. Terrenos próximos do rio Solo forneceram mais esqueletos parciais do *Homo erectus* na década de 1930. Os holandeses trouxeram para a superfície mais fósseis de hominíneos e de animais que coabitaram àquela época e serviram como alimentos. Chegou-se ao consenso de que o "homem de Java" e o "homem de Pequim" eram da mesma espécie, o *Homo erectus*, somente em meados do século XX.

As primeiras técnicas de datação dos esqueletos fossilizados mostraram que esses hominíneos viveram há mais de um milhão de anos nessas terras conquistadas. Sítios arqueológicos mostraram períodos mais recentes, mas sem provar um encontro entre *Homo sapiens* e *Homo erectus*. Porém, as técnicas de datações desses sítios arqueológicos aprimoraram-se.

As datações são realizadas também em rochas vulcânicas à época em que o *Homo erectus* caminhava por esses sítios. Técnicas modernas são empregadas na datação dos ossos fossilizados, inclusive de outros animais dos sítios arqueológicos. Os dentes desses animais também são usados para datar o período em que viveram. Com toda a ciência emergente da datação, sabemos, agora, que alguns *Homo erectus* permaneceram vivos até 27 mil anos atrás na ilha de Java.[125] Outros fósseis de hominíneos foram descobertos na ilha de Flores, a leste de Java.[126] Há debate se esse homem de baixa estatura da ilha de Flores pertenceria a um descendente ou não de *Homo erectus*. As técnicas modernas de datação aplicadas aos sítios da ilha de Flores mostraram que esse hominíneo sobreviveu até 18 mil anos atrás.[127] Sabemos que os primeiros homens modernos que deixaram a África chegaram no sudeste asiático e Oceania ao redor de cinquenta mil anos atrás. Essas datações modernas revolucionaram a História e apontam para um possível encontro do *Homo erectus* com o *Homo sapiens* quando este último chegou à região.[128]

Naquele momento poderiam existir *Homo erectus* caçando e coletando alimentos na região. Em algum momento há dezenas de milhares de anos, alguns *Homo erectus* habitantes das ilhas da Indonésia podem ter avistado um grupo recém-chegado de seres semelhantes a eles. Se essa cena ocorreu, não sabemos qual a reação de ambos os grupos. Tentaram se comunicar? Podem ter se digladiado ao primeiro encontro ou se afastado de maneira temerosa? Os últimos *Homo erectus* sobreviventes sucumbiram à competição pela terra com os primeiros homens modernos? Extinguiram-se pelas lutas? Havia àquela época uma provável testemunha que pôde nos contar parte dessa história. Essa testemunha estava em locais privilegiados para presenciar o suposto encontro. Estava nas cabeças de ambos os grupos. É o mesmo parasita que nos relata a data provável em que começamos a nos vestir.

* * *

Em 2001, a escavadora de uma obra na cidade de Vilnius, capital da Lituânia, desenterrou acidentalmente fragmentos ósseos. Esqueletos humanos emergiram, e as obras foram interrompidas. O número de esqueletos saltava aos olhos da comunidade à medida que se escavava. Um sítio arqueológico surgiu. O número excessivo de esqueletos, acima de dois mil, e a disposição muito próxima de um corpo ao outro apontavam para a presença de uma vala coletiva. Estávamos próximos ao coração do leste europeu, local em que não faltaram valas coletivas na história.

A Lituânia presenciou parte do holocausto judaico empreendido pelos nazistas. Aqueles corpos poderiam contar a história de famílias judaicas exterminadas e esquecidas pelo tempo. Projéteis de armas de fogo nazista poderiam ter atingido judeus enfileirados que deitaram na vala previamente aberta? Poucas testemunhas teriam visto a terra encobrir os corpos que permaneceram intocáveis até a descoberta.

Outra possibilidade seria uma vala coletiva orquestrada pela polícia secreta soviética. Após a Revolução Russa de 1917, deu-se início às prisões e ao desaparecimento de pessoas contrárias ao novo regime comunista. A cadeia comum foi substituída pela prisão especializada em trabalho forçado, o *gulag*, que se multiplicaram pelo território soviético em áreas longínquas, em parte, para fugirem de eventuais críticas externas e retaliações internacionais que prejudicassem as exportações comunistas. Stalin transformou o *gulag* em um "negócio da China". Enviava prisioneiros políticos para diversas prisões com localização privilegiada. Em geral, o *gulag* estava próximo às áreas de exploração de madeira, carvão, petróleo, níquel, ouro, gás e outros. Os prisioneiros forneciam uma mão de obra barata para a economia soviética. Além disso, contribuíam para colonizar o enorme espaço soviético com a construção de cidades, estradas, ferrovias, canais de irrigação e represas.

Durante a ocupação da Lituânia pelos russos, não faltaram habitantes deportados para os campos de trabalho soviéticos. Durante a invasão nazista na Segunda Guerra Mundial, a polícia secreta soviética transferiu parte dos prisioneiros da sua fronteira, mas muitos foram exterminados nas celas, pátios ou florestas.[129] Os soviéticos cometeram atrocidades contra prisioneiros durante o abandono da região. Prisioneiros políticos ou estranhos à etnia soviética estariam nessa vala?

Ao contrário do que inicialmente se esperava, não houve qualquer genocídio contra aqueles humanos encontrados na vala coletiva. Muito pelo contrário, amigos os enterraram com respeito. Antropólogos encontraram vestígios de uniformes. Moedas que repousavam entre os corpos e botões denunciavam a provável época das mortes. Traziam a imagem da águia de Napoleão Bonaparte. Os mais de dois mil esqueletos pertenciam a combatentes do exército de Napoleão. Precisaríamos retroceder mais de um século para imaginar o que ocorreu naquela região, que, à época, ficava nas imediações e não no interior da cidade.

Em junho de 1812, Napoleão cruzou o rio Niemen com cerca de seiscentos mil combatentes. Iniciou a invasão do território russo. Seu exército, acostumado a vitórias, adentrou confiante nas terras inimigas. Porém, encontrou cidades abandonadas e algumas incendiadas para que nada pudesse aproveitar. Os russos recuavam em seu próprio território e deixavam para trás plantações destruídas e fome para o exército invasor. Napoleão encontrou cansaço, doenças e fome, em vez de glórias para exibir em Paris. As mortes se somavam, mas Napoleão seguia firme no avanço do território inimigo. Após dois meses de marcha, sobraram pouco mais de cento e cinquenta mil homens. Apenas cerca de cem mil avistaram Moscou. Novamente encontraram uma cidade abandonada pelo exército do czar. A campanha foi um fracasso. O que sobrou do exército regressou enfrentando frio e neve do inverno russo. Além da fome, do cansaço e de doenças.[130]

Pouco menos de trinta mil homens conseguiram chegar à cidade de Vilnius. Muitos não resistiram ao frio e à fome. Epidemias acometeram os franceses tanto na invasão como na retirada do solo inimigo. As diarreias infecciosas castigaram o exército derrotado.

Membros do exército de Napoleão em retirada cavaram a vala coletiva. Enterraram seus companheiros em algum dia de novembro de 1812. Provavelmente, arrancaram as últimas forças do interior de seus músculos consumidos para propiciar um descanso mais digno aos colegas. Os articuladores do sepultamento estavam depauperados, famintos, emagrecidos, com frio e doentes. Vestiam roupas sujas, lamacentas e rasgadas. Era o que havia sobrado da campanha empreendida contra a Rússia czarina, um exército de mortos-vivos. Depositaram os cadáveres napoleônicos na cova coletiva. Uma infecção em especial contribuiu para o fracasso da invasão russa e suas marcas permaneceram nos esqueletos descobertos no início do século XXI.

Microrganismos percorreram a corrente sanguínea dos combatentes. Alastraram-se pelo corpo dos soldados debilitados e comprometeram órgãos vitais. A fome e o frio prejudicaram suas defesas, que não impuseram restrições para o avanço da infecção. Seus corpos foram lançados na vala coletiva e decompostos pelo tempo. Os microrganismos responsáveis pelas epidemias sumiram com os pulmões, fígado, coração, rins e outros tantos órgãos. Uma região, contudo, preservou-se para nos contar a história. Este local, ricamente vascularizado, recebeu afluxo de sangue contendo os microrganismos que se alojaram nessa estrutura. Foram os dentes. A polpa dentária recebe o nervo responsável pela dor de dente, mas também recebe uma quantidade de sangue. Vestígios do DNA do ou dos microrganismos envolvidos nas epidemias estariam nas entranhas dos dentes daqueles esqueletos?

A descoberta de fragmentos de DNA de microrganismo na polpa dentária de ossadas não é novidade para a ciência. Já foi realizada em ossadas de pessoas mortas pela peste negra. Cientistas analisaram dentes de europeus mortos pela peste negra de Marselha, em 1722, e encontraram o material genético da bactéria causadora da peste.[131] Foram além e recuperaram ossadas europeias da época da peste de Justiniano, no século VI, e da época da peste negra do século XIV.[132] Conseguiram os testes positivos nas polpas dentárias. Visualizaram o DNA da bactéria que matou milhares de bizantinos na peste de Justiniano e dizimou um terço dos europeus entre os anos de 1348 e 1350. Agora era a vez de esclarecer a causa das mortes do exército de Napoleão.

Cientistas coletaram dezenas de dentes dos esqueletos daqueles soldados desconhecidos da cova. Esse material guardaria parte da história europeia.

A coleção de dentes pertencia a 35 soldados mortos. Buscaram a sequência do DNA de algumas formas de microrganismos, na tentativa de encontrar a doença responsável por parte da catastrófica invasão russa. Em cerca de um terço dos soldados foi isolado o material genético de dois microrganismos: o causador da febre das trincheiras e o responsável pelo tifo.[133]

Essas duas doenças infecciosas foram as responsáveis pelas epidemias infringidas ao exército de Napoleão. Os agentes infecciosos se reproduzem em piolhos. Atingiram o exército derrotado no momento em que ocorreu infestação de piolhos nos combatentes de Napoleão. Os piolhos se proliferaram pelo exército em decorrência do aglomerado humano associado à ausência de higiene e à desnutrição. Os microrganismos presentes nos piolhos transferiram-se aos humanos e causaram as febres da trincheira e o tifo. Esclareceram as epidemias ocorridas na campanha militar frustrada de Napoleão.

A cova coletiva nos forneceu mais evidências entre os quilos de terras esmiuçados. Além de restos de vestuário militar e fragmentos ósseos, encontrou-se também fragmento de corpos de piolhos. Provavelmente mortos após a fonte de sua sobrevivência secar. Foram encontrados restos de cinco piolhos sobreviventes à decomposição. Número suficiente para se encontrar a presença do material genético do microrganismo causador da febre das trincheiras no interior de três destes. Os piolhos forneceram microrganismo à sua fonte de vida e sem saber precipitaram epidemia e morte daqueles que os sustentavam.

* * *

O piolho é um companheiro antigo da humanidade. Foi o responsável por algumas epidemias humanas, principalmente o tifo. Após a introdução do microrganismo causador do tifo, inicia-se uma doença febril grave que causa lesões na pele e danifica os vasos sanguíneos. Compromete a circulação do sangue e pode ocasionar gangrena de braços e pernas. Aglomerados humanos, prisioneiros ou combatentes estão sujeitos às epidemias. Na Inglaterra, a doença foi conhecida como a febre das cadeias, por acometer prisioneiros mantidos sob precárias condições de higiene e infestados de piolhos. Em alguns casos esses prisioneiros adentravam ao recinto da corte e transmitiam seus piolhos aos curiosos que disputavam espaço para assistir à audiência. Terminada a concorrida sentença, a plateia retornava para suas casas e alastrava piolhos com a precipitação de epidemia do tifo entre a população.[134]

Os piolhos também transmitem o microrganismo da febre das trincheiras. A doença não causa tamanha mortalidade como o tifo, porém debilita sua vítima, que se torna imprestável por dias. Na Primeira Guerra Mundial milhares de piolhos atanazanaram a vida dos combatentes. Os insetos transmitiram a febre das trincheiras que reinou no *front*: estima-se que acometeu um milhão de pessoas entre os anos de 1914 e 1918.[135] Mas pior que a febre das trincheiras era o tifo, que os piolhos presentes na guerra ajudaram a disseminar. Uma epidemia da doença na Sérvia suspendeu batalhas travadas na fronteira leste. A pobreza e a fome, que assolaram a União Soviética logo após a Revolução Russa de 1917, contribuíram para a infestação de piolhos na sua população. As epidemias de tifo mataram cerca de três milhões de pessoas. Os judeus sentiram na pele as epidemias tanto nos guetos quanto nos campos de concentração da Segunda Guerra Mundial. O tifo era uma das principais causas de morte natural nesses redutos insalubres.

A facilidade com que o piolho se dissemina entre os humanos justifica a frequência dessas epidemias históricas. Tanto que a praga existe até hoje e, não raro, recebemos cartas das escolas de nossos filhos com a notificação de casos de piolho. O parasita alcança novos alunos com facilidade. O piolho se aloja nas nossas cabeças, local em que ocorre a postura de seus ovos, que se desenvolvem para as larvas e novos adultos. Não atinge o meio ambiente para se procriar, pelo contrário, necessita permanecer na superfície das nossas cabeças. O calor do couro cabeludo fornece a temperatura ideal para o desenvolvimento de suas larvas e perpetuação da sua espécie. O corte curto do cabelo ajudaria na visualização do piolho, mas não na sua eliminação, uma vez que a postura dos ovos se dá nos locais quentes dos fios de cabelo, portanto, bem próximos à raiz. Hoje em dia, com o avanço nas drogas de tratamento, não se justifica o corte curto do cabelo. Essas qualidades fizeram dos piolhos fiéis à nossa espécie. Acompanharam o homem desde os primórdios da história. Por isso foi possível estudar a evolução dos parasitas e, em consequência, descobrir quais hominíneos o *Homo sapiens* encontrou e a data em que começamos a nos vestir. Para os pesquisadores que os utilizaram nas descobertas, os piolhos passaram de vilões a heróis.

Um grupo de cientistas, predominantemente americanos, estudou o material genético dos piolhos.[136] Notaram que existem piolhos específicos aos macacos e aos humanos. Ambos evoluíram de um ancestral comum. Pela lógica, esse ancestral comum se separou na mesma época da divergência entre os hominíneos e os macacos. Evoluiu em piolhos específicos dos humanos e dos macacos. O material genético, DNA, desses piolhos foi parcialmente sequenciado e comparado. Isso mesmo: estudou-se o DNA de piolhos. As diferenças nas mutações foram submetidas a cálculos retroativos. O estudo

O piolho sempre esteve presente na humanidade. Esta cena do século XVII mostra uma mãe controlando infestações do parasita em seu filho.

mostrou que o ancestral comum aos nossos piolhos e aos dos macacos viveu há cerca de cinco milhões e meio de anos. Uma data extremamente próxima da nossa separação dos macacos. Os macacos ficaram com os piolhos que seriam específicos de suas espécies. Os hominíneos evoluíram com seus piolhos em mutação, que seguiriam na cabeça do *Homo sapiens*. Mas o estudo tornou-se mais interessante ao analisar os diferentes tipos de piolhos humanos dos dias de hoje.

Esse grupo de cientistas isolou piolhos que acometem a população humana atual. Recolheram piolhos de povos americanos, africanos, asiáticos e europeus. Mapearam segmentos do DNA desses piolhos e compararam suas diferenças. Descobriram que nem todos os piolhos são iguais apesar de causarem o mesmo incômodo. A genética concluiu que os humanos são acometidos por dois tipos diferentes de piolhos. Um é encontrado disperso pelos continentes. O outro, geneticamente diferente do primeiro, encontra-se restrito ao continente americano. Até aqui não chegaríamos a nenhuma descoberta reveladora. Os cálculos mostraram que os dois tipos evoluíram separadamente a partir de um ancestral comum há cerca de 1,2 milhão de anos. Mutações e adaptações culminaram com a origem dos dois tipos de piolhos humanos.

O ancestral dos piolhos humanos estava presente entre os hominíneos africanos. Acompanhou a evolução desses primatas e transferiu-se para os diferentes tipos de hominíneos que surgiam, até atingir o homem moderno, que o carregou para fora da África. Para haver duas formas geneticamente diferentes de piolhos seria necessário que o ancestral se separasse e evoluísse isoladamente. Além disso, o isolamento precisaria ser eficaz para os piolhos sofrerem as mutações necessárias e formar os dois tipos. Para isso, seria necessário que alguns destes ancestrais dos piolhos fossem carregados para fora do continente africano. Há 1,2 milhão de anos somente o *Homo erectus* pode ter carregado esse ancestral para fora da África.

No continente asiático, o ancestral do piolho presente no *Homo erectus* evoluiu para um dos dois tipos de piolhos humanos, enquanto aquele que permaneceu no solo africano evoluiria para a outra forma genética do piolho. Teríamos, assim, a evolução para os dois tipos de piolhos que acometem a humanidade. Porém, falta um elo para terminar a nossa conclusão. Aquele ancestral que permaneceu na África foi transferido para os diferentes hominíneos surgidos até chegar ao homem moderno. Este emigrou da África carregando a forma atual de piolho humano. Por isso o encontramos em todos os continentes. Mas e o outro tipo genético de piolho? Aquele que se isolou com a saída do *Homo erectus* há pouco mais de um milhão de anos?

Essa forma de piolho, após tanto tempo isolado e geneticamente diferente, teria retornado aos humanos modernos para que nós, na atualidade, apresentássemos as duas formas. A única maneira seria o encontro do *Homo sapiens* com o *Homo erectus*, que o portava em solo asiático. Essa convivência, por mais efêmera que possa ter sido, seria suficiente para adquirirmos piolhos de *Homo erectus*. O estudo genético dos piolhos humanos aponta para um provável encontro entre esses hominíneos. O que é possível pelas datações recentes dos sítios arqueológicos asiáticos em que viveram os *Homo erectus*. E mais, se a aquisição ocorreu na Ásia, os humanos podem ter transportado o piolho para a América. Isso talvez explicaria o motivo dessa forma de piolho só ser encontrada em solo americano. Teríamos adquirido na Ásia, tendo um pequeno grupo migrado para o Novo Continente antes de infestar outros humanos que permaneceram no Velho Continente. Tudo hipótese. A tendência atual caminha para acreditarmos que ocorreu esse encontro e um parasita veio em nosso auxílio trazer parte da história incrustada no seu material genético.

Os piolhos denunciam também outro fato da história humana. Existem dois tipos de piolhos: aqueles presentes em nossas cabeças e os que circulam em nosso corpo. Os habitantes de nossos cabelos vivem e se reproduzem restritamente nessa área. Não sobrevivem no meio ambiente. Por outro lado, aqueles dispersos pelo nosso corpo se reproduzem nas nossas roupas. Podem, portanto, permanecer temporariamente fora do nosso organismo para então retornar.[137]

Podemos, assim, supor que a bifurcação evolucionária entre esses dois tipos de piolhos surgiu com o início do uso de roupas pelos humanos. Somente quando nos vestimos proporcionamos mutações para o surgimento dos piolhos de nossos corpos. Estudaram-se as diferenças do DNA desses piolhos e calculou-se a data provável da separação de ambos. Teria ocorrido entre 42 a 72 mil anos atrás.[138] Isso indicaria que o homem começou a vestir-se nessa data.

Há um outro parasita parente dos piolhos que se restringe aos nossos pelos pubianos. É vulgarmente conhecido como chato. Seu DNA não se assemelha aos anteriores. Porém é muito semelhante ao DNA do parasita presente em gorilas. Acredita-se que o homem pode tê-lo adquirido pelo contato com parasitas desse primata. Os pelos pubianos humanos assemelham-se aos do corpo do gorila. Isso favoreceria a transferência do chato já adaptado.[139]

Vencemos as adversidades do clima frio do hemisfério norte com o auxílio do fogo.[140] Provavelmente roupas feitas de pele e couro dos animais contribuíram para sobrevivermos ao clima inóspito. O DNA do piolho pôde acusar a época aproximada em que começamos a nos vestir, que coincide com a época em que encontramos os primeiros vestígios arqueológicos do emprego de roupas, há quarenta mil anos.[141]

HEPATITE NOS PRIMEIROS HOMENS MODERNOS?

Outro vírus acompanhou a jornada humana. É parente do vírus que causa hepatite. Essa doença surgiu nos primeiros hominíneos africanos? Acompanhou os primeiros homens modernos? O que a ciência nos informa?

Algumas formas de hepatite viral não curam. Permanecem ativas no organismo humano por décadas. São formas crônicas e evoluem, com frequência, para cirrose ou câncer do fígado. Muitas notícias alarmantes sobre a doença são divulgadas na mídia, devido a sua elevada frequência na população. Procuraríamos auxílio médico se sentíssemos algum sintoma, mas é aqui que se encontra o perigo. A grande maioria dos portadores de hepatite viral crônica não apresenta qualquer sintoma e só percebe a doença quando já apresenta sinais de cirrose. Mas não são todas as hepatites virais que evoluem dessa maneira.

Médicos descreveram dois tipos de hepatites durante a Segunda Guerra Mundial. O primeiro surgia em combatentes que ingeriram água ou alimentos contaminados. O segundo tipo acometia homens que receberam transfusões de sangue ou seus derivados. Encontrou-se a melhor maneira de classificá-los pelo uso de letras. Nasceram assim as hepatites A e B. Somos infectados com hepatite A ao ingerirmos água ou alimentos contaminados pelos vírus eliminados nas fezes dos enfermos. O vírus da hepatite B está presente no sangue, em líquidos e secreções. Adquirimos pela transfusão de sangue proveniente de portador da doença. Alem disso, contato com suas mucosas também propicia a infecção. Por isso, o beijo e o sexo são fatores de risco à infecção pela hepatite B.

A hepatite A é a forma mais comum da doença, e a razão é óbvia pela quantidade de brasileiros que ingerem água não potável, inclusive em viagens de férias ao litoral. Essa região recebe frequentemente esgoto a céu aberto em seus estuários que contamina alimentos e água. A frequência da hepatite B é bem menor por ter um mecanismo de transmissão mais restrito. Na década de 1980 os exames de sangue detectavam os dois tipos de vírus. Uma porcentagem dos pacientes apresentava ambos exames negativos, porém, adoeciam por uma forma de hepatite ainda desconhecida. Foi batizada, à época, de hepatite não-A e não-B. Nome comprido demais para definir outra forma ainda desconhecida, mas que foi abreviado com a descoberta do vírus. A hepatite C nascia no final da década de 1980. Sua transmissão é semelhante a da hepatite B.

Apesar de vírus diferentes, todos ocasionam lesões semelhantes. O vírus, uma vez no sangue, reconhece as células do fígado através de moléculas presentes em sua superfície. Replica-se dentro das células hepáticas. Pouco tempo depois, a prole viral emerge das células e invade novas células perpetuando as lesões nesse órgão, que sofre destruição celular e inflamação.

E como descobrir o problema antes? Prestando atenção em alguns sinais e fazendo exames preventivos. O fígado apresenta inúmeras funções. Substâncias e moléculas diversas passam por esse órgão e são destruídas ou transformadas. Outras são produzidas no seu interior. Uma dessas substâncias é responsável por alguns dos sintomas da hepatite que nossas avós diagnosticavam em seus filhos e netos. É a bilirrubina.

A bilirrubina é liberada pelas hemácias, ou glóbulos vermelhos do sangue, no momento em que essas células são destruídas. Por que hemácias são destruídas? Simplesmente porque ficam velhas e não apresentam maleabilidade necessária para se contorcerem entre os diminutos vasos sanguíneos. Tornamse rígidas demais. Como o organismo é sábio, percebe o momento em que perdem sua função e as destrói no mesmo instante em que produz hemácias novas. Assim, o número de hemácias permanece constante e não ocorre anemia.

As hemácias velhas e destruídas liberam o ferro presente no interior. Esse elemento é valioso para construção de novas hemácias. É reutilizado. A falta de ferro por ingestão deficiente ou sangramentos causa anemia. Crianças desnutridas carecem de ferro e apresentam anemia. Mulheres com grandes fluxos menstruais também podem tornar-se anêmicas.

Inúmeras outras substâncias são liberadas pelas hemácias destruídas, inclusive a bilirrubina. O fígado se encarrega de eliminá-la. Alguns recém-nascidos nascem com fígado imaturo para essa função, o que acarreta acúmulo da bilirrubina na pele. Isso ocasiona coloração amarela da pele conhecida como icterícia do recém-nascido. A criança permanece exposta à luz na maternidade, o que destrói a bilirrubina depositada.

As células do fígado absorvem a bilirrubina e a eliminam no intestino. Há, portanto, uma alta concentração de bilirrubinas dentro das células do fígado. Durante a hepatite viral, essas células são destruídas. Ocorre derramamento da bilirrubina no sangue e acúmulo na pele. Surge a cor amarela do paciente portador de hepatite. Esse excesso de bilirrubina sanguínea é, parcialmente, filtrado pelo rim e eliminado na urina que adquire coloração escura conhecida como "urina cor de coca-cola".

A bilirrubina é eliminada naturalmente no intestino. As bactérias intestinais transformam-na em outras substâncias que tingem as fezes na cor característica. Pouca bilirrubina chega ao intestino durante a hepatite. As bactérias não recebem bilirrubina e, como consequência, as nossas fezes não recebem o corante natural. Tornam-se fezes brancas conhecidas como "massa de vidraceiro". Portanto, ao encontrarmos algum amigo com mal-estar, amarelo, urina escura e fezes brancas, podemos orientá-lo a procurar um médico por suspeita de hepatite.

A hepatite A é curável desde que não ocorra complicação na fase aguda da doença, que, apesar de rara, pode ocasionar a morte. Não há paciente portador crônico da hepatite A. Por outro lado, pacientes com hepatite B ou C apresentam risco de não eliminarem o vírus, que permanecerá replicando e agredindo o fígado. Esses pacientes evoluem para hepatite crônica. Nessa fase, a agressão hepática torna-se mais leve e, portanto, os pacientes não apresentarão sintomas nem saberão da doença crônica. Após anos de agressão, as cicatrizações superam as porções sãs e inicia-se a cirrose. O fígado torna-se endurecido e insuficiente. A predisposição para câncer de fígado é outra complicação dessa forma crônica. Por isso deveríamos incluir exames do fígado aos de rotina para colesterol, glicemia e outros.

Descobrimos outros tipos de vírus causadores de hepatite nos últimos anos. Porém, nenhum suplantou os riscos dos da hepatite B e C. Como a humanidade adquiriu a hepatite viral? Evoluímos com esses vírus desde nossa saída da África? Adquirimos de algum animal e evoluiu em nosso organismo?

* * *

Os primeiros homens modernos africanos apresentavam vírus da hepatite. Isso é comprovado para um vírus descoberto em 1995. Recebeu o nome de GBV-C. Seu material genético se assemelha ao do vírus da hepatite C e acreditava-se que causava uma nova forma de hepatite. Foi batizado então como vírus da hepatite G. O tempo mostrou que esse nome foi infeliz. O vírus parece não causar doença ao homem.[142] Ele encontra-se em cerca de 2% a 14% da população mundial.[143] Comporta-se como inquilino inofensivo, pois ainda não descobrimos algum malefício que possa nos causar. Sua descoberta não foi em vão, pois trouxe uma informação histórica.

Descobrimos um parente desse vírus em chimpanzés, semelhante ao GBV-C humano. Provavelmente, ambos evoluíram de um vírus ancestral comum, que acompanhou a evolução dos primeiros hominíneos e, após mutações, originou o vírus atual que acometeu os primeiros homens modernos africanos.[144] Dessa forma, o vírus acompanhou os primeiros humanos surgidos e emigrados da África.

Comparou-se o material genético do vírus humano em diferentes populações do planeta. O vírus de humanos africanos originou o da Oceania, de europeus e habitantes do Oriente Médio. O vírus dessas últimas regiões originou o presente em humanos do leste asiático. Esse último forneceu o vírus que originou o americano. Novamente encontramos um vírus que acompanha a rota seguida pelos humanos.[145] Outros vírus da hepatite seguiram o mesmo trajeto?

O material genético do vírus da hepatite B também apresenta diferenças entre as populações do planeta. Revela uma breve história recente da migração humana. O vírus da África do Sul é semelhante ao do continente europeu. Colonizadores europeus o levaram para a extremidade sul-africana. Europeus também carregaram com eles vírus para a Argentina.[146] Vírus do sudeste asiático estão presentes na Nova Zelândia e Austrália. O vírus da hepatite foi transportado pelas colonizações. Basicamente da Europa para suas colônias. Mas isso não demonstra sua origem nos homens modernos. Teriam vindo de algum animal? Teriam seguido a rota de migração humana na saída da África?

Descobrimos vírus semelhantes ao da hepatite B em outros animais. Circulam em marmotas americanas que também apresentam lesões hepáticas. Outros animais de diferentes partes do mundo também albergam vírus semelhantes. Encontramos em esquilos americanos, patos e marrecos chineses, gansos e garças alemãs. Porém, há animais com vírus muito mais semelhante ao nosso. São os macacos.

Encontramos vírus semelhantes ao nosso vírus da hepatite B em gibões asiáticos e seus vizinhos orangotangos; em chipanzés e gorilas africanos; e em macacos americanos. Uma teoria saltaria aos olhos com essas descobertas. Os descendentes virais teriam coevoluído entre os macacos asiáticos, africanos, americanos e hominíneos. O vírus humano seria semelhante ao do chimpanzé por ambos virem de um ancestral comum, e seguiria a rota humana. Porém, o material genético revela outra história misteriosa.

Caso saíssemos do solo africano com a presença do vírus, nosso vírus americano seria semelhante ao dos asiáticos, uma vez que estes últimos colonizaram as Américas. Porém, o material genético mostra uma discrepância. O vírus da população americana originou-se antes do surgimento do vírus asiático.[147] Isso é contrário à hipótese de que partimos da África portando o vírus.

Alguns estudos mostram que o vírus humano americano assemelha-se ao dos macacos deste continente.[148] Isso sugere que ele passou de macacos americanos para o homem nativo provavelmente através do contato com secreções dos primatas. Além disso, os vírus de macacos americanos são capazes de invadir e proliferar em célula de fígado humano.[149] Mas a história é mais complicada. Estudos mostram tipos de vírus da hepatite B humana semelhantes a vírus dos chimpanzés,[150,151] enquanto outros estão mais próximos a vírus de gibões e orangotangos.[152,153]

Existem teorias a respeito de como o vírus da hepatite B alcançou o homem. O vírus dos primatas consegue transpor as espécies de gibão e orangotango; e chimpanzé e gorila.[154] O homem pode ter adquirido vírus dos primatas. Acredito ser mais razoável supor que entramos em contato com líquidos e secreções de diferentes espécies de macacos em momentos distintos de nossa história. O vírus presente no homem evoluiu e formou os diferentes tipos de vírus da hepatite B humana.[155] Por isso não conseguimos traçar uma história lógica da sua origem e disseminação.[156] Seria o mesmo que ocorreu com o vírus da aids, porém o da hepatite B veio de vários primatas e de diversos locais do planeta.

A hepatite B espalhou-se pela população humana. Acometeu silenciosamente milhares de pessoas. Jamais imaginaram portar um vírus tão agressivo no interior do fígado. Surgiram os primeiros sintomas de insuficiência hepática, mas os portadores descobriram tarde demais. Cirrose ou câncer hepático se instalaram.

* * *

O excesso de ingestão de bebidas alcoólicas agride o fígado. A cirrose também surge em alcoólatras. Porém, a bebida é muito mais perigosa nos pacientes portadores de vírus de hepatite crônica. O álcool potencializa a lesão do fígado causada pelo vírus da hepatite B. A cirrose se instala com maior facilidade.

A ingestão de bebidas alcoólicas contribuiu para o surgimento de cirrose nesses pacientes, principalmente por não saberem da existência do vírus. Isso ocorreu com maior frequência na Ásia porque a doença se disseminou principalmente em humanos asiáticos. Mais da metade de todos os casos mundiais da hepatite B encontra-se no leste da Ásia. A ingestão de bebidas alcoólicas acelerou o surgimento da cirrose nos asiáticos portadores do vírus. Morte precoce iniciou-se entre os jovens que bebiam. O álcool definiu quem morreria e quem sobreviveria. Asiáticos aptos a sobreviver dominaram o cenário asiático. Predominaram aqueles que não suportavam a ingestão de bebida alcoólica. Tudo indica que o vírus da hepatite B contribuiu para uma seleção natural. A frequência de pessoas não tolerantes ao álcool elevou-se nessa região. Nosso código genético entrou em ação para evitar a ingestão alcoólica. Como isso foi possível? Como ocorreu a provável seleção natural no leste asiático?

As pessoas ingerem algumas doses de bebidas nas festas. Obrigam o organismo a eliminar o álcool ingerido. O corpo inicia a faxina para limpar o álcool que entra entre uma conversa e outra. Seria excelente se pudéssemos simplesmente eliminá-lo na urina, mas utilizamos um caminho mais difícil. Enzimas transformam o álcool (etanol) em outra substância denominada acetaldeído. Dessa forma limpamos nosso sangue da presença do etanol. Porém, o acetaldeído é muito tóxico e precisa ser eliminado rapidamente. Entra em ação uma enzima que imediatamente o transforma em nova molécula. O nome dessa enzima é aldeído desidrogenase, ou simplesmente ALDH. Essa enzima salvou muitos portadores de hepatite crônica.

Um gene comanda a produção da ALDH. Porém, existem pessoas que apresentam mutações nesse gene. Não produzem quantidades suficientes da enzima. As pessoas portadoras da mutação passam desapercebidas na população exceto se ingerirem bebidas alcoólicas. Não toleram o álcool. Ao ingerirem a bebida transformarão o etanol em acetaldeído, que, por sua vez, não será imediatamente eliminado pela falta da enzima. Lembremos que é tóxico. O acúmulo do acetaldeído trará mal-estar, desconforto e dilatação dos vasos sanguíneos da face. Tais sintomas ocasionam suspensão da ingestão do álcool e até mesmo aversão à bebida. Os portadores da mutação se entregam no instante em que conversam com o copo em suas mãos. Suas faces tornam-se vermelhas como pimentão. Você já notou alguém com o rosto muito vermelho quando está bebendo? Se a resposta for afirmativa, há uma chance grande de esta pessoa ser de origem oriental, pois a mutação se concentrou entre a população do leste asiático. Concentrou-se na região em decorrência da seleção natural.[157] Qual seria essa seleção?

Vimos que o vírus da hepatite B concentra-se na Ásia. Os portadores de hepatite que não apresentavam essa mutação ingeriam álcool de maneira abusiva. Sucumbiam precocemente pela cirrose. Os pacientes com hepatite B crônica e portadores da mutação não toleravam a ingestão alcoólica. Apresentaram maior chance de sobreviver e gerar descendentes que, por sua vez, receberam a mutação. A presença da mutação elevou-se na região. A maior incidência da mutação encontra-se nas áreas em que há maior presença de infecções pelo vírus da hepatite B.[158] Até o momento, os indícios apontam para uma seleção natural ocasionada pela presença do vírus da hepatite B. A mutação concentrou-se nos asiáticos e os protegeu.[159]

Nascemos na África portando fósseis virais no nosso genoma. Vírus em nossos lábios e genitais nasceram conosco. Parasitas e bactérias africanos nos invadiram. Dominamos as savanas africanas. Esse continente tornou-se pequeno demais para o homem moderno recém-surgido. Emigramos em busca de terras novas. Carregamos conosco microrganismos para novos continentes. As regiões conquistadas também forneceram microrganismos ao homem recém-chegado. Isso foi comprovado pela ciência em uma das últimas regiões exploradas pelo homem moderno, a América.

CHEGADA À AMÉRICA

O gambá, o tamanduá, o tatu e a preguiça (inclusive os extintos tatu gigante e a preguiça gigante) foram os primeiros colonizadores do solo brasileiro. Outros animais que outrora vagavam por esse território estão extintos. O tatu tornou-se aliado da medicina. Forneceu seu corpo para pesquisas da bactéria responsável pela lepra. Como a baixa temperatura do seu corpo favorece a proliferação dessa bactéria, ele é usado para estudarmos essa doença infecciosa.[160] O microrganismo aprecia temperaturas baixas, motivo pelo qual acomete lobos frios das orelhas de pacientes leprosos.

A fauna nativa brasileira testemunhou a chegada de novos invasores há cerca de trinta milhões de anos. Foram os roedores e macacos.[161] Estes últimos provavelmente vieram em ilhas flutuantes do litoral africano.[162] Folhas, galhos, gravetos, troncos e outros materiais orgânicos agruparam-se para formar essas ilhas.

A natureza construiu jangadas para esses futuros colonizadores americanos. Macacos desgarrados dos que permaneceram na África aportaram no Novo Mundo. Evoluíram para novas espécies de primatas americanos. Levaram certa desvantagem. Os macacos africanos perderiam o rabo. Nós, humanos, surgiríamos em dezenas de milhares de anos. Os primatas africanos também adquiriram genes responsáveis pela visão das cores vermelha, verde e azul.[163] Uma visão colorida ajudou a identificar frutos esparsos na imensidão verde das florestas. Provavelmente, os frutos tornaram-se coloridos para serem apanhados com maior facilidade. Assim, espalhariam suas sementes com eficiência.

Os roedores vieram da América do Norte ou África em jangadas semelhantes. Foram bem-sucedidos na América do Sul. Aliás, em todo o planeta. Conquistaram o solo americano e evoluíram em diversas espécies diferentes. Originaram a chinchila.

A fauna e flora da América do Sul e do Norte evoluíram separadamente. Eram duas enormes ilhas afastadas e isoladas. Porém, um deslizamento continental lento e constante aproximava-as. As Américas em movimento encontraram-se nas proximidades do atual Panamá há cerca de três milhões de anos. Esse encontro das duas ilhas gigantes formou uma ponte terrestre. Uma porteira natural foi aberta e uma enxurrada de novas espécies animais chegou à América do Sul de maneira súbita e intensa. Por ironia do destino, o homem, no início do século XX, tornou a rasgar essa faixa de terra para retroceder às origens com a construção do Canal do Panamá.

A união das Américas ocasionou migração animal em ambos sentidos. Fornecemos imigrantes para a América do Norte. O gambá foi um dos mais bem-sucedidos. Originou todos os descendentes atuais da América do Norte. Muito mais espécies vieram para o sul. Recebemos animais competitivos e predatórios que levaram muitos animais da América do Sul à extinção.

Invadiram a América do Sul o mastodonte, gato-dente-de-sabre, urso e cavalo.[164] Todos seriam extintos. Outros vieram para vencer as adversidades e colonizar a América do Sul. Foram os felinos (entre esses o puma e a onça), os canídeos, a anta, a queixada, o veado, a paca, a capivara e a lhama.[165]

Novas espécies animais invadiram a América do Norte em outra fronteira. Animais asiáticos aglomeravam-se na extremidade siberiana aguardando a abertura de outra porteira natural. O mar do estreito de Bering continha esses animais no solo asiático, mas a natureza abriria uma passagem para alcançarem a América do Norte. Tinha horário de abrir e fechar. Caso algum animal perdesse esse momento, aguardaria outra chance após dezenas de milhares de anos. A órbita do nosso planeta e o movimento dos continentes comandavam a passagem para a América.

A inclinação do eixo da Terra oscila em intervalos de vinte mil anos. Isso acarreta mudanças na intensidade dos raios solares que chegam ao hemisfério norte. Além disso, o planeta se distancia do sol a cada cem mil anos. Esse intervalo de tempo também determina a intensidade dos raios solares. O verão do hemisfério norte situa-se mais distante do sol a cada quarenta mil anos. Esses ciclos, aliados às mudanças das correntes, precipitaram o surgimento das Eras Glaciais.[166]

As Eras Glaciais ocorrem em períodos cíclicos. O frio reina absoluto no planeta. O gelo do polo norte avança nos continentes. Cobre o atual Canadá e grande parte dos Estados Unidos. Invade a Europa e o Norte da Ásia. O aumento da manta de gelo que cobre parte do hemisfério norte utiliza a água do planeta e, consequentemente, o nível da água do mar abaixa. Os animais asiáticos testemunharam o recuo do mar no estreito de Bering. A maré baixa dessas Eras Glaciais fazia emergir uma ponte terrestre nessa região. Essa porteira natural propiciou uma série de migrações animais da Ásia em direção à América do Norte. Encontraram outros animais existentes nesse continente desde sua origem. A América do Norte presenciou aglomerados de camelo, cavalo, bisão, mamute, mastodonte, cervo e carneiro. Muitos foram extintos.

A fauna das Américas evoluiu enquanto aguardava o surgimento do homem moderno. Seres microscópicos também evoluíam nesse continente no mesmo período. Doenças infecciosas avançariam nos humanos à época de nossa chegada. Encontramos registro fóssil de uma bactéria em animais americanos. Ocorreu em um grupo de bisões que pastava na região centro-oeste do atual estado de Wyoming, nos Estados Unidos da América.

Esses animais descenderam dos bisões que chegaram à América pelo estreito de Bering. Vagaram e migraram para os atuais Estados Unidos da América. Os bisões do sul isolaram-se de seus ancestrais do norte e da Ásia com o início da última grande Era Glacial.[167] Os bisões americanos avistavam uma parede de gelo ao norte de sua paisagem. Era o final da última Era Glacial há cerca de 17 mil anos. O planeta voltava a se aquecer, e a extensa cobertura de gelo derretia lentamente recuando para o extremo ártico.

O nível do mar voltava a subir, nível que chegou a recuar entre trinta e quarenta metros.[168] Animais e plantas que se refugiaram nas áreas mais ao sul avançavam para regiões de maiores latitudes do hemisfério norte.[169] O solo americano voltava a criar condições para formas de vida. O abeto avançava para o norte da América do Norte. Os pinheiros partiam do leste dos Estados Unidos da América e conquistariam a região central.[170]

Uma armadilha natural se escondia na paisagem do estado de Wyoming. Uma abertura no solo, com cerca de quatro metros, ocultava uma caverna com quase trinta metros de profundidade. Um descuidado bisão despencou nessa armadilha mortal. Talvez tenha permanecido vivo e agonizante por certo tempo, com uma ou mais pernas quebradas. Quem sabe morreu na queda. Sozinho não ficou. A descoberta arqueológica dessa caverna demonstrou ossadas de diversos animais, inclusive alguns extintos. Identificaram ossos de urso, bisão, raposa, mamute, marta, camelo, boi, carneiro, cavalo e leão.

A natureza agiu em nosso favor e preservou esses animais. O clima semiárido da região, aliado à baixa temperatura do interior da caverna, conservou parte do tecido ósseo desses animais. A arqueologia comemorou o amontoado de ossos datados do final da última Era Glacial. Tocava-se o esqueleto que transportou animais extintos que contavam parte da história americana. Existia algo a mais no interior dessas ossadas. As estruturas calcificadas revelariam a presença de um invasor microscópico. O material genético da bactéria causadora da tuberculose repousava no interior de alguns dos ossos. Esses animais se infectaram e a bactéria da tuberculose se alojou em seus ossos. A tuberculose grassava no tecido de bisões há 17 mil anos.[171]

Os trabalhos continuaram e a encontramos também em ossos de carneiros e bois ludibriados por essa mesma armadilha natural.[172] A bactéria da tuberculose ou uma forma muito semelhante circulava em animais americanos há cerca de 17 mil anos. Foi trazida pela migração desses animais vindos da Ásia. Um mundo microscópico atapetava as Américas. Circulavam vírus, bactérias, parasitas e fungos pelos animais americanos. Todos aguardavam a chegada humana. Entramos em uma nova fase histórica da origem das doenças infecciosas.

* * *

Sítios arqueológicos no sudoeste dos Estados Unidos foram descobertos na década de 1930. Artefatos de caça repousavam sob o solo. Pedras lascadas adquiriram formato de pontas perfurantes para caça. Não houve dúvidas de que a mão do homem produzira aqueles utensílios. Restos de animais abatidos mesclavam-se à descoberta. O sítio foi datado com o avanço da ciência do carbono 14 na década de 1970. Os humanos habitaram aquela região ao redor de 11.500 anos atrás. Seriam os primeiros humanos que chegaram à América. Os antropólogos haviam descoberto o "homem de Clovis". Nascia a clássica teoria de como e quando o homem moderno chegou ao continente americano.

Viemos do solo asiático. Gerações dos descendentes africanos chegaram ao último continente virgem da sua presença. Durante anos acreditou-se que o estreito de Bering fora a porta de entrada dos primeiros americanos, a exemplo dos animais asiáticos.

Caçadores e coletores asiáticos utilizaram a ponte terrestre originada pela última grande Era Glacial. Aproveitaram o recuo do mar para estender suas fronteiras. Porém, o atual Canadá e norte dos Estados Unidos da América estavam cobertos pelo gelo que bloqueou o avanço humano. Tivemos que aguardar as décadas finais da Era Glacial.

Finalmente o desgelo se iniciou. A vegetação e os animais começaram a dominar o cenário americano. O cobertor branco e gélido seria substituído por formas vivas. Nessa época, um corredor degelado propiciou uma comunicação entre o Alasca e o território dos Estados Unidos da América. O homem moderno utilizou essa estrada natural. Os humanos nômades

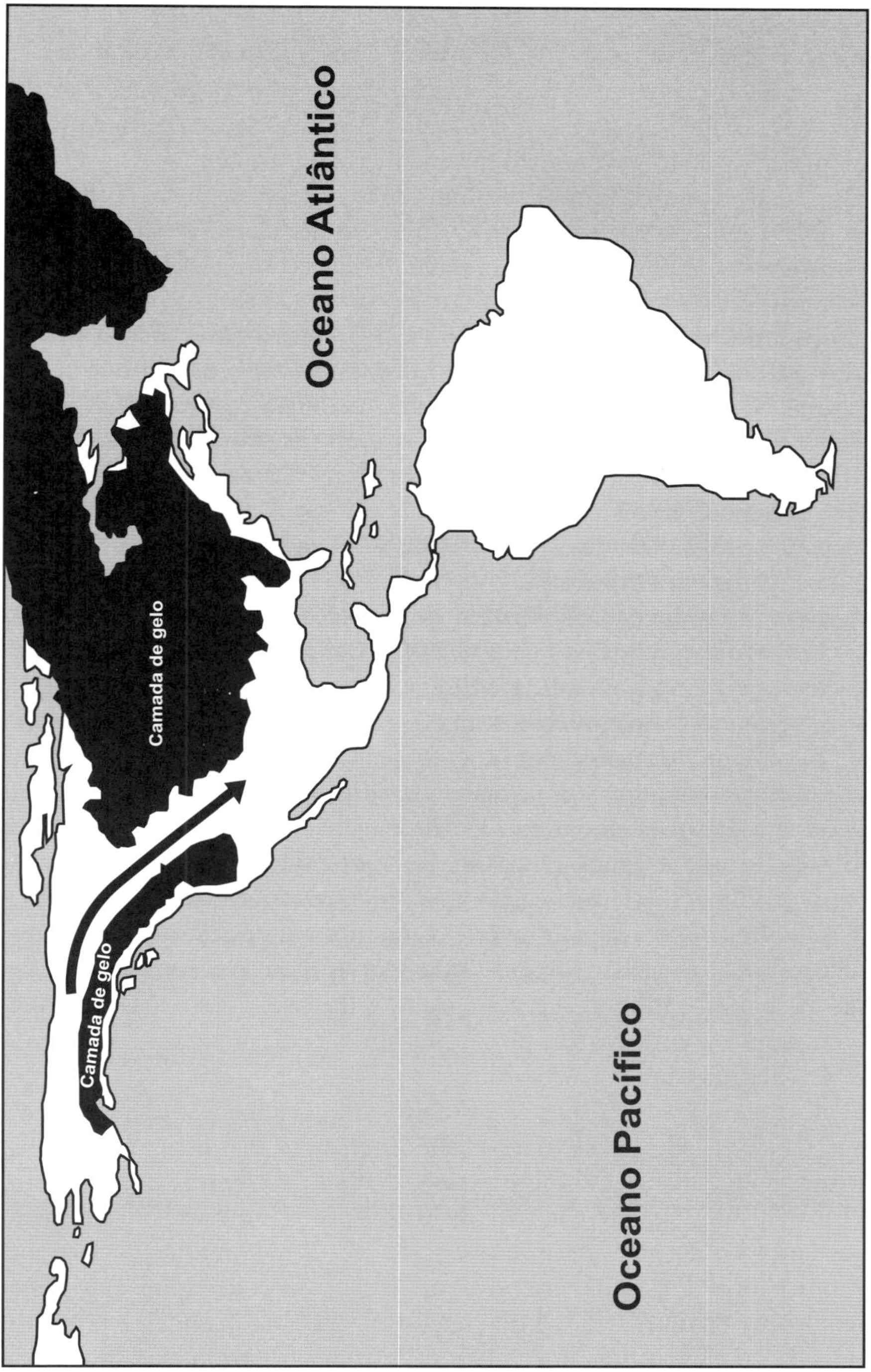

A seta mostra a provável rota seguida pelos primeiros humanos que entraram na América pelo corredor desgelado formado no final da última Era Glacial. Por muito tempo essa rota foi considerada como a única via de chegada.

abandonaram seus acampamentos provisórios e partiriam adiante. Gerações humanas desceram por esse corredor. Cruzaram o Canadá e atingiram as regiões sul do continente.[173] Migrações humanas avançaram pela metade leste da América do Norte. Outras cruzaram a América Central e dispersaram pela América do Sul. As Américas foram conquistadas.

Essa rota migratória reinou absoluta por anos e a data de nossa chegada foi há pouco mais de dez mil anos. O "homem de Clovis" seria o vestígio desses primeiros americanos. Hoje, essas certezas recebem críticas e debate-se sobre outras possíveis datas e rotas da nossa chegada.

Sítios arqueológicos descobertos no Chile apresentam datação muito anterior ao do "homem de Clovis". Pinturas rupestres na Pedra Furada do Parque Nacional da Serra da Capivara, no Piauí, tiveram suas datas estimadas em cerca de cinquenta mil anos.[174,175] Os primeiros americanos teriam chegado, então, em período anterior àquele aventado pelos achados arqueológicos do "homem de Clovis". Os cientistas se dividem. Facções interrogam a precisão da datação desses sítios. O consenso da data de nossa chegada encontra-se em aberto.

Cientistas europeus descobriram uma coleção de crânios em Lagoa Santa, em Minas Gerais, no século XIX. O sítio arqueológico ganhou notoriedade pela grande quantidade de crânios encontrados em um só lugar. Os ossos permaneceram esquecidos em caixas na Dinamarca por mais de um século. Recentemente, cientistas brasileiros reanalisaram as formas e medidas desses crânios e encontraram semelhança com o de humanos habitantes da Oceania e do sudeste asiático.[176,177] Esses achados apontam para outras ondas migratórias humanas. Humanos diferentes daqueles pertencentes ao "homem de Clovis" teriam chegado à América em épocas bem anteriores.

Como se não bastassem as incertezas quanto aos primeiros americanos e as datas de sua chegada, surgem novas teorias quanto à rota traçada. O estreito de Bering ganhou rotas concorrentes utilizadas pelos asiáticos que aqui chegaram. As embarcações pelo litoral americano ganharam força como a rota de chegada humana à América.

A nova teoria aventa que os primeiros americanos não dependeram apenas das Eras Glaciais, mas também de suas próprias mãos para construírem embarcações. Conquistamos as ilhas da Oceania e do Pacífico por embarcações. Por que não fizemos o mesmo na América? Poderíamos ter nos lançados ao mar aberto e assentado no litoral americano. Grupos de pesquisadores defendem essa nova rota marítima. A descoberta de sítios arqueológicos litorâneos da época de nossa chegada é rara. O término da Era Glacial elevou novamente o nível do mar e enviou esses possíveis assentamentos humanos para o fundo do mar. Mesmo assim, arqueólogos descobriram sítios humanos em ilhas da costa noroeste dos Estados Unidos. A datação os situa há pouco mais de dez mil anos.[178] Os primeiros americanos vieram de embarcações asiáticas pela proximidade do estreito de Bering? Cruzaram o norte do Pacífico e desembarcaram na costa oeste da América do Norte? Houve rotas marítimas? A balança desse debate pode pender para um dos lados com o auxílio de um parasita.

Trouxemos parasitas intestinais para América. Alguns ajudam a traçar a rota de nossa entrada. Esses parasitas não poderiam chegar por ambas as vias. Como sabemos da chegada concomitante deles? Como definem qual rota tomamos? Terrestre ou marítima? Onde encontramos vestígios desses parasitas?

O SOLO DEIXA PROVAS

O chimpanzé se contorce com dores abdominais. Permanece prostrado, nauseado e sem apetite. Seu abdome distende e pode surgir diarreia ou flatulência. O quadro decorre de parasitas intestinais adquiridos nas florestas africanas. Essas verminoses, se muito intensas, precipitam sintomas exagerados. Um grande número de parasitas se enovela no intestino deste primata. O instinto animal diagnostica a infestação e institui o tratamento. Os chimpanzés e gorilas comem determinadas cascas e folhas de árvores que contêm substâncias químicas possíveis de matar parasitas. Os vegetais não digeridos descem pelo tortuoso intestino e empurram ou aprisionam os vermes. Eliminadas nas fezes, essas folhas trazem consigo quantidades de criaturas filamentosas contorcendo-se no solo.

Nossos ancestrais africanos também apresentavam infestações por verminoses conhecidas nos dias atuais. Provavelmente parasitas intestinais atingiam o *Homo habilis* e *Homo erectus*. Permaneceram na África no aguardo do surgimento do homem moderno. Apanharam carona com ele e saíram dos confins africanos. Mas como sabemos de sua existência àquela época? Como sabemos que acompanharam a trajetória humana da África para a Europa, Ásia, Oceania e América? A resposta permaneceu no solo durante centenas de anos.

O mundo conheceu um cadáver surgido nos Alpes em setembro de 1991. O desgelo da região emergiu o corpo. No início pareceu um dos inúmeros alpinistas que desaparecem na tentativa de conquistar as altitudes das montanhas. Porém, descobriu-se um dos mais antigos corpos preservados da história humana. A datação nos transportou há cerca de cinco mil anos, época provável de sua morte. Nosso antepassado não suportou o frio e sucumbiu no silêncio da montanha ao tentar atravessar a neve. Talvez alvejado por uma flecha inimiga que deixou um rastro de sangue. Preservou-se soterrado pela neve como em um *freezer* durante milênios. Ficou conhecido como "Ötzi, o homem do gelo".

Suas vestimentas, seus utensílios e seu corpo trouxeram informações sobre a remota época. Seus intestinos revelaram hábitos alimentares. Vestígios de carne animal e cereais entregaram sua última refeição.[179] O intestino mostrou também presença de parasitas. As verminoses acometiam os primeiros europeus.[180] Os parasitas intestinais acompanharam o *Homo sapiens* e alcançaram a Europa, Ásia, Oceania e América. Contariam parte da história de nossa chegada à América.

Os indígenas americanos deixaram vestígios de suas cidades e utensílios. A arqueologia luta com a natureza para encontrar esses artefatos apenas parcialmente destruídos pela ação do clima. Ruínas de construções são catalogadas, bem como múmias e ossadas preservadas pelas áreas áridas americanas. A vida cotidiana indígena é reconstituída, em parte, pelos achados arqueológicos. Porém, esses nativos americanos deixaram outras pegadas. Suas fezes venceram agressões climáticas e sobreviveram.

As fezes perderam parte da água pela evaporação e ressecaram. Desidrataram para adquirir uma consistência endurecida como pedra e tornaram-se coprólitos (pedras de fezes). Desse modo resistiram à destruição pela natureza e tornaram-se fósseis de vidas indígenas passadas. Os coprólitos são encontrados no meio ambiente e também no interior do intestino de múmias indígenas. A análise deles trouxe informações alimentares através das sementes ou fibras não digeridas encontradas no seu interior. Os coprólitos nos informam, ainda, quais parasitas intestinais estavam presentes nos antepassados indígenas.[181,182]

Temos dois doutores brasileiros pioneiros no estudo de coprólitos americanos. Os pesquisadores Adauto Araújo e Luiz Fernando Ferreira. Ambos pertencem à Escola Nacional de Saúde Pública da Fundação Oswaldo Cruz, na cidade do Rio de Janeiro. Foram caçadores de múmias americanas em busca de parasitas em coprólitos. Transportaram malas repletas de coprólitos para exames desde a década de 1970. Percorreram o Brasil em busca de vestígios de vidas indígenas passadas e inovaram técnicas de análise de coprólitos dissolvendo-os através de reações químicas e físicas.

Realizaram exame de fezes de índios mortos há mais de dois mil anos. Tiveram sucesso. O estudo de coprólitos mostrou parasitas que infestavam nossos antepassados. Os coprólitos americanos evidenciaram existência de oxiúros (pequenos vermes filamentosos que infestam o intestino) neste continente. Os primeiros americanos trouxeram esse novo invasor.[183,184]

Encontrou-se também o *Ascaris lumbricoides* em múmias do Peru e Brasil com mais de três mil anos. Esse parasita era conhecido desde a Antiguidade devido ao seu tamanho: era visto a olho nu, sem necessidade de microscópio. Médicos da Grécia antiga e do Império Romano descreviam esse parasita filamentoso nas fezes, conhecido como lombriga. Encontramos em coprólitos de múmias egípcias da época dos faraós e em fezes fossilizadas do período da dinastia Ming na China.[185] Saímos da África com *Ascaris* e vários outros parasitas revelados em coprólitos.[186]

Há um parasita que contribuiu para esclarecer nossa rota de entrada na América, o *Ancylostoma duodenale* presente em coprólitos de índios americanos. O ancilóstomo adere-se firmemente à parede intestinal e causa lesões que sangram lentamente. Alimenta-se do nosso sangue. A constante perda de sangue acarreta anemia que se manifesta com fraqueza intensa, indisposição e tontura. Porém, a palidez da pele ocasionada pela anemia define o nome popular da verminose. É conhecida como "amarelão", que acometia o personagem preguiçoso do Jeca Tatu das obras de Monteiro Lobato. O amarelão em múmias americanas contribuiu para solucionarmos parte do mistério das rotas de entrada humana na América. Como o parasita indicaria uma via terrestre ou marítima? A dupla brasileira de caçadores de múmias e pioneira nos estudos de coprólitos alega que seu ciclo de vida mostra um dos caminhos.

O ancilóstomo perpetua sua espécie. Seus ovos são eliminados nas fezes humanas. Diferente de outros parasitas, os ovos do ancilóstomo não ocasionam doença se forem ingeridos. Água ou alimentos contaminados por fezes humanas não causam o amarelão. Os ovos permanecem no solo e, em condições climáticas ideais, eclodem em pequenas larvas. Essa transformação ocorre em solo úmido e quente. Por isso é uma verminose típica de país tropical. As larvas entram em contato com a pele humana geralmente nos pés de pessoas descalças. Invadem a pele, penetram no organismo e transformam-se em parasitas adultos. Portanto, parte do ciclo de vida parasitária ocorre no solo, o que propicia o ovo evoluir para larva.

Simulação computadorizada remontou o clima do estreito de Bering à época da chegada dos primeiros americanos. A longa faixa de terra que emergiu pela Era Glacial não foi suficientemente quente para ovos e larvas do ancilóstomo sobreviverem.[187] Os ovos eliminados pelas fezes não encontraram solo favorável para eclodirem em larvas.

Os humanos transpuseram a região em um longo intervalo de tempo. Caçadores e coletores envelheceram e morreram durante essa lenta travessia.

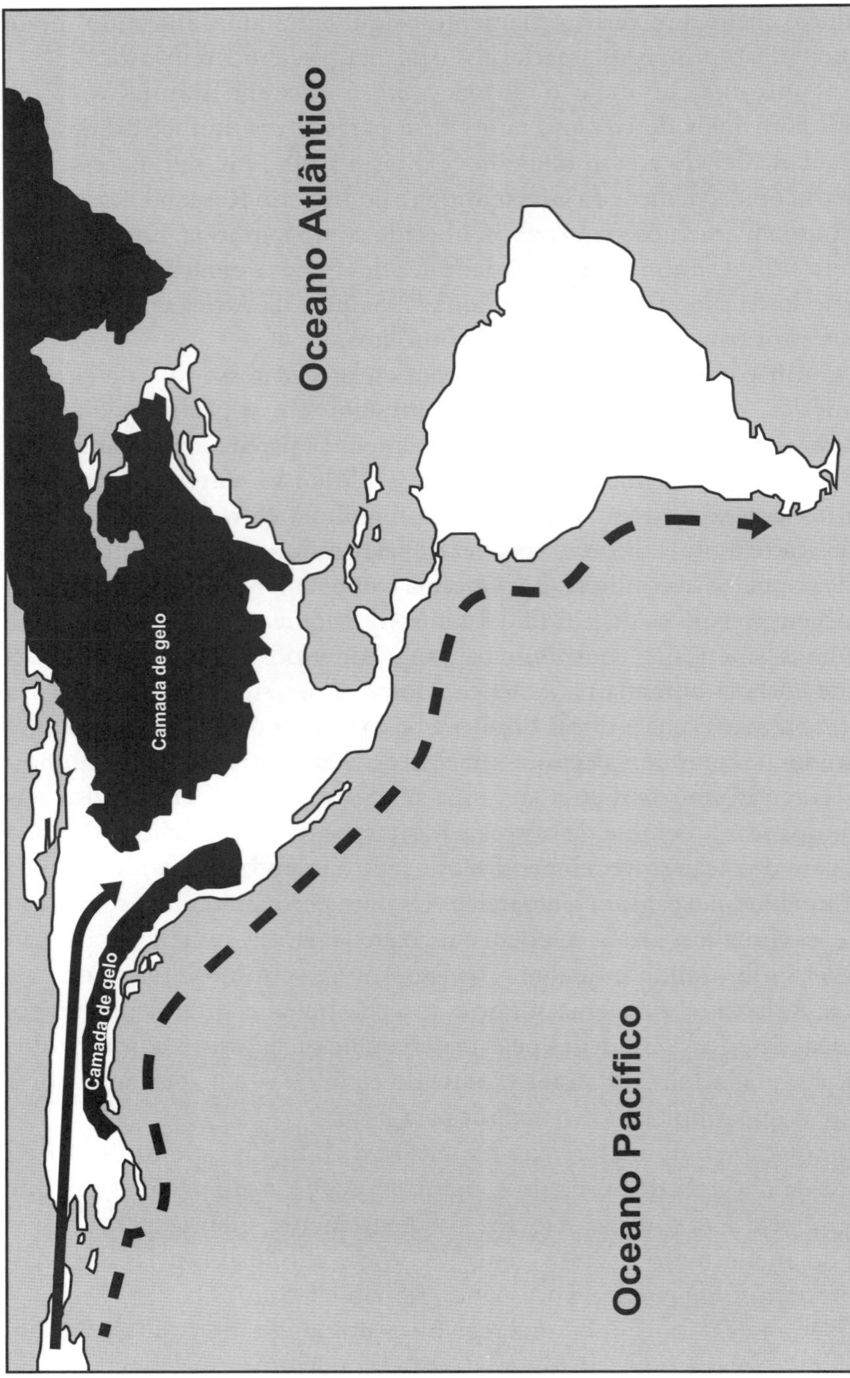

A rota de chegada dos primeiros humanos à América também ocorreu por embarcações pelo litoral. A seta tracejada mostra um suposto trajeto costeiro. Os indivíduos podem ter aportado ao longo de todo o litoral. Essa nova porta de entrada ganhou reconhecimento no meio científico nos últimos anos.

Gerações nascidas continuaram a jornada e seus filhos e netos a perpetuaram. Os ovos eliminados pelos primeiros humanos infectados sucumbiram no solo inóspito da região. Humanos nascidos durante a jornada não foram infectados. Aquelas terras barraram a entrada do ancilóstomo e permitiram a passagem humana. As últimas gerações humanas chegaram ao corredor desgelado livres da doença. O ancilóstomo não acompanharia os primeiros americanos se eles houvessem penetrado apenas por via terrestre. Porém, formas adultas e ovos em coprólitos de múmias peruanas, chilenas e brasileiras mostram que o ancilóstomo entrou na América. Seguiram outra rota.

Os ovos encontrariam solo ideal caso os humanos viessem pelas embarcações no litoral. Nesse caso, os primeiros americanos trariam o ancilóstomo do continente asiático para a América. O litoral quente e úmido não barraria a entrada do parasita que acompanharia os humanos. Seu encontro em coprólitos indica entrada humana por via marítima, que chegou com o parasita e evacuou no litoral da América do Norte, onde colonizou. Isso não elimina a clássica entrada pela ponte terrestre do estreito de Bering. Apenas acrescenta outras rotas marítimas.

ÍNDIOS INFECTADOS

Os parasitas intestinais passaram despercebidos entre os primeiros americanos que avançaram lentamente pelo continente recém-conquistado. Caçadores e coletores ocuparam áreas férteis americanas fornecedoras de vegetais e animais. Multiplicaram-se e grupos migraram para novas terras da América do Norte. Lentamente alcançaram o leste e sul do continente em busca de alimentos. Assentaram em locais propícios à oferta contínua de alimentos. Civilizações indígenas norte-americanas foram criadas. Porém, os novos americanos trouxeram um microrganismo agressivo que ceifaria os enfraquecidos pela jornada: a bactéria da tuberculose.

Ossos indígenas mostram indícios da tuberculose. A doença acompanhou e matou muitos índios durante seu dispersar pela América do Norte. Encontramos lesões ósseas em sítios arqueológicos dispersos. Ocorrem em múmias nos estados americanos do Tenessee, Ilinois, Dakota, Arizona, Novo México, Ohio, Alabama, Geórgia, Pensilvânia e em Ontário, no Canadá.

A doença manifestou-se entre os nômades indígenas de maneira tímida. Disseminou-se no momento certo. Apoderou-se dos indígenas durante o florescimento de suas civilizações. Encontramos exemplo no povo anasazi do Novo México. Essa civilização construiu templos, ruas e casas.

A tuberculose encontrou aglomerado humano nos centros urbanos. Os anasazis desenvolveram um intenso comércio. Importaram milho e madeira para sustentar o crescimento de sua civilização. A doença encontrou rotas para disseminar-se entre aglomerados distantes. Encontramos vestígios da tuberculose em múmias desse povo.

Os novos americanos caminharam para a América Central. Civilizações nasceram nessa região rica em fauna e flora. Não deixaram múmias suficientes para registrarmos a presença da tuberculose. Não encontramos indícios da doença nessa região. Apesar disso podemos deduzir suas epidemias dada sua ampla presença nos índios americanos de outras regiões. Aglomerados populacionais explodiram entre as matas da América Central. A tuberculose aproveitou-se do urbanismo e, provavelmente, encontrou outro aliado para sua disseminação, as guerras. A América Central foi palco de constantes disputas entre seus povos. As guerras contribuíram para o aumento do número de desabrigados, famintos e debilitados. É provável que a tuberculose tenha evoluído nesses grupos. Além disso, os índios conviveram com períodos de seca. A redução dos alimentos depauperou uma parte da população que se tornou susceptível à tuberculose. A grande seca próxima ao ano 800 d.C. que contribuiu para o colapso do império maia[188] pode ter favorecido epidemias.

O istmo do Panamá levou os indígenas a outro pomar. Invadiram e colonizaram a América do Sul. Dispersaram-se pela costa oeste da região, mata Amazônica, região centro-sul e litoral brasileiro. Conquistaram nosso solo. Esparsas ilhas de civilizações surgiram pelo continente. Intercalaram ascensões e declínios.

A população indígena do Peru cresceu desde a chegada dos primeiros humanos. Esses indígenas se acomodavam em cidades e organizavam sua estrutura social no século II a.C. Cercaram suas cidades com muros. Plantações de milho, batata, feijão, mandioca supriam sua crescente população. A lã da lhama combatia o frio. Peixes do litoral complementavam a dieta. A tuberculose aproveitou a expansão de aglomerados humanos. Os indígenas conviviam em praças, templos e construções. As maiores cidades eram Tiahuanaco, Pucara (nas proximidades do lago Titicaca), e Huari, mais ao norte do Peru.[189] A tosse desses transeuntes urbanos espalhava bacilos da tuberculose.

A doença aproveitou também os períodos de guerra. Progrediu velozmente entre os desnutridos e depauperados. Seus sistemas de defesas estavam enfraquecidos. Impérios indígenas no Peru se consolidavam no momento em que o Império Romano se fragmentava do outro lado do Atlântico. A doença avançou no povo huari durante as guerras que consolidaram seu império ao norte. O mesmo deve ter ocorrido com o povo tiahuanaco, que estendeu seu domínio até o deserto do Atacama. A doença também pode ter acompanhado as batalhas dos pachacamacs. Grandes impérios com grandes cidades, comércio, guerras e fome aliaram-se à tuberculose.

As áreas desérticas ao sul do Peru e norte do Chile contribuíram na preservação de múmias indígenas dessas civilizações. A baixa umidade ajudou na conservação de seus órgãos. Encontramos vestígios do DNA da tuberculose nessas múmias[190] de dois mil anos atrás e DNA da tuberculose em fragmentos de pulmão mumificados. Os indícios da tuberculose nos pulmões demonstram sua transmissão pela tosse. A doença devia existir com elevada frequência e em epidemias. Encontramos seu material genético em múmias de sítios arqueológicos das civilizações dos huaris, paracas, maitas e chiribayas.[191]

Esses achados arqueológicos, porém, mostram que a tuberculose já existia na América muito antes.[192] Além disso, reforça a eliminação da domesticação do gado como origem da doença, uma vez que os americanos chegaram bem antes da domesticação dos animais. Porém, acreditávamos que os europeus haviam trazido a doença para a América. Os índios americanos a teriam adquirido na época dos grandes descobrimentos entre os séculos XV e XVI, e ela teria se alastrado em uma população virgem sem contato prévio com essa bactéria. Mas, como veremos adiante, os europeus trouxeram uma nova onda da doença quando aqui aportaram.

Na verdade, vimos microrganismos que nos acompanharam à América. Agora veremos quais bactérias, vírus e parasitas evoluíram nesse continente antes da chegada humana. Ao chegar aqui, então, o homem moderno encontraria novas doenças infecciosas.

Em alguns casos, a presença de agentes infecciosos em múmias americanas evidenciou que os asiáticos os haviam trazido. Ou seja, os agentes vieram dos ancestrais humanos da África. Mas nem sempre isso é verdade. Em outros casos, os agentes já estavam na América e invadiram o *Homo sapiens* recém-chegado. Um ótimo exemplo é a doença de Chagas.

A ESPERA DO HOMEM

Os jornais de 2005 alertaram: "Epidemia de doença de Chagas em Santa Catarina transmitida pelo caldo de cana contaminado". Não significa que a doença retornou ao Brasil, pois ela nunca deixou de existir no solo americano. Nem deixará. O parasita da doença de Chagas, *Trypanosoma cruzi* (*T. cruzi*), pertence ao ecossistema americano. Ele se replica nos tecidos de inúmeros vertebrados e circula entre animais selvagens de nossos campos e matas.[193,194] Principalmente em gambá, tamanduá, ouriço, ratos, primatas, preguiça e morcegos. Coevoluiu nesses animais por milênios. Os insetos sugam o sangue desses animais, adquirem o parasita e o transferem a novos animais.

Os principais insetos transmissores da doença são os triatomíneos, também conhecidos como "barbeiros". O *T. cruzi* se multiplica no intestino do barbeiro e inunda suas fezes de parasitas. Adquirimos a doença pela picada do inseto.

O barbeiro evacua no instante em que suga o sangue. Ao coçar a região, as fezes portadoras do parasita atingem a corrente sanguínea e iniciam a infecção. O *T. cruzi* pode se alojar no coração, o que pode causar insuficiência cardíaca. A inervação do esôfago também é atingida, o que bloqueia o relaxamento da junção entre o esôfago e estômago. Os alimentos se acumulam no esôfago por terem dificuldade em entrar no estômago. A distensão do esôfago ocasiona o "megaesôfago". O mesmo pode ocorrer com o intestino grosso. A inervação comprometida produz constipação crônica. O bolo fecal se acumula na porção final do intestino e também causa uma dilatação dessa região, o "megacólon".

No passado recente construímos habitações que serviram de abrigo ao barbeiro. As casas de pau a pique constituídas com barro e madeira apresentam frestas que albergam o inseto. Assim, eles não precisaram buscar orifícios na natureza, pois dispunham de criadouros artificiais produzidos pelo homem. Melhor ainda, ao saírem à noite se deparavam com sua fonte de alimento. Humanos dormiam no mesmo cômodo. Na década de 1970 surgiam quase cem mil casos novos por ano. A doença das matas transferia-se para os domicílios humanos. Desde então, as campanhas de combate ao barbeiro se intensificaram. Caçaram insetos, buscaram seus criadouros, borrifaram casas com produtos químicos. Hoje, conseguimos rechaçar o parasita de volta para os confins das matas. Não conseguimos eliminá-lo do Brasil, pois aqui é seu habitat desde antes dos humanos chegarem.

A doença é antiga. Encontramos indícios em múmias do Peru, Chile e México. Índios doentes habitavam o solo americano antes da chegada de Colombo. Encontramos restos do DNA do *T. cruzi* em vísceras mumificadas no Peru e Chile.[195,196,197] A doença em índios americanos sugeriria sua chegada à América através da Ásia, como visto em outras doenças. Mas a doença de Chagas não existe fora do solo americano. Além disso, não encontramos indícios antigos da doença na Ásia, na Oceania, na Europa ou África. Portanto, os primeiros americanos não trouxeram a doença para a América. O parasita já se encontrava na América.

Apesar do *T. cruzi* só existir na América, encontramos um parente próximo na África. Esse primo africano do *T. cruzi* reproduz-se nas moscas "tsé-tsé". É o *Trypanosoma brucei,* que causa a doença do sono africana. A mosca elimina o parasita na saliva e transmite aos humanos pela picada. O *T. brucei* circula pela corrente sanguínea e penetra no cérebro. Altera a função cerebral que ocasiona letargia (daí a doença do sono), fraqueza e coma.

O primo americano recolheu-se pelas medidas de controle humanas. O primo africano tomou outro caminho. Epidemias acompanham a proliferação de moscas. As nações europeias administraram as plantações africanas durante a colonização. Suas colônias africanas forneciam uma fonte de riqueza pela agricultura e extrativismo. Os europeus cuidaram muito bem de sua administração. Como consequência, a doença do sono recuou ano após ano durante a primeira metade do século XX. Recuou em áreas onde antes era um flagelo. Acreditávamos que seus dias estavam contados em meados do século passado. Porém, tudo mudou na década de 1960.

As guerras de independência seguidas das guerras civis e ditaduras corruptas levaram ao abandono de terras agrárias. O mato apoderou-se dos antigos tapetes agrícolas. As áreas ficaram entregues às moscas e a animais, ambos portadores do *T. brucei*. As guerras também resultaram em pobreza e ineficácia dos governos em controlar as epidemias.[198,199] A doença do sono renasceu na África e foi levada a novas áreas pelos refugiados. O número de casos se elevou a milhares e os africanos convivem com o avanço de epidemias.

O material genético dos dois tripanossomos é muito semelhante. Ambos evoluíram de um tripanossomo ancestral comum para uma forma distinta. O americano evoluiu para sua transmissão ocorrer pelas fezes dos insetos, enquanto o africano atingiu as glândulas salivares das moscas que o transmitem pela picada. Como tripanossomos geneticamente próximos evoluídos de um mesmo ancestral estão tão distantes? Como o *T. cruzi* surgiu só na América e o *T. brucei* apenas na África? Algum animal trouxe o ancestral comum para a América? Esse ancestral evoluiu isoladamente para originar ambas as doenças?

* * *

Iniciamos as respostas com a chegada dos primeiros humanos à ilha de Madagascar, talvez no primeiro século da era cristã. Encontraram aves abundantes para a caça. A alimentação estaria garantida. Eram os pássaros-elefantes com mais de três metros de altura e pesando quase meia tonelada. Não tinham capacidade de voo, o que os limitou a vagar pelo solo da ilha. Eram presas fáceis aos homens recém-chegados. Em pouco tempo, o pássaro-elefante foi extinto da ilha de Madagascar pela caça humana. Os esqueletos esparsos pela ilha são provas de sua existência passada. O pássaro-elefante foi extinto antes de testemunhar o mesmo com um parente próximo em outra ilha distante.

Outra ave gigante, o moa, habitava a ilha da Nova Zelândia. Tinha cerca de três metros de altura e pesava ao redor de 250 quilos. Também não tinha capacidade de voo. O moa apresentou-se para os primeiros humanos que chegaram ao redor do início do século XIV. História semelhante a do pássaro-elefante se repetiu. Os novos predadores caçaram o moa. O desmatamento para a agricultura reduziu seu habitat. Em pouco tempo a ave foi extinta da Nova Zelândia. O moa e o pássaro-elefante pertenciam a um grupo de aves não voadoras chamadas ratitas. Apresentavam uma conformação esquelética que impossibilitava o voo. Apesar de extintas, estas aves ratitas deixaram parentes próximos que sobrevivem até os dias atuais.

Encontramos o kiwi do tamanho de uma galinha no mesmo local onde um dia existiu o moa. Atravessando o mar chegamos à Austrália para encontrar o emu, uma espécie de avestruz australiana. Este último sobreviveu à perseguição humana. Iniciou-se uma campanha para seu extermínio na Austrália por volta da década de 1930. Os agricultores alegaram que a ave era uma praga, pois pisoteava as plantações e alimentava-se das lavouras. Uma caça desenfreada visou à sua eliminação, porém sem sucesso. Na Austrália ainda encontramos o casuar, semelhante à ema, que também habita a Nova Guiné. Encontramos outros representantes das aves ratitas em direção oeste. Atravessamos o oceano Índico e encontramos a avestruz em solo africano. Seguindo nossa viagem, em direção oeste, chegamos à rhea americana, que seria a ema do continente americano.

Alguns achados chamam a atenção. Essas aves ratitas são parentas apesar de isoladas em áreas tão distantes umas das outras. Além disso, todas habitam o hemisfério sul. O DNA dessas aves foi estudado, inclusive o do extinto moa. Extraíram DNA de seus ossos. O estudo do material genético das aves ratitas esclareceu essas peculiaridades e também dá pistas do motivo da doença de Chagas existir apenas na América do Sul. O DNA mostra que todas as aves ratitas atuais e as extintas descendem de uma ave ancestral. Podemos construir uma árvore genealógica dessas aves não voadoras. No topo encontramos a ave ancestral comum a todas. Podemos estimar a época em que esse ancestral viveu. O acúmulo das mutações das aves atuais é desfeito retroativamente. Assim, o ancestral comum perambulava pelo planeta há cerca de cem milhões de anos.[200] Mutações e adaptações evoluíram para formação das diversas espécies de aves atuais. Mas como se encontram tão distantes uma das outras se não possuíam capacidade de voo? Será que um dia possuíram? Qual a ligação com a doença de Chagas? Transportaram o parasita? A resposta encontra-se na época em que viveu o ancestral comum das aves e a situação geográfica do planeta.

Os continentes do hemisfério sul eram unidos em uma grande porção de terra, chamada Gondwana, há mais de cem milhões de anos. Esse pedaço de

O naturalista britânico Richard Owen, em 1878, com reconstrução do esqueleto do extinto moa, uma ave gigante que habitava a ilha da Nova Zelândia por volta do primeiro século da era cristã.

terra aglutinava a América do Sul, África, ilha de Madagascar, Austrália, Índia e Antártica. Nessa região encontramos o ancestral das aves ratitas.[201] Essa porção de terra iniciou um processo de fragmentação em regiões menores. Cada fragmento de terra migrou lentamente afastando-se dos demais. Deslizaram sobre o manto terrestre e se posicionaram cada vez mais próximos dos locais em que hoje os encontramos. Cada pedaço de terra levou consigo descendentes daquele ancestral comum das aves. Estas, agora isoladas, evoluíram sofrendo mutações e adaptações transmitidas aos descendentes. Originaram as diferentes aves de cada região em dezenas de milênios.

A comparação genética é tão eficaz a ponto de sabermos que o DNA do kiwi assemelha-se muito mais aos do casuar e emu australianos do que do moa que habitou a Nova Zelândia, terra do kiwi.[202,203] Isso sugere que o kiwi originou-se em solo australiano e migrou à Nova Zelândia. A fragmentação da Gondwana está por trás da origem dos tripanossomos.

O DNA do *T. cruzi* apresenta semelhança com o de outros tripanossomos presentes também em marsupiais. Porém, esses parentes do parasita da nossa doença de Chagas encontram-se a milhares de quilômetros de distância, na Austrália. Um tripanossomo ancestral originou tanto o *T. cruzi* americano[204] quanto outros australianos. Esse ancestral teria habitado a porção de terra em que a América estava unida ao território australiano. Alguns dos parasitas ancestrais permaneceram na porção que migraria para formar o continente americano, enquanto outros seguiram pela região que originaria a Austrália. Cada parasita ancestral sofreu mutações e adaptações específicas à região em que permaneceu. Originaram-se parasitas específicos da América e Austrália.[205]

Ambos os parasitas infectaram os marsupiais. Aliás, esses últimos também evoluíram de ancestrais comuns e originaram marsupiais específicos da América diferentes dos da Austrália.[206] O mesmo que ocorreu com o ancestral dos tripanossomos ocorrera com os ancestrais dos marsupiais que são reservatórios do parasita. Quem sabe, alguns tripanossomos ancestrais também permaneceram na porção de terra que migrou para formar a Antártica. Nesse caso, teríamos parasitas fossilizados abaixo de quilômetros de gelo no extremo sul do planeta.

Encontramos um parasita ancestral comum dos tripanossomos americanos e australianos. Seu material genético indica que se separaram tardiamente. Provavelmente a América e Austrália estavam unidas, mas já separadas da África.[207] Podemos encontrar um ancestral ainda mais antigo à época em que a África ainda estava unida a essas terras: o *Trypanosoma brucei* no solo africano. Ancestrais permaneceram na África no momento que esse continente se separou e suas mutações originaram o *T. brucei*. Enquanto isso, outros ancestrais permaneceram na porção de terra formada pela América, Antártica e Austrália, para formar os tripanossomos citados.[208,209,210]

Tripanossomos diferentes, ainda que primos entre si, causam doenças diferentes na Austrália, América e África. Por causa da evolução diferenciada dos parasitas, a doença de Chagas existe apenas no solo americano e invadiu os primeiros americanos.

O material genético do *T. cruzi* reconstituiu a história geográfica do planeta há cem milhões de anos. Podemos também utilizá-lo para a história geográfica das Américas. O material genético mostra dois tipos desse parasita, um *T. cruzi* tipo 1 e outro tipo 2. Ambos estão presentes em solo brasileiro e se comportam da mesma maneira. Causam a doença de Chagas e contam parte da formação geográfica do nosso continente. Ambos se separaram de um *T. cruzi* ancestral, que foi isolado. Isso pode ter ocorrido em um período anterior ao encontro da América do Sul com as porções americanas do norte. As Américas se encontraram, posteriormente, na região do atual Panamá. Esse isolamento pode ter feito com que evoluíssem para os dois tipos diferentes de *T. cruzi*.[211] Tanto que cada parasita prefere animais diferentes, como roedores e marsupiais. Com o encontro das Américas, a migração animal do norte para o sul trouxe o outro tipo para o solo brasileiro. Hoje, somos infectados pelo *T. cruzi* e adquirimos a doença de Chagas sem sabermos, ou melhor, sem nos importarmos se é o tipo 1 ou 2.

A evolução do inseto transmissor da doença de Chagas também pode ter seguido o mesmo trajeto do parasita. O barbeiro evoluiu após a separação da América do continente africano. É o que mostram suas mutações.[212,213, 214] Assim, tanto o parasita da doença de Chagas quanto seu transmissor evoluiram após a separação da América.

VÍRUS OCULTO DURANTE MILÊNIOS

Se a doença de Chagas atacou os primeiros americanos, outro vírus que já habitava a América demorou milênios para dar "boas-vindas" aos humanos.

Os índios ampliaram suas civilizações e impérios. Testemunharam a chegada dos espanhóis seguidos de outros europeus. Foram perseguidos e exterminados. O povo nativo americano gradualmente perdeu lugar para europeus e africanos. O vírus não mostrou suas garras em nenhum desses momentos, pelo menos até onde sabemos. Permaneceu oculto na natureza. Esquivava-se dos humanos cada vez mais presentes em seu território. Finalmente o primeiro caso da doença foi reconhecido no final do século XX. Surgiu em um índio navajo internado em hospital do Novo México em 1993. O vírus danificou seu pulmão. O indígena encontrava-se debilitado e com falta de ar. Não sobreviveu apesar dos cuidados empreendidos pela equipe da saúde. Que vírus o atingiu? Quais os motivos que fizeram a doença demorar tanto tempo para surgir? Onde o vírus se ocultou todo esse tempo?

Trata-se do hantavirus, que se multiplica em roedores. Esses animais eliminam o vírus pelas suas secreções. Suas fezes e urina eliminam grandes quantidades de vírus que permanecem no solo. Os líquidos e secreções secam, mas o agente infeccioso permanece viável. Ao varrermos o solo, ocorre ascensão da poeira e inalamos o vírus. A doença inicia-se com agressão pulmonar. O vírus inflama e causa sangramento em nossos pulmões, que não conseguem realizar as trocas de oxigênio. A doença progride rapidamente. A morte ocorre em 40% dos doentes.

O vírus se ocultou nos roedores americanos distantes dos aglomerados humanos. Isolado nos confins do continente. A população americana aumentou cada vez mais. O solo virgem do continente diminuiu a cada século e nos aproximamos dos roedores selvagens e seus hantavirus. As moradias e lixos em número crescente atraíram roedores para os centros urbanos. Tornaram-se vizinhos de nossas habitações. Eliminavam fezes e urinas nas redondezas de nossas casas. Suas secreções e líquidos acumularam-se em nossos porões, sótãos, construções abandonadas e armazéns. Contato cada vez mais próximo se instalava no século XX. A gota d'água ocorreu pelas mãos da natureza. Foi o fenômeno El Niño dos anos 1991 e 1992.

As chuvas caíram de maneira intensa na costa oeste das Américas. Inundaram o solo e a vegetação floresceu. Regiões áridas se transformaram em tapetes esverdeados. O clima quente do El Niño, inverno ameno, chuvas e vegetação elevaram a população de ratos. O hantavirus se disseminara entre os roedores no ano anterior devido às secas que precederam o fenômeno do El Niño. Ratos se aglomeravam nas poucas áreas favoráveis. Disputavam esses oásis com mordidas e agressões que transmitiram o vírus entre os animais. Os anos seguintes a 1993 mostraram um número cada vez maior de humanos acometidos pelo hantavirus. Os casos surgiram nos EUA, Argentina, Brasil, Paraguai, Chile, Bolívia e Peru. Ocorreram epidemias simultâneas em quase todos os países americanos. Hoje nos deparamos com os noticiários de rádio, jornais ou TV relatando casos e epidemias esparsas pelo hantavirus. Mas como rotulamos um vírus descoberto há pouco mais de dez anos como presente no solo americano à época da chegada dos primeiros humanos pela América do Norte?

Apesar de a doença surgir em vários países americanos, não ocorreu um alastramento do vírus entre essas nações. A epidemia do sudoeste dos Estados Unidos não se alastrou para outras nações americanas. O material genético do vírus mostrou que cada região americana tinha o seu tipo específico de hantavirus geneticamente diferente. Em outras palavras, todos aqueles países conviviam com roedores que portavam o seu tipo específico de hantavirus. Diferentes hantavirus mostraram sua face nos países americanos durante a década de 1990. Ao estudarmos as espécies de roedores americanos comparando com os diferentes tipos de hantavirus, notamos um elevado grau de coevolução. Cada tipo de vírus identificado em cada nação é inquilino de uma determinada espécie de roedor. Os roedores evoluíram de seus ancestrais já com a presença de seu tipo de hantavirus.[215,216]

Na verdade, os americanos já conheciam o hantavirus. Tiveram o primeiro contato durante a Guerra da Coreia. Na década de 1950, as tropas americanas permaneceram acamadas durante as manobras militares realizadas no rio Hantan, na Coreia. Foram as primeiras vítimas americanas do vírus, que também acomete o leste e sudeste asiático. Esse tipo asiático causa uma doença diferente da do vírus americano. Os asiáticos apresentam uma mortalidade menor, cerca de 10%, e apresentam lesões principalmente nos rins em vez dos pulmões. Um mesmo vírus causando doenças diferentes sugere que os vírus americanos e asiáticos têm diferenças importantes em seu material genético, seu RNA.

Ao compararmos o RNA viral, descobrimos que ambos são descendentes de um mesmo vírus ancestral. Em algum momento esse ancestral comum se isolou de seus semelhantes e evoluiu separadamente para originar os tipos de hantavirus americano e asiático. A área geográfica que pode ter proporcionado essa separação é o estreito de Bering. É aceito que a migração de roedores do continente asiático para o americano, pelo estreito nas eras glaciais, carregou os hantavirus asiáticos para o solo americano.[217] Muitos desses roedores já se extinguiram. Os roedores asiáticos e americanos se isolaram e evoluíram. Assim como os hantavirus que albergavam. As mutações originaram dois grandes grupos de hantavirus, cada qual em seu continente. Os americanos danificariam pulmões enquanto os asiáticos, os rins. Surgiram tipos diferentes de vírus específicos para cada roedor em cada um desses dois grupos. Após milênios de evolução, formaram-se diversos tipos de hantavirus. Milhões de anos antes de o homem chegar à América, o hantavirus já descobrira o estreito de Bering como via de saída do continente asiático.

Pelo estudo genético do hantavirus e do parasita da doença de Chagas descobrimos duas portas de entrada utilizadas por esses microrganismos para o solo americano. Permaneceram no continente aguardando a chegada dos primeiros homens modernos. Há ainda um outro agente infeccioso americano que nos aguardava; e permanece uma discórdia em relação a sua chegada. Talvez tenha utilizado as duas portas citadas. Trata-se do parasita chamado *Leishmania*.

* * *

Esse parasita coevoluiu com insetos. Mosquitos carregam sua forma infectante e, ao picarem suas vítimas, transmitem a doença pela saliva. Uma pessoa infectada pela *Leishmania* adquire uma doença crônica que varia de lesões de mucosas e pele até quadro mais grave que compromete órgãos internos e pode levar à morte. Na forma menos grave, o local da picada evolui para uma ferida. Nela ocorre proliferação contínua do parasita, o que impede a cicatrização. Permanece uma ferida aberta na pele em forma de úlcera. O paciente ainda poderá apresentar feridas em regiões distantes da picada do mosquito. O parasita pode se alojar no septo nasal. O crescimento das lesões nasais destrói seu septo e causa desabamento do nariz com deformação na face.

Na forma grave da doença o parasita se aloja no fígado e baço. Esses órgãos incham. Além disso, acomete o interior dos ossos que é a fábrica das células do sangue. O parasita prejudica a produção dessas células por agredir as entranhas ósseas. Cessa a produção dos glóbulos vermelhos, o que acarreta anemia progressiva. Interrompe a produção dos glóbulos brancos responsáveis pelas células de defesa. O paciente torna-se susceptível às infecções. Por último reduz o número de plaquetas, que são células responsáveis pela coagulação sanguínea. Sangramentos espontâneos e severos ocorrem. Essa forma de doença é muito debilitante e causa emagrecimento. Pode levar à morte se diagnosticada tardiamente.

Se há duas formas da doença, o que definirá se o paciente terá uma ou outra? O tipo da doença dependerá do tipo da espécie do parasita inoculado pelo mosquito. Existem diversas espécies da *Leishmania*. Cada uma é responsável por uma das duas formas da doença. Mas como o parasita chegou à América?

A doença é encontrada tanto no continente americano como africano. Bem como as diferentes espécies do parasita. Os ancestrais desses parasitas, como aqueles da doença de Chagas, podem ter permanecido em cada região com a separação dos continentes. Ou então podem ter transposto o oceano.

No final do século XIX, médicos brasileiros demonstraram que pacientes do estado da Bahia apresentavam lesões similares a de pacientes do Mediterrâneo. O parasita poderia ter sido trazido para nosso litoral por viagem transatlântica, talvez na Antiguidade. Pensavam ter comprovado viagem de povos do Velho Continente à América antes do descobrimento desse continente por Colombo e, mais especificamente, ao nordeste brasileiro. Especulava-se que embarcações sírias ou fenícias aportaram no nosso litoral. Durante muito tempo aventou-se essa possível viagem, que, apesar de muito atraente, não se confirmou. Teríamos que encontrar uma outra explicação para o transporte transoceânico da *Leishmania*.

Desenhos em cerâmicas peruanas mostram ancestrais indígenas deformados pela *Leishmania*. Suas faces apresentam desabamento nasal característico da doença. São indícios de que os primeiros americanos já eram acometidos pelo parasita. Fontes históricas apontam para a presença da doença em sua forma cutânea e mucosa. Pode ter se iniciado nos índios da fronteira entre Peru, Bolívia e Brasil.[218] Suas cidades, impérios e comércio contribuiriam no alastramento da doença pela região e outras áreas. Segundo essa teoria, a doença conquistou as matas da Amazônia. Incursões humanas na mata durante o ciclo da borracha, seguidas pelas construções de estradas, extração madeireira e mineração contribuiriam para transportar a doença a outras áreas brasileiras.[219]

Permanece aberta a provável, ou prováveis, portas de entrada dos ancestrais da *Leishmania* nas Américas. Existem espécies presentes apenas na África e outras exclusivas no solo americano. A separação do continente africano e americano pode ter fornecido ancestrais que evoluíram em cada continente. O mesmo que ocorreu com o tripanossomo também pode ter ocorrido com a *Leishmania*.[220] A separação dos continentes levou formas ancestrais do parasita, que evoluíram para as *Leishmanias* exclusivas do solo americano e aquelas exclusivas da África.[221] Porém, os estudos genéticos ainda não chegaram a um consenso. Há, ainda, a possibilidade de animais portadores da *Leishmania* terem trazido o parasita ao migrarem do solo asiático ao americano, pelo estreito de Bering. Os ancestrais do parasita teriam sido dispersos pela América. Nesse caso, a porta de entrada seria a mesma utilizada pelo hantavirus. Provavelmente ambas as entradas foram utilizadas pelo parasita para chegar ao solo americano.[222,223]

A MISTERIOSA ORIGEM DA SÍFILIS

Vimos microrganismos trazidos pelos humanos para América e outros originados nesse continente que nos infectaram. Podemos encontrar uma bactéria que poderia ter evoluído no solo americano. Sua origem permanece um mistério, pois não se sabe se foi trazida e ou se estava aqui quando chegamos.

Você quer um debate fervoroso? Basta questionar a alguns especialistas qual seria a região de origem da sífilis. A descoberta da América pelos europeus trouxe uma enxurrada de microrganismos aos índios americanos, que desconheciam suas doenças. A varíola e o sarampo vieram nas embarcações europeias. Dizimaram índios e auxiliaram os espanhóis na conquista dos povos incas e astecas. Bactérias da tuberculose chegaram em uma nova onda de ataque. A gripe causou epidemias nos indígenas. A bactéria da peste negra visitou os nativos americanos. Outras tantas vieram pelos africanos, como veremos adiante.

Essa troca de "presentes" invisíveis entre descobridores e descobertos foi injusta, pois os índios americanos nada ofereceram em termos de doença aos europeus. Mas aqui permanece uma grande polêmica. A sífilis estava presente nos índios? Foi levada à Europa pelas expedições de Colombo?

Os críticos insistem que não, a doença já existia na Europa antes de os europeus conhecerem o Novo Mundo. Porém, ela foi descrita na Europa e em epidemias logo após o retorno das embarcações de Colombo. Instalou-se entre os prostíbulos das cidades portuárias da Espanha e alastrou-se, provavelmente com os marinheiros, pelos outros portos da Europa. Chegou à cidade de Nápoles e acometeu o exército vitorioso da França, em 1495, quando esta nação venceu a batalha pela região contra os espanhóis. Os mercenários franceses infectados retornaram para suas regiões de origem e espalharam o mal através de relações sexuais. Nos anos seguintes a doença espalhou-se pelos quatro cantos europeus e permaneceu um flagelo nas décadas seguintes.

A coincidência da época de sua descrição e o regresso das embarcações de Colombo sugere que espanhóis infectados em solo americano levaram a sífilis. Os opositores dessa hipótese alegam que a doença já existia na Europa nos séculos anteriores, mas teria sido confundida com outras, como a lepra. Se assim fosse, porém, não esperaríamos epidemias de sífilis na década de 1490, uma vez que já se encontrava disseminada pelo solo europeu. Além disso, os médicos europeus não dariam tanta ênfase a essa nova doença. Pesquisas sobre o material genético da bactéria da sífilis ainda não esclarecem sua origem. Porém, a doença pode atingir os ossos e deixar marcas para os antropólogos. Permanecemos reféns de estudos ósseos para esclarecer sua história.

Após a relação sexual, a bactéria da sífilis adere-se à mucosa genital e se multiplica. A região úmida e quente do pênis ou da vagina propicia seu desenvolvimento. Surge uma ferida aberta característica da doença. A úlcera no órgão genital leva o paciente ao médico, em geral apavorado. O perigo da sífilis, porém, não está na ferida, que evolui com cicatrização espontânea mesmo sem o uso de antibiótico. A gravidade está no fato de a bactéria atingir o sangue e ser transportada para órgãos mais nobres. Acomete cérebro e coração. Atinge também os ossos e, após a morte, deixa registros que auxiliam a reconstrução de sua história.

O esqueleto de um hominíneo ancestral repousa no Museu Nacional do Quênia. Este *Homo erectus* percorreu planícies e vales africanos milhares de anos antes da nossa chegada. Seus ossos mostram que não se encontrava só. Seu esqueleto apresenta cicatrizes que revelam doença causada por uma bactéria do mesmo gênero da sífilis.[224] Esse nosso ancestral não sofria de sífilis, mas de outra doença causada por uma bactéria semelhante, a framboesia. A exemplo da sífilis, a bactéria da framboesia dissemina-se pelo sangue e atinge os ossos deixando marcas e cicatrizes. Diferente da sífilis, a sua bactéria entra em nosso corpo por lesões na pele. A bactéria adere à pele, prolifera, atinge o sangue e acomete ossos. A framboesia, portanto, não é uma doença sexualmente transmissível como a sífilis. Adquirimos pelo contato próximo de pele com pacientes portadores das feridas cutâneas. Os achados arqueológicos diferenciam a sífilis da framboesia pelo tipo de cicatrizes ósseas. A diferença está no número de ossos acometidos em um mesmo indivíduo, na presença de lesões em mãos e pés, na ocorrência em crianças, no tipo de lesões encontradas nos ossos da perna e acometimento em ambos os membros.

Esse *Homo erectus* descrito anteriormente apresenta lesões da framboesia. Se assim for, o *Homo sapiens* surgiu em solo portador desta bactéria. Saímos da África carregando a bactéria da framboesia. Porém, ainda não nos deparamos com a origem da sífilis.

Carregamos a bactéria para a Ásia, Europa, Oceania e América. Pelas condições climáticas que favorecem sua proliferação, a bactéria da framboesia encontraria condições de sobrevivência em humanos dos climas tropicais. Trouxemos para a América? Encontramos indícios de que os primeiros índios americanos apresentavam lesões de pele pela framboesia? Seus ossos nos deixaram registro?

Ossos indígenas conservados pelas condições áridas do deserto do Atacama respondem que sim. Esqueletos recuperados no Chile, Peru, Colômbia e Equador mostram marcas da framboesia.[225] A doença é encontrada em ossos antes da chegada dos espanhóis na América do Norte. Provavelmente os primeiros americanos chegaram trazendo a doença do solo asiático. Esses índios que viveram até cinco mil anos atrás transferiam bactérias presentes em suas feridas de pele para seus semelhantes pelo contato. A framboesia partiu com os primeiros africanos, percorreu a Ásia, transferiu-se para a Oceania e entrou na América. Mas e a sífilis?

Para tentarmos descobrir a origem da sífilis no solo americano teríamos que encontrar indícios da doença em ossos indígenas americanos antes da viagem de Colombo. E mais, não achar os mesmos indícios ósseos na Europa antes da mesma viagem. Até hoje não se identificou ossada europeia com alterações sugestivas de sífilis em períodos anteriores às viagens dos espanhóis. Alguns ossos suspeitos não foram convincentes e suas marcas podem ser atribuídas a outras doenças. Estudiosos analisaram milhares de ossos com períodos de morte entre oito mil anos e oitocentos anos atrás e não encontraram nenhuma alteração em consequência de sífilis.[226] A Europa estaria virgem da doença até a partida das três embarcações comandadas por Colombo.

A única região em que se encontrou lesão óssea suspeita foi o interior da Inglaterra em um período entre seis a nove séculos atrás. E, mesmo assim, a lesão sugere a framboesia, não sífilis. Nesse caso, poderíamos aventar a possibilidade de escravos africanos terem levado a doença para a região. Afinal, a framboesia surgiu na África e, nos dias atuais, ainda acomete parte do continente. Outra possibilidade viria por meio dos vikings que atacaram o interior inglês. Eles poderiam ter adquirido a framboesia por contatos prévios com índios americanos ao tentaram se estabelecer na costa leste da América do Norte.

Faltam achados ósseos sifilíticos na Europa. Por outro lado, sobram na América. Alguns cientistas acreditam que a bactéria da framboesia sofreu mutações no solo americano e originou a bactéria causadora da sífilis.[227] Ambas são muito semelhantes. Poderíamos encontrar uma civilização indígena em que predominasse a framboesia e, posteriormente, surgisse a sífilis? Seria uma prova da mutação ou da introdução da sífilis naquela população? Estudos realizados em sítios arqueológicos no sudoeste americano mostram que ossos indígenas datados de mais de dois mil anos continham alterações sugestivas da framboesia. E ossos da mesma civilização datados de menos de dois mil anos já apresentam lesões compatíveis com sífilis.[228] Ter-se-ia se encontrado a época em que ocorrera a provável mutação e, assim, a data do nascimento da sífilis? Ou seria a época em que a sífilis, já presente na América, invadiu essas civilizações do sudoeste americano? Provavelmente a sífilis foi introduzida nessa civilização, uma vez que resultado semelhante foi estudado em indígenas que viveram na costa da Califórnia. Ossos dos índios chumashs que habitaram a região mostram início de lesões sugestivas da sífilis entre quatro e cinco mil anos atrás.[229]

Esses indícios enterrados por milênios, agora descobertos e analisados, nos mostram a presença da sífilis entre as civilizações indígenas americanas e sua provável origem por mutações da bactéria da framboesia. E teria Colombo retornado à Europa levando marinheiros infectados pela sífilis, que disseminaram a doença entre prostíbulos portuários europeus? Nesse caso, os marinheiros sofreram o contágio na região de chegada à América: a ilha que hoje pertence à República Dominicana e ao Haiti.

Cientistas estudaram uma coleção de ossos indígenas dessa ilha anteriores à data da chegada de Colombo. Estavam guardados no Museu Nacional de Antropologia da República Dominicana. Para nossa surpresa, encontraram alterações compatíveis com sífilis em fragmentos ósseos.[230] A sífilis provavelmente acometia índias que testemunharam à chegada dos espanhóis ao solo americano.

Os registros históricos e marcas de esqueletos humanos apontavam, até então, a origem da sífilis na América. Porém, o DNA de sua bactéria poderia trazer argumento muito mais convincente de sua origem. Aguardávamos ansiosos essa nova porta secreta para resolver tal mistério. Às vésperas do fechamento deste livro, descobrimos uma tribo indígena americana que, isolada, escondeu durante tantos anos parte da resposta.

A tribo akwio, isolada no interior das matas da Guiana, acostumou-se a receber uma equipe de médicos canadenses todos os verões. Os doutores faziam parte de uma missão responsável pelo acompanhamento dos indígenas e assistência para desenvolvimento da tribo. Em 1999, o doutor Silvarman – clínico da universidade de Toronto – descreveu lesões nos braços e pernas das crianças indígenas. Eram feridas compatíveis com a framboesia e atingiam 5% das crianças.[231]

Para Silvarman, aquelas crianças explicitavam o vestígio da doença na América. A framboesia partiu da África com os primeiros humanos que de lá partiram. Espalhou-se e fixou-se nos trópicos devido ao clima quente e úmido favorável à disseminação da doença pelo contato com a pele. A Organização Mundial da Saúde implementou uma campanha para sua erradicação pela penicilina nas décadas de 1950 e 1960. Resultado: mais de 50 milhões de pessoas foram tratadas e a doença restringiu-se a partes da África, Indonésia e Timor.[232] O médico descobriu um reduto da doença na América. Porém, havia algo de errado naquelas crianças acometidas pela infecção.

Silvarman as tratava com sucesso pela penicilina, mas algo intrigou o médico. O aspecto das feridas das crianças da Guiana era diferente da framboesia clássica. Em 2005, Silvarman enviou duas amostras da bactéria para a doutora Kristin Harper estudar e comparar com o DNA de bactérias da framboesia presente na África e Ásia e bactérias da própria sífilis.

Harper conclui que o homem carregou a framboesia na sua saída da África e a espalhou pelos trópicos. Entramos na América portando a framboesia em nossas peles. Portanto, a bactéria é antiga e sofre mutações há dezenas de milhares de anos. Por outro lado, a bactéria da sífilis mostrou ser recente e seu material genético evidenciou que surgiu, provavelmente, de formas mutantes da bactéria da framboesia.

As amostras bacterianas da Guiana surpreenderam os pesquisadores. O DNA das duas amostras enviadas por Silvarman era bem diferente do das bactérias da framboesia da África e Ásia. Por algum motivo, a bactéria, em solo americano, sofrera mutações e distanciara-se das demais. Isso explica as lesões bizarras com que Silvarman se deparou na Guiana. Porém, surpresa maior ocorreu quando foram comparadas as bactérias da Guiana com a sífilis: eram muito semelhantes.[233] Assim, a framboesia da Guiana parecia mais com a sífilis do que com a framboesia africana e asiática. Portanto, tudo indica que encontramos a prova de que bactérias mutantes da framboesia americana originaram a bactéria da sífilis em solo americano.

Esses achados pendem a balança da origem da sífilis para o território americano. Temos certeza de que a doença uma vez na Europa tornou-se um martírio nos séculos seguintes. Assolou a população até a descoberta de sua cura com a penicilina.

Ricos e pobres presenciaram seus filhos infectados em relações sexuais aventureiras. A bactéria entrava pela mucosa genital e atingia órgãos internos. Porém, era na pele que o rótulo de um paciente sifilítico surgia através de lesões repugnantes na face. O rosto transformava-se com inchaço, caroços e feridas abertas que muitas vezes infectavam e eliminavam um fio constante de pus.

O aspecto monstruoso delatava atitudes pecaminosas. A doença foi associada às relações sexuais e era vista com preconceito. Os prostíbulos eram fonte potencial da doença. A doença recebia denominação diferente em áreas distintas. Os napolitanos a chamavam de "doença francesa", estes passavam a bola para a Espanha como a "doença espanhola", que, por sua vez, a devolvia como "doença napolitana". Uma doença oriunda do pecado estava sempre associada ao vizinho. Os doentes se escondiam, recolhiam-se nas suas casas com vergonha do aspecto repugnante.

Após algumas semanas de reclusão, as lesões melhoravam, cicatrizavam e o doente era liberado para suas atividades diárias. A vida cotidiana se restabelecia e o trabalho voltava ao normal. Mas a doença não sumia, muito pelo contrário. A bactéria permanecia no sangue e invadia outros órgãos vitais de maneira silenciosa. Apesar da melhora do aspecto da pele, uma agressão lenta e progressiva atingia coração e cérebro. A bactéria proliferava lentamente nesses tecidos e ocasionava sintomas anos depois.

As válvulas do coração funcionam como portas que se abrem e fecham para a entrada e saída sincronizada do sangue. A doença as danificava. Tornavam-se endurecidas ou flácidas, o que comprometia a abertura e fechamento. O sangue deixava de fluir por completo e sobrecarregava o coração. O sifilítico tornava-se cardíaco. A proliferação da bactéria no cérebro levava a sua lenta degeneração. Sintomas variados ocorriam. A sífilis cerebral causava demências com sintomas compatíveis a esquizofrenia, dificuldade para caminhar com andar cambaleante e desequilibrado, contrações musculares, apatia, perda de controle de micções e evacuações com consequente necessidade de fraldas, distúrbios de audição e visão, paralisia muscular de braço e perna. As manifestações neurológicas ou cardíacas podiam precipitar a morte do paciente sifilítico.

O VENENO QUE CURA

A doença pairou na vida dos boêmios europeus nos séculos seguintes. Famílias temiam o seu surgimento entre entes queridos. A sífilis perseguiu os europeus. Diversas famílias tratavam de seus filhos nas cidades industriais do século XIX. Nessas grandes cidades europeias, jovens perambulavam pelo interior da residência. Recebiam o afago de seus pais e aguardavam a resolução espontânea daquelas feridas vergonhosas. Transitavam pelos cômodos de seus lares em busca de uma esperança. Provavelmente, muitos desses europeus dos anos 1800 sentiam-se impotentes olhando para as paredes. Pois era exatamente lá – nas tais paredes que sifilíticos fitavam com melancolia – que estava a cura da doença.

Os europeus, no século XIX, decoravam suas casas com papéis de parede que exibiam gravuras e desenhos reluzentes. As cores ganharam vida. O verde brilhante, quase fosforescente, enfeitava muitas residências europeias. Estava presente em pinturas, papéis de parede, lâmpadas, roupas e flores artificiais. Crianças que conviviam com o verde brilhante de papéis de parede iniciavam sintomas crônicos de vômitos, diarreias, fraqueza, perda de apetite, irritabilidade e emagrecimento. Qual seria a relação do verde brilhante dos papéis de parede e o adoecimento das crianças europeias do século XIX? E como estaria associado à esperança dos pacientes sifilíticos?

Um perigo escondia-se por trás daquele verde brilhante. O segredo de seu brilho estava na adição de pequenas quantidades de arsênico. As famílias recebiam o papel de parede encomendado e um súbito momento de alegria tomava conta dos lares. Uma mistura pegajosa de gelatina e pasta de farinha aderia e aplicava o papel à parede. Essa cola continha os ingredientes para proliferação de fungos: umidade, carboidratos e proteínas. Os bolores na superfície do papel de parede desencadeavam reações químicas que tornavam o arsênico volátil e o evaporavam nos cômodos.[234] As crianças dormiam inalando o composto tóxico responsável pelo adoecimento.

Um grupo cada vez maior de médicos alertou a provável relação da doença com o arsênico. Uma campanha contrária àquele elemento tomou conta do universo europeu. No início do século XX, as comprovações foram mais veementes e terminaram com a sua utilização. Mas o arsênico não trouxe apenas malefícios. Um médico conseguiu encontrar algo de útil no arsênico e, aqui, entra a esperança dos sifilíticos.

O médico alemão Paul Ehrlich estudou por anos uma maneira de encontrar uma substância que combatesse os microrganismos das infecções. Ehrlich retornou a Berlim em 1890 após dois anos de convalescença no Egito pela tuberculose. Iniciou suas pesquisas na microbiologia. Sabia-se que o arsênico trazia benefícios no tratamento da doença do sono africana desde que administrado em pequenas doses não tóxicas. Ehrlich realizou trabalhos com esse elemento na esperança de tratar a sífilis, que era um temor daqueles tempos, semelhante ao que hoje em dia é a aids.

Os trabalhos começaram em 1906. Ehrlich produziu uma série de compostos contendo arsênico diluído em diferentes proporções. Testou cada amostra em animais para avaliar a toxicidade e o efeito terapêutico na sífilis. Para isso inoculou bactérias da sífilis em coelhos. Surgiam feridas consequentes da proliferação bacteriana. Empregava os compostos com arsênico nos animais e aguardava a involução das lesões. A permanência da

Paul Ehrlich, médico alemão que descobriu os poderes do arsênico contra a bactéria da sífilis em 1909. Apesar de tóxica, a droga passou a ser amplamente utilizada no tratamento dos doentes.

doença indicava a necessidade de uma concentração maior do elemento. A morte das cobaias demonstrava seu efeito tóxico e necessidade de menor concentração. Ehrlich compôs centenas de proporções. Realizou vários testes para que o sucesso viesse em três anos.

Em 1909, constatou a regressão de feridas em coelhos que receberam o composto do frasco 606. Aquele rótulo continha as esperanças dos sifilíticos. Apesar de tóxica a alguns pacientes, a nova droga começou a ser usada no tratamento da sífilis. A chance de cegueira e gangrena pela droga era pequena se comparada ao pavor que a doença trazia. As primeiras décadas do século XX viram o emprego desse composto de arsênico batizado como Salvarsan. Outros surgiriam e todos continham arsênico. Os resultados eram satisfatórios e valia a pena correr os riscos da toxicidade. A imensidão de sifilíticos se agarrou ao arsênico.

Porém, centenas de pacientes acompanhados no estado do Alabama nos Estados Unidos não tiveram acesso à droga. Por quê? Pelo fato de serem negros. O fato de viverem na primeira metade do século XX, na região Sul dos Estados Unidos e em uma época em que a eugenia caminhava a passos largos condenou-os à sífilis.

A sífilis era uma doença temida no início do século XX e considerada um sério problema de saúde pública. Esta foto mostra o Asilo das Madalenas, localizado na cidade de Belém (Pará), que no início dos anos 1920 tratava de maneira compulsória as prostitutas contaminadas.

* * *

Em 1822 nascia na Inglaterra um homem que se destacaria na ciência, Francis Galton. Trabalhou em diversas áreas científicas e trouxe contribuições importantes. Galton contribuiu nos estudos estatísticos. Empreendeu viagens ao exterior e trouxe contribuições na área da Geografia. Mapeou correntes de ar que contribuíram para o estudo da Meteorologia. Catalogou e analisou as impressões digitais de humanos, comprovando não ser possível duas impressões iguais. Apesar de todas as suas contribuições científicas, Galton inovou uma nova ciência que viria a ser demonstrada como um lado negro da atividade científica, a eugenia.

Segundo seus estudos em Antropologia, o homem apresentava um fator interno na sua constituição responsável pelo sucesso ou fracasso. Assim, existiriam famílias fadadas ao sucesso e outras condenadas à pobreza e às doenças. A evolução do homem originou raças diferentes que poderiam ser classificadas em superiores e inferiores, ele defendia. Poderíamos, então, purificá-las evitando casamento entre raças humanas boas com aquelas que apresentavam o gene inferior. Galton propôs uma melhoria da raça com casamentos selecionados entre humanos de gene bom, excluindo os impuros.

Experimentos ditos científicos já circulavam na Europa e nos Estados Unidos. Visavam comprovar o já preconcebido: a existência de raças humanas superiores e inferiores. Coletavam esqueletos humanos para estudar a capacidade volumétrica do crânio. O volume do crânio humano era medido pela quantidade de sementes de girassol ou mesmo por esferas de chumbo que coubessem em seu interior. Trabalhos sem rigor estatístico comprovavam que os humanos de pele clara apresentavam um volume de crânio maior, enquanto um cérebro menor era encontrado entre negros e índios.[235] Os crânios coletados em cemitérios dos séculos anteriores mostravam um tamanho menor. O homem caminhava para um crescimento de seu cérebro. Seria a evolução humana recente para uma melhoria de sua inteligência. Buscava-se a todo custo encontrar a parte cerebral responsável pela área da inteligência, como se existisse alguma, e lógico que seria menos desenvolvida em negros, índios, imigrantes pobres da Itália, leste da Europa, países do Mediterrâneo, irlandeses e judeus.

A ciência da eugenia foi importada por inúmeros países. Cada vez mais se acreditava na existência de homens mais aptos e mais produtivos diferentes dos inaptos, fadados a doenças e pobreza, preguiçosos, criminosos e tudo mais que não prestasse. Nos Estados Unidos, o biólogo Charles Benedict Davenport, formado na Universidade de Harvard, abraçou a causa da eugenia e defendeu a existência de raças superiores e inferiores. Dedicou sua vida à instalação dessa ciência na América. Criou um escritório próprio para catalogar a árvore genealógica dos fracassados, dos doentes e inválidos. Diversos adeptos de sua ciência sustentaram suas pesquisas através de ajuda financeira. O século XX nascia com termos científicos empregados para catalogar pessoas em idiotas, imbecis e débeis mentais. Eram termos médicos à época. As primeiras décadas do novo século testemunharam o auge da eugenia. Publicaram-se trabalhos em revistas médicas especializadas na nova ciência e em jornais médicos conceituados que circulam até os dias atuais. Os estudos de Davenport ganharam contribuições financeiras de companhias de renome. Rockefeller Júnior, herdeiro do império petrolífero americano, foi um dos que contribuiu para os trabalhos da eugenia. Doações vieram também da indústria do aço de Carnegie e das ferrovias de Harriman.[236]

Alguns estados americanos aprovaram a proibição de casamento entre raças que não apresentavam o gene adequado ao sucesso. Alguns foram mais radicais e autorizaram a esterilização de pessoas inferiores. Agora, em vez de selecionar casamento entre humanos portadores de gene bom, aventava-se a possibilidade de esterilização para a extinção daqueles que constituiriam um câncer para a sociedade. O emprego de testes que quantificavam o coeficiente de inteligência, manipulados e mal empregados, comprovava a baixa inteligência de russos, poloneses, irlandeses, judeus, imigrantes do leste europeu e do Mediterrâneo. O perigo de contaminar o gene americano auxiliou na política de proibição da imigração para os Estados Unidos.

As centenas de negros americanos sifilíticos do Alabama estavam no grupo de raça inferior. Médicos americanos já aventavam a possibilidade de doenças infecciosas serem um meio natural de eliminação dos humanos inferiores e, portanto, estes estavam propensos a adquiri-las. A mortalidade pelas infecções selecionaria homens com genes melhores. Ideias como essas, dispersas pelos Estados Unidos, levaram a condutas mais radicais. Utilizaram "seres inferiores" como cobaias humanas. Já se havia realizado experiências em escravos americanos no século XIX. Cirurgias em mulheres negras e escravas aprimoraram técnicas cirúrgicas para serem empregadas com maior segurança em mulheres brancas.[237] Mas nada se comparou ao que foi feito aos negros sifilíticos.

O destino desse grupo começou à época em que o doutor Raymond Vonderlehr assumiu a direção da divisão de doenças venéreas do Instituto Tuskegee.[238] A universidade, fundada na segunda metade do século XIX, era bastante conceituada no estado do Alabama. Sua seriedade foi manchada na época em que o novo diretor idealizou um estudo para acompanhar doentes com sífilis e avaliar passo a passo suas complicações. Acompanharia a evolução natural de doença a partir da frequência das complicações e das lesões destrutivas. Os humanos sifilíticos exibiriam seus cérebros sendo destruídos. Seu coração se tornaria cada vez mais fraco e suas partes esfarelariam nas mãos dos pesquisadores. A doença seria bem esclarecida e mais bem compreendida. Mas tudo isso só seria possível caso os pacientes não recebessem tratamento, se fossem acompanhados de maneira tal que as bactérias da sífilis tomassem conta de seus corpos. E isso não era difícil de se conseguir naquela região Sul dos Estados Unidos e em uma época em que os negros eram considerados inferiores. Vonderlehr conseguiu apoio do governo norte-americano através do Serviço de Saúde Pública, que, com a Universidade de Tuskegee, foi responsável pelo estudo iniciado em 1932.[239]

Nesse ano em que compostos com arsênico já eram empregados em sifilíticos, o Instituto recebeu quase quatrocentos negros para serem atendidos. Foram recrutados por cartas enviadas prometendo um acompanhamento clínico para receber medicamentos que melhorassem o sangue ruim condenado pelos seus genes. A fila de pacientes foi consequência de suas esperanças em receber tratamento que melhorasse suas vidas. Não sabiam que estavam ali postados como um grupo de camundongos para pesquisa. Os negros agendados no estudo eram examinados anualmente. Os pesquisadores analisavam seu sangue e, prioritariamente, registravam a progressão da doença. A sífilis consumia os doentes enquanto médicos avaliavam meticulosamente suas complicações. Trabalhos científicos saíam nas revistas médicas, doutores despontavam como os maiores especialistas em sífilis. Os negros recebiam aspirina e tônicos usados como disfarce para acreditarem que ingeriam drogas potentes contra seu sangue ruim. A enfermeira responsável por recebê-los de braços abertos todos os anos ganhava sua confiança. Foi assim que Eunice Rivers se tornou um marco na vida desses sifilíticos, que a avistavam como uma luz de esperança de dias melhores.

Na mesma década de 1930, os japoneses realizavam estudos em cobaias humanas na Manchúria ocupada pelo Japão. O bacteriologista japonês Ishii Shiro comandou um centro de pesquisa sob o disfarce de tratamento adequado de água e higiene, a Unidade 731. Por trás dos muros da construção escondia-se um centro de pesquisa que utilizava chineses como cobaias em experimentos.[240] A Unidade 731 foi direcionada a pesquisas sobre o emprego de guerra bacteriológica e outros testes foram empreendidos para esclarecer como se comportavam as doenças infecciosas. Agentes bacterianos foram disseminados em cidades chinesas para avaliar e estudar a velocidade com que ocorria a disseminação das doenças. Bactérias da peste foram dispersas no ar de vilarejos chineses, cães infectados com a bactéria da cólera foram soltos no interior de vilas e bactérias causadoras de diarreias foram despejadas em rios que supriam o abastecimento de água de cidades.

Um estudo sobre febres letais transmitidas por carrapatos foi publicado como se induzidas em macacos. Há fortes suspeitas, porém, de que foi realizado em chineses prisioneiros, para melhor estudar a dinâmica da infecção humana. Pessoas foram forçadas a ter relação sexual e se infectar com a bactéria da sífilis. A doença necessitava de estudos e soluções por acometer frequentemente os membros do exército. Muitos eram sacrificados e submetidos à necropsia para acompanhar a evolução da doença. Extremidades de prisioneiros eram submersas em águas gélidas para avaliar o limite de resistência em baixas temperaturas. As amputações delimitavam o grau e o tempo mínimo que um membro suportaria na temperatura extrema. Centros universitários em Tóquio publicaram trabalhos que são suspeitos de terem sido realizados na Unidade 731 e, talvez, sob o conhecimento de renomados docentes que recebiam os dados coletados das pesquisas.

Essas atitudes seriam condenadas pelos EUA. Porém, no mesmo momento centenas de sifilíticos negros definhavam em Tuskegee. As lesões cerebrais progrediam em alguns e impossibilitavam o caminhar. Alguns pacientes restringiram-se às camas e começavam a utilizar fraldas. Mas entraram nas estatísticas dos trabalhos e melhoraram o currículo de cientistas experientes na doença. Os corações enfraqueceram e a sífilis os destruía. A penicilina surgiu durante a Segunda Guerra Mundial e mostrou ser muito eficaz no tratamento da sífilis. Mas esses negros, que já não recebiam arsênico, não conheceram a penicilina. Os médicos responsáveis pelo estudo de Tuskegee nem citavam o nome dessa droga no prontuário dos sifilíticos. Precisavam de mais lesões incapacitantes para melhoria do estudo. Necessitavam engrossar os números da estatística da pesquisa.

A sífilis progredia nos negros americanos enquanto prisioneiros capazes e resistentes da Alemanha nazista eram utilizados como mão de obra escrava nas indústrias. Os lucros subiam sem a necessidade de encargos. As universidades e indústrias alemãs trabalhavam juntas em "prol" da ciência. O laboratório alemão que descobriu a aspirina foi o mesmo que endereçou uma solicitação ao comando do campo de concentração judaico de Auschwitz. Requisitou certo número de mulheres para testar uma nova droga narcótica. O laboratório se comprometia a pagar 170 marcos por pessoa e prometia matar todas após o experimento.[241]

Enquanto médicos americanos analisavam os resultados dos sifilíticos, cerca de trezentos e cinquenta médicos e cientistas nazistas comandavam estudos em prisioneiros que dificilmente sobreviveriam aos testes. Muitos eram professores das melhores universidades de Hamburgo, Estrasburgo, Breslau, Berlim, e do Instituto Kaiser Guilherme de Pesquisas.

Esses profissionais realizaram testes em diversas áreas. O mecanismo pelo qual algumas doenças infecciosas atuam foi esclarecido à custa daqueles prisioneiros infectados, propositalmente, com os microrganismos causadores do tifo, febre amarela, malária, cólera, difteria e varíola. Os médicos estudavam a progressão das doenças e, algumas vezes, administravam drogas experimentais em busca da cura. Testaram doses de sulfa em ferimentos infectados. A resistência humana era testada com a exposição de prisioneiros a diversas condições extremas de vida. Eles eram imersos em água gelada para se estudar a capacidade de suportar baixas temperaturas, bem como submetidos a baixas pressões em salas construídas especialmente para o experimento. O limite de tolerância humana era facilmente encontrado ao ocorrer a morte do prisioneiro. Substâncias tóxicas foram administradas aos presos e, assim, estudou-se as ações do gás mostarda e outros venenos. Muitos foram obrigados a ingerir por tempo prolongado água do mar para que se conhecesse até que ponto um militar sobreviveria caso estivesse perdido no mar.

As barbaridades nazistas vieram à tona com o fim da guerra. Os americanos ficaram chocados ao saber que judeus eram usados como cobaias humanas em experimentos alemães. Mas os porões de Tuskegee permaneceram lacrados para não transparecer que algo semelhante ocorria há anos na mesma nação indignada com as atrocidades nazistas. Aliás, atrocidades estas que foram consequência de um movimento eugenista da primeira metade do século XX, com ampla participação e divulgação de cientistas americanos. Enquanto nazistas eram julgados por crimes contra a humanidade, os negros sulistas e sifilíticos eram catalogados por suas lesões ocasionadas pela doença. Engrossavam a estatística do estudo. Ao mesmo tempo em que nazistas fugitivos eram caçados e procurados na América, americanos de Tuskegee repousavam em suas cadeiras analisando os resultados parciais de seus negros propositadamente não tratados para a sífilis.

As descobertas desumanas nazistas contribuíram para pôr um fim no movimento eugenista do século XX. Os direitos humanos foram reconhecidos e o mundo não tolerou mais diferenças raciais. Exceto para o grupo de estudo de Tuskegee. Os trabalhos não sofreram intimidação. O estudo continuou sem o menor peso nas consciências. As mortes seguiram nas décadas seguintes e somente se interrompeu esse "grande trabalho científico" no ano de 1972, e, mesmo assim, após reportagens que denunciaram a atrocidade praticada contra os negros sifilíticos.

NASCE A AGRICULTURA: O PERIGO MORA AO LADO

A caça e a coleta levaram nossos antepassados a distanciarem-se cada vez mais de sua terra natal e chegarem rapidamente a outros continentes. Embarcações rudimentares transportaram-nos por rios e mares. A última Era Glacial abaixou o nível dos mares e alcançamos ilhas e terras novas. Grupos humanos desgarrados seguiam para diferentes áreas do planeta e venciam as adversidades do clima. Grupos humanos isolados entre si trilharam uma nova direção há cerca de dez mil anos. Fizemos uma escolha que mudaria a paisagem da Terra para sempre. Iniciamos a agricultura e a domesticação dos animais.

A agricultura nasceu de maneira simultânea em diferentes áreas do planeta.[242,243] As plantações surgiram da Ásia à América. Alguns estudiosos acreditam que a escassez de animais e vegetais contribuiu para buscarmos fontes alternativas de alimento. Talvez uma alteração climática tenha escasseado a caça e coleta. Ou, talvez, o aumento da população. Alguns pesquisadores aventam mutações de vegetais como coadjuvantes para o nascimento da agricultura. Nesse caso, mutações contribuíram para que as sementes de trigo e cevada não se desprendessem das hastes para semearem o solo.[244] Permaneceram aglomeradas para serem descobertas e semeadas pelo homem. O fato é que desenvolvemos a agricultura e, assim, conhecemos o lado agressivo de novos microrganismos.

Os povos da Mesopotâmia aproveitaram o que estava à disposição:[245] o solo expunha de maneira esparsa trigo,[246] cevada e ervilha selvagens. Recolheram, então, suas sementes e atapetaram os terrenos com as primeiras plantações. Os povos vizinhos adotaram a cultura dos agricultores e a agricultura caminhou para áreas próximas.[247] O conhecimento foi exportado para a Europa, norte da África, e caminhou ao leste até atingir a Índia. Outros estudiosos acreditam que habitantes dessas regiões também a descobriram e não dependeram do conhecimento dos mesopotâmios.

Outros povos plantaram vegetais nativos da cada região. Os futuros chineses apossaram-se do arroz ao sul e milho ao norte. Africanos isolados ao sul pelo deserto do Saara utilizaram o painço e o sorgo.[248] Índios da América Central e norte dos Andes encontraram fonte de alimento em plantações de milho, feijão e abóbora. Indígenas da América do Sul ainda tinham nas mãos mandioca, batata, tomate e cacau. A agricultura também nasceu de maneira independente em terras do sudeste dos Estados Unidos, da Nova Guiné e da Etiópia.

Os humanos deixaram de viajar em busca de alimentos. Abandonaram a vida nômade e se transformaram em sedentários ligados ao solo e com residência fixa.[249] Assentaram suas moradias ao longo de rios e lagos férteis ao plantio. A agricultura implementou a oferta de alimentos. Na época em que éramos caçadores e coletores necessitávamos de mil hectares para sustentar uma pessoa. Bastavam dez hectares para suprir o mesmo humano com a agricultura.[250]

A maior oferta de alimentos pela agricultura elevou a taxa de natalidade. A população humana sofreu seu primeiro grande salto.[251] Estimada em 6 milhões no ano 10 mil a.C., a população mundial cresceu para 250 milhões à época de Jesus Cristo.[252] Essas pessoas encontravam água do rio e plantações suficientes para sustentar o crescimento populacional. O aumento populacional forçou o incremento da agricultura e o crescimento do número de animais domesticados como veremos adiante. Surgiram as primeiras civilizações. As novas sociedades criavam suas relações sociais, políticas e militares; a tecnologia ganhava força. Expansões territoriais, guerras, disputas e conquistas seriam questão de tempo.

* * *

Chamar os humanos de primeiros agricultores seria injusto com aqueles que a descobriram milhares de anos antes. Plagiamos a ideia inventada há pelo menos cinquenta milhões de anos. O crédito da descoberta da agricultura pertence a algumas espécies de formigas, besouros e cupins que inovaram a arte de plantar seu próprio alimento.

Algumas formigas coletam restos de vegetais no solo ou mesmo fragmentos de folhas retiradas das árvores. Esses detritos vegetais vão para galerias subterrâneas dos formigueiros. Funcionam como nutrientes, são adubos. Essas fazendas subterrâneas são constituídas de fungos. Isso mesmo, as formigas plantam fungos, bolores, nas profundezas de suas colônias e os usam como alimento. Os detritos vegetais nutrem a proliferação fúngica.

O interior de algumas colônias de cupins e besouros também apresenta plantações fúngicas. Após milênios transcorridos, esses insetos especializaram sua agricultura.[253] Desenvolveram monoculturas específicas para cada espécie e selecionaram os melhores fungos para plantações.

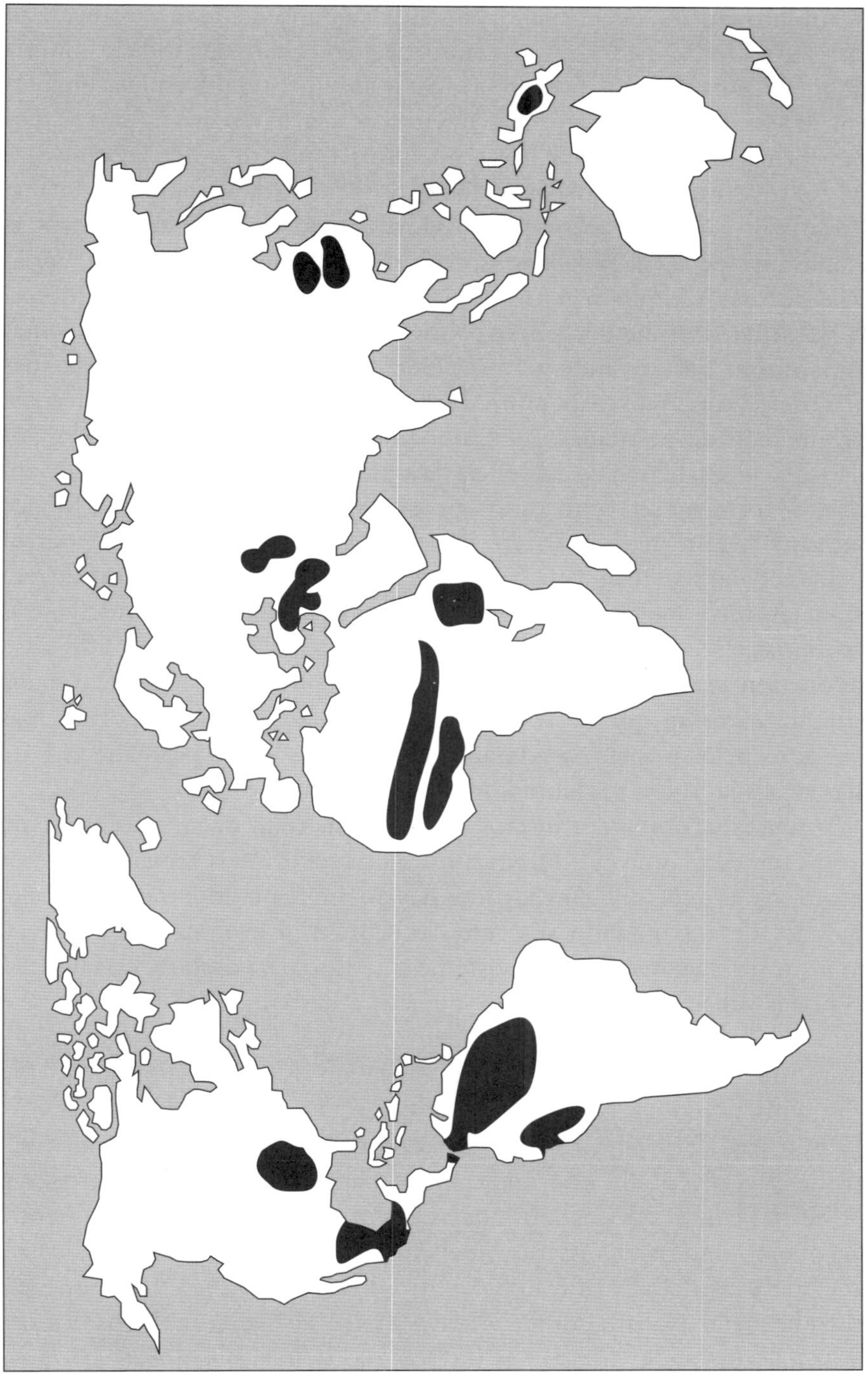

O mapa mostra áreas de nascimento da agricultura nos últimos dez mil anos.
A prática do cultivo do solo surgiu de maneira simultânea em diferentes regiões do planeta.

O milho plantado inicialmente pelos índios americanos nem se compara ao dos dias atuais. Inicialmente, era o teosinto, pequeno e com quantidade mínima de grãos.[254] Os nativos aprenderam a separar as sementes das espigas maiores para plantação. Proporcionaram colheitas maiores e mais rentáveis. Após séculos de transformações progressivas, chegamos à atual espiga de milho enorme e saborosa. O trigo atual também é bem diferente do início da agricultura humana, o mesmo serve para outras plantações. As formigas aprenderam muito antes. Já selecionavam espécies de fungos apropriadas à alimentação das colônias. Várias espécies de fungos surgiram graças às seleções das formigas, cupins e besouros.

Esses insetos também foram os primeiros a se deparar com os problemas da agricultura. Fungos indesejáveis ameaçavam o leito nutritivo de suas plantações e, como não eram aproveitados, tornavam-se pragas. Os insetos lançavam mão de pesticidas que combatiam os invasores bem antes dos humanos sequer saberem da existência da agricultura. Glândulas torácicas em espécies de formigas secretam antibióticos que agem contra eventuais fungos estranhos.[255] Além disso, elas terceirizam serviços fornecedores de outros pesticidas. Bactérias forram o corpo das formigas e, em troca, produzem substâncias antifúngicas que bloqueiam a entrada de fungos indesejáveis nas colônias.[256] Os insetos sempre fiscalizam suas plantações, pois caso abandonassem seu formigueiro, o solo fertilizado propiciaria a rápida tomada por fungos externos que obstruiriam todas as suas galerias. Os problemas enfrentados pelos primeiros humanos agricultores e que permanecem até os dias atuais já foram suplantados há muito pelas formigas.

Os vegetais combatem insetos que se alimentam de suas folhas. Para isso, espécies de plantas produzem substâncias tóxicas aos prováveis insetos aventureiros, as quais se ligam às proteínas no intestino dos insetos e inibem a digestão, desencorajando sua refeição. Porém, a evolução desenvolveu insetos que produzem novo composto no intestino para desfazer essa ligação.

Outras substâncias vegetais bloqueiam a destruição de proteína pelo intestino dos insetos e os faz buscar alimentos nos vegetais vizinhos. Aminoácidos falsos produzidos por plantas também enganam os insetos. Por outro lado surgiram insetos com substâncias que reconhecem e eliminam a falsificação.

Um arsenal de materias tóxicos é armazenado nos vegetais. São extratos sem função aos vegetais e que ficam acondicionados para emergência contra agressores. Identificamos muitas dessas substâncias e as utilizamos como medicamento. Empregamos algumas na prática medicinal como o digital (utilizado para insuficiência cardíaca), a morfina e a atropina. A nicotina e a cocaína são produzidas pelas plantas como objetivo tóxico aos insetos. Identificamos a piretrina com poder tóxico aos insetos e a usamos nas nossas lavouras.

O homem inaugurou a agricultura e apresentou um banquete às pragas e insetos que visualizaram suas refeições aglutinadas a perder de vista. O ser humano convive com pragas nas suas plantações desde o início. Utilizamos modos de combatê-las, a exemplo dos primeiros agricultores: formigas, cupins e besouros. Tentamos as mesmas estratégias desses insetos e dos próprios vegetais. Os sumérios adicionavam enxofre às suas lavouras. Piche e graxa também foram utilizados na Antiguidade.[257] Passamos pelo extrato de pepino e tabaco. Tentamos até substâncias tóxicas ao homem como cianureto, arsênico, cobre e zinco.

Surgiu o DDT, potente inseticida, durante a Segunda Guerra Mundial. Achamos ter encontrado a solução para as pragas agrícolas. O DDT era tão potente que debutou contra o tifo nas cidades italianas infestadas por piolhos. Borrifou-se o DDT no corpo de italianos e em suas roupas. Combatemos as infestações de piolhos e contivemos o avanço da epidemia de tifo na cidade de Nápoles. Porém, esse produto a base de cloro mostrou ser deletério à saúde humana e foi banido da Europa e América do Norte na década de 1970.

Evoluímos com os últimos avanços na fabricação de pesticidas através da genética. Uma bactéria dizimou criações de bicho-da-seda no Japão no início do século XX. Sua estratégia advinha da produção de toxina agressora ao intestino dos insetos. A mesma bactéria também dizimou traças de plantações na Alemanha. O poder agressor contra insetos poderia ter utilidade se agisse contra pragas das lavouras humanas. E assim foi usado. Mas a tecnologia atual construiu algo melhor, os alimentos transgênicos. Descobriu-se o gene responsável pela produção da toxina pela bactéria. Adquirimos a receita de sua produção. Uma vez isolado, esse gene foi incorporado no DNA dos vegetais da agricultura humana. Pudemos elaborar batatas com um fragmento a mais de DNA que produzia a substância tóxica aos insetos que ameaçassem sua lavoura.[258] Roubamos a receita bacteriana que estava guardada no interior de seu material genético e fornecemos aos vegetais. Criamos essa fusão de DNA também em milho, soja e algodão.

O avanço não para por aqui, porém. Os mamões do Havaí que o digam. Essa fruta esteve ameaçada por um vírus. Os cientistas identificaram o gene que fabricava a cápsula desse microrganismo e também o introduziram no mamão. Plantamos, agora, mamão com capacidade de sintetizar apenas a cápsula do vírus sem efeito indesejável. Dessa forma, funciona como uma espécie de vacina que evita a doença e que livrou o mamão do Havaí da extinção. Os primeiros agricultores humanos não imaginariam o quanto sua luta contra as pragas ganharia força.

* * *

Os primeiros agricultores tiveram outros desafios. Criaram condições para o surgimento de novas doenças infecciosas humanas. Uma nova história infecciosa iniciou-se há cerca de dez mil anos. Surgiriam epidemias de malária transmitidas pela picada de mosquitos. Mas qual a relação das plantações com a expansão da malária? O mosquito transmissor da doença alimenta-se de sangue, e não de vegetais. De onde teria vindo o parasita da malária?

A malária é causada pelo parasita plasmódio e é transmitido pela picada do mosquito *Anopheles*. O parasita reproduz-se e desenvolve-se na fêmea do mosquito, e se aloja estrategicamente nas glândulas salivares. A fêmea se alimenta de sangue para manter suas funções reprodutivas, diferentemente do macho que suga seiva das árvores. A fêmea do mosquito transfere o plasmódio de suas glândulas salivares para o sangue humano através da picada. O parasita só tem o trabalho de amadurecer e se reproduzir em nosso organismo para ocasionar a doença.

No organismo humano o plasmódio invade nossas hemácias e as usa para se reproduzir. Cada parasita adentra à hemácia, se reproduz e origina inúmeros outros plasmódios. As hemácias se rompem e libertam as gerações de parasitas no sangue. Os plasmódios recém-nascidos invadem novas hemácias e perpetuam a infecção. Portanto, a malária destrói os glóbulos vermelhos e causa anemia. Além disso, durante a ruptura das hemácias há uma inundação abrupta de parasitas na corrente sanguínea, assim como substâncias presentes no interior das hemácias que ocasionam febres elevadas acompanhadas de dores pelo corpo, dores musculares e nas juntas, prostração, fadiga, enjoo e calafrios.

Existem quatro tipos de plasmódios que causam malária no homem. No Brasil encontramos o *vivax*, o *falciparum* e o *malarie*. Todos presentes nos mosquitos da floresta Amazônica. O quarto plasmódio, ausente no Brasil, mas espalhado pela África e Ásia, é o *ovale*. O plasmódio *vivax* predomina no continente asiático e americano, enquanto o *falciparum* é o principal responsável pela malária africana. O tempo de reprodução no interior das hemácias varia de três a quatro dias, a depender do tipo de plasmódio. É nesse momento que ocorre a febre pela ruptura das hemácias lotadas de parasitas. Esse período determina muitas vezes as "febres terçãs", que ocorrem a cada três dias, ou "febres quartãs", a cada quatro dias. São sinônimos da doença.

O plasmódio *falciparum* é o mais letal. Invade maior número de hemácias e, portanto, ocasiona anemias severas. Além disso, lesa o vaso sanguíneo e acarreta má oxigenação de alguns órgãos vitais. Leva a lesões cerebrais com evolução a coma. Lesa os rins com paralisia deste órgão. Compromete o coração, o fígado e pulmões. Além de ocasionar sangramento e outras complicações.

A malária mata mais de um milhão de pessoas a cada ano no mundo, a maioria crianças. No Brasil, apesar de cerca de meio milhão de pessoas adquirir a doença por ano, a mortalidade não passa de 0,1% dos doentes. A diferença está no diagnóstico precoce e fornecimento adequado e rápido da medicação. Muitas das mais de um milhão de pessoas que morrem pela doença não encontram serviços médicos para serem assistidas e diagnosticadas. Não têm acesso à medicação adequada, nem informação quanto ao risco e à chance de adquirir a doença. Em resumo, moram em países sem condições financeiras para conduzir uma doença potencialmente diagnosticada em fases precoces e com tratamento adequado. São pessoas condenadas à morte pela malária por nascerem em países pobres.

Cada vez mais esclarecemos a evolução dos plasmódios humanos graças às comparações de seus materiais genéticos com plasmódios de outros primatas. O parasita ancestral comum a todos seria uma forma primitiva de organismo. Esse quadro foi proposto pelo professor Richard Carter, da área de Ciências Biológicas da Universidade de Edimburgo (Reino Unido), e por Kemini N. Mendis, do setor responsável por malária da Organização Mundial da Saúde.[259]

Essa forma ancestral, provavelmente, reproduzia-se no intestino de larvas aquáticas de insetos. Inclusive daqueles que evoluiriam para formar o mosquito transmissor atual da doença. Mas a reprodução desse ancestral no interior aconchegante do intestino não geraria quantidades vantajosas de descendentes. Uma evolução seria necessária. O parasita ancestral conseguiu invadir as células dessas larvas. Conseguia, assim, replicar-se no interior das células com maior quantidade de descendentes. Seria uma vantagem evolutiva. Como os primeiros insetos que originaram o mosquito transmissor da doença surgiram entre 150 e 200 milhões de anos, essa também seria a data provável do surgimento do parasita ancestral de todas as formas de plasmódios da atualidade.

Nessa época, o parasita ancestral também acometia répteis, aves e mamíferos. Suas gerações sofreram mutações e se adaptaram para cada espécie animal. Os primatas se tornaram o principal alvo dessas formas já evoluídas em plasmódio. Outras formas de plasmódio são encontradas entre primatas além das que acometem os humanos. Todas as espécies de plasmódios que contaminam os primatas perfazem um total de mais de 25 espécies. Nós, humanos, somos invadidos apenas pelas quatro espécies citadas anteriormente. A comparação genética dessas diversas espécies de plasmódios indica a pista da origem da doença humana.

O DNA do plasmódio *falciparum* assemelha-se ao de uma espécie de plasmódio dos chimpanzés africanos. Ambos provavelmente originaram-se de uma forma ancestral. A separação desse plasmódio ancestral ocorreu entre quatro a dez milhões de anos e é a mesma data estimada da separação dos hominíneos e chimpanzés. Provavelmente, o parasita ancestral permaneceu no ramo que originaria os chimpanzés e no dos hominíneos. Em cada qual o parasita evoluiu com mutações e adaptações para formar os atuais plasmódios do chimpanzé e o *falciparum* humano. Se assim for, os primeiros hominíneos africanos sofriam de malária, mas os homens modernos dificilmente a levariam consigo para fora do solo africano devido a sua gravidade e mortalidade. Provavelmente, ela era rara e esporádica entre os hominíneos. A doença aguardava o nascimento da agricultura.

O parasita ancestral comum trilhou outros caminhos evolutivos para originar as outras formas de plasmódios existentes. Surgiu o plasmódio *malariae*, que apresenta DNA semelhante ao de outro plasmódio de chimpanzés. Provavelmente, também, evoluiu da separação dos hominíneos e macacos. Já o plasmódio *ovale* evoluiu de maneira solitária. Seu DNA não se assemelha a nenhum outro plasmódio e, portanto, apresenta idade evolutiva muito antiga em relação aos demais. O material genético do plasmódio *vivax* encontra semelhanças marcantes com o de plasmódios de macacos asiáticos e chimpanzés. Difícil é precisar sua origem. Teria nascido na Ásia ou na África?[260,261,262] Macacos de ambas as regiões apresentam plasmódios com DNA semelhante ao do nosso plasmódio *vivax*.

Algumas espécies de macacos americanos também apresentam plasmódios com DNA muito parecidos aos plasmódios *vivax* e *malariae*. Chegou-se a aventar a hipótese do nascimento da malária humana por esses tipos de plasmódios em solo americano. Porém, as comparações dos materiais genéticos dos plasmódios de macacos com o *vivax* humano não seguiam uma cronologia lógica. O ancestral comum do plasmódio *vivax* separou-se das futuras formas de plasmódios de macacos asiáticos há dois ou três milhões de anos. Depois disso surgiria as formas de plasmódios dos macacos americanos. Nessa época, os macacos do Novo Mundo e do Velho Mundo já estavam separados e o continente americano, distanciado. Como esses ancestrais de plasmódios humanos se separariam primeiro dos macacos asiáticos para depois se separar dos americanos, se esses últimos já estavam longe?

A hipótese mais aceita é a de que os europeus, ao descobrirem a América, trouxeram a malária através de viajantes febris ou mosquitos proliferando-se em tonéis de água. A malária pelos plasmódios *vivax* e *malariae* chegou em solo americano e atingiu os macacos do Novo Mundo, até então virgens daqueles parasitas. As mutações originaram plasmódios dos macacos americanos semelhantes ao *vivax* humano.

Os quatro tipos de plasmódios humanos nasceram e evoluíram em momentos distintos.[263] Cada qual trilhou caminhos diferentes para evoluir e atingir os homens modernos. Seguiram o trajeto de espécies animais diferentes até seu destino final. A grande invasão de plasmódios nos humanos ocorreu devido às alterações ao meio ambiente causadas pelo nascimento da agricultura.

Naquele momento, os quatro plasmódios já estavam presentes entre os homens modernos, mas apenas timidamente. Desmatamos o meio para criarmos áreas agrícolas e, com isso, entramos em contato com mosquitos. Derrubávamos as matas para também ampliarmos áreas de construções de moradia. As plantações necessitavam de oferta adequada de água para sua semeadura. Construímos canais de irrigação para nutrimos os solos plantados. Construímos represas para acúmulo de água necessária e controlamos seu fornecimento. Essas áreas alagadas eram propícias para que os mosquitos depositassem seus ovos. Assim, o número do mosquito aumentou e eles passaram a preferir sangue humano em vez dos animais do interior das matas.

Era muito mais cômodo, afinal, alimentar-se daquele que coabitava seu novo domicílio e que criara condições favoráveis para sua proliferação. Quanto mais área alagada pela agricultura, melhor seria a disseminação de espécies de mosquitos. Quanto maior a quantidade de fonte de alimento, sangue humano, melhor seria a sobrevivência e proliferação dos transmissores da malária.

A agricultura trouxe os dois presentes ao mosquito: áreas alagadas e uma população humana cada vez maior em razão do aumento da oferta de alimentos com a agricultura. Eclodiram epidemias de malária humana. Os mosquitos transmissores da malária seguiram as áreas agrícolas. Encontramos descrições da doença entre os sumérios, os chineses e os povos da Índia. A doença estava presente também na África, incluindo os egípcios. A malária acompanhou a agricultura pelo litoral do Mediterrâneo e invadiu o interior dos territórios desse mar. Introduziu-se no continente europeu. Acompanhou os gregos na época do nascimento da filosofia. Acompanhou as campanhas das legiões romanas na formação de seu império. A malária também progrediu para a Ásia e atravessou os mares para atingir a Oceania e as ilhas do Pacífico.

A dimensão das epidemias na Antiguidade é também demonstrada em sítios arqueológicos. Foi o que ocorreu na descoberta de um cemitério em Lugano datado de 450 d.C.[264] A estratificação do terreno mostrou um número excessivo de crianças enterradas em um curto espaço de tempo, o que sugeria algo catastrófico. Restos de plantas características do verão indicavam a época do ano daquela tragédia. Época coincidente com clima quente e chuvoso favorável à proliferação de mosquitos transmissores de doenças. A catástrofe foi revelada. Encontraram parte do DNA do plasmódio *falciparum* em fragmentos ósseos. Descobrimos os vestígios de uma das inúmeras epidemias de malária da Antiguidade europeia.

A ciência coletou plasmódios *vivax* presentes na Ásia, América, África e Oceania. Comparou o DNA desses parasitas dispersos e evidenciou poucas diferenças entre eles.[265] Isso demonstra que os plasmódios *vivax* não tiveram tempo hábil para sofrer mutações e apresentar trechos diferentes de DNA. Em outras palavras, todos esses plasmódios originaram-se de um pequeno grupo há pouco tempo. Provavelmente à época do nascimento da agricultura.

Ocorre algo semelhante para o plasmódio *falciparum*. As poucas diferenças genéticas encontradas em plasmódios de áreas distintas do planeta também indicam proliferação do parasita de poucos milênios. Provavelmente iniciada na época agrícola humana.[266,267,268] Isso demonstra que, apesar de o plasmódio *falciparum* ter se originado na época da nossa separação dos macacos, permaneceu tímido na natureza até o momento de sua explosão com a agricultura humana. Assim, poucos plasmódios originaram a população atual mundial.[269]

A GENÉTICA OS PROTEGE

Com o avanço da agricultura, várias pessoas apresentaram sintomas da malária nas regiões do Velho Continente. As que adoeciam pelo plasmódio *vivax* tinham chance maior de sobreviver, diferentemente das muitas acometidas pelo plasmódio *falciparum*, que morriam. Observaríamos algo intrigante se testemunhássemos o que ocorria nessas áreas. Alguns agricultores ao longo do Mediterrâneo, em solo africano, no Oriente Médio, em regiões asiáticas e do Pacífico não adoeciam pela malária ou adquiriam uma forma muito leve da doença, enquanto outros sucumbiam. Moravam nas mesmas imediações alagadas. Plantavam e colhiam nas mesmas áreas próximas às florestas. Provavelmente eram picados pela fêmea do inseto, que inoculava o plasmódio em seu sangue. Mas algo os protegia e evitava o desenvolvimento do parasita. Podemos saber qual era a sua defesa após tanto tempo transcorrido? O que haveria em comum entre esses habitantes do litoral do Mediterrâneo, das áreas férteis do Oriente Médio, da África e das porções asiáticas? A resposta permanece até hoje nessas regiões e está nos cromossomos dos descendentes daqueles antepassados privilegiados.

Algumas doenças são ocasionadas por erros no código genético humano, em geral por mutações. Muitas são transmitidas para os descendentes que herdam os cromossomos de pais doentes. São conhecidas como doenças hereditárias, pois passam de pai para filho. A hemofilia é um exemplo de doença hereditária ligada a genes defeituosos.

O hemofílico não coagula seu sangue de maneira adequada. Falta produção de substância específica para essa finalidade. O paciente não consegue estancar pequenos sangramentos e, em casos graves, pode morrer. Muitos pacientes descobrem portar hemofilia em tratamento dentário devido a sangramento mais intenso que o habitual. A doença é transmitida por um gene localizado no mesmo cromossomo que define o sexo da pessoa, o cromossomo X. As mulheres apresentam dois cromossomos X (são XX) enquanto os homens apresentam um cromossomo X e outro Y (são XY). Portanto, as mulheres sempre fornecerão um cromossomo X ao filho. O homem definirá o sexo, pois envia espermatozoides portadores de cromossomo X ou Y. Ironicamente, muitas mulheres nobres da história foram acusadas de não apresentarem ventre apto a fornecer filhos homens herdeiros de tronos nobres. Mal sabiam que era o próprio rei quem definia se o herdeiro seria homem.

As mulheres podem apresentar um cromossomo X portador do gene da hemofilia, porém, por terem dois cromossomos X, o outro normal compensará e evitará a doença. Dessa forma, as mulheres não desenvolvem hemofilia, ainda que sejam portadoras e a transmitam para os filhos. Se os homens apresentarem o cromossomo X alterado, não terão como compensar, uma vez que o outro cromossomo sexual é o Y. Portanto a hemofilia é raríssima em mulheres, ao passo que predomina nos homens. Os homens adquirem o gene da hemofilia fornecido por mães sadias. A hemofilia abateu a família real inglesa.

A Inglaterra vivia sua época vitoriana no século XIX. A nação era uma potência mundial. Suas colônias proliferavam pelo planeta e o trono era ocupado com muita personalidade pela rainha Vitória, ícone do império britânico. Comandava com pulso firme e almejava passar o reinado para seus descendentes. Mas a rainha Vitória não sabia que entregaria também o gene defeituoso da hemofilia. Um dos seus cromossomos X apresentava o gene da doença. O outro cromossomo X normal a poupou.

A rainha e seu marido Albert geraram nove filhos. O primeiro filho homem, Edward VII, recebeu o cromossomo X normal. Portanto, transmitiu um cromossomo X saudável para seus descendentes. Por isso a família real britânica atual, incluindo a rainha Elizabeth e o príncipe Charles, não possui a doença.

O mesmo não ocorreu com a segunda filha da rainha, que recebeu o cromossomo X doente. Alice nasceu uma menina saudável e seus cortes coagulavam normalmente graças ao cromossomo X que herdara do seu pai, Albert. A princesa teve seis filhos, frutos de seu casamento com o príncipe Louis. Uma de suas filhas recebeu o gene doente. Essa menina era a futura Alexandra. Receberia esse nome de batismo pela Igreja Ortodoxa russa ao casar-se com o czar Nicolau II. O casal Romanov teve quatro filhas mulheres, mas insistiu na tentativa de um herdeiro masculino ao trono russo. Finalmente nasceu Aléxis.

Perceberam que Aléxis herdou o cromossomo X doente. Sangramentos atormentaram a vida do casal. Os médicos não deram esperanças de o menino subir ao trono. A czarina Alexandra, desesperada, apegou-se às esperanças das orações de Rasputin, que adquirira fama de homem santo. Isso confortou a família do czar, e Rasputin ganhou acesso ao palácio. Não sabemos se alguma das quatro filhas do czar também herdou o gene da hemofilia. A dúvida permaneceu, pois toda família foi executada pela Revolução Russa.

Voltando ao império britânico, o oitavo filho da rainha Vitória foi o primeiro a demonstrar a presença da doença na família real. Leopold apresentava sangramentos desde a infância, sempre com uma saúde débil. Mesmo assim, viveu até os 31 anos e gerou uma filha portadora do seu cromossomo doente. A última filha da rainha, Beatrice, também portava o cromossomo X doente. O gene seguiu a sucessão de casamentos de seus descendentes. Não atingiu, porém, o atual rei Juan Carlos, da Espanha, que é saudável.

Se a hemofilia está no rol das doenças hereditárias temidas, por vezes defeitos genéticos podem ser bem-vindos. Foi o caso dos habitantes do litoral mediterrâneo, de regiões africanas abaixo do Saara, do Oriente Médio, da Índia, do sudeste asiático, da Indonésia, Nova Guiné e ilhas do Pacífico,[270] que se safaram da malária exatamente devido à alteração genética que apresentaram.

* * *

O cromossomo X apresenta um gene que comanda a produção da enzima G6PD. Defeito genético nesse gene acarreta deficiência na produção da enzima. Pessoas portadoras do defeito apresentam a "deficiência da G6PD" e transmitem o gene defeituoso para seus descendentes. Mas o que vem a ser esta G6PD? A enzima, utilizada por reações químicas das hemácias, garante o bom funcionamento dessas células. A hemácia com deficiência da G6PD torna-se sensível a determinadas substâncias, alimentos e medicamentos. O contato com essas substâncias gera estresse nas hemácias, que se rompem. Isso ocasiona anemia com sintomas gerais de fadiga e cansaço. Os sintomas cessam quando é retirado o fator que desencadeou a reação e o paciente vive normalmente. Essa deficiência não é grave e não atrapalha a vida de quem a possui.

Os portadores da deficiência de G6PD concentram-se nas regiões em que ocorrem epidemias de malária ou onde já ocorreram no passado. Encontramos na África abaixo do Saara, no Oriente Médio e na Índia. Tipos dessa deficiência de G6PD também existem em povos do litoral do mar Mediterrâneo, local em que a malária também reinou. Assim, encontramos a G6PD em descendentes de italianos, espanhóis, gregos, judeus e árabes. Isso acontece porque os portadores da deficiência de G6PD são resistentes ao plasmódio. O parasita não consegue se desenvolver no interior de hemácias deficientes de G6PD.

Assim, portadores da deficiência não adoeciam ou apresentavam uma forma bem branda da doença e sobreviviam, ao passo que seus vizinhos sucumbiam. A malária agiu a favor dessa população, pois enquanto grande parte da população morria pela doença, os deficientes de G6PD eram poupados e tinham maior chance de gerar descendentes com o mesmo defeito genético. A proporção de portadores se elevava e, após gerações de sobreviventes, o gene se tornou frequente nas regiões endêmicas da malária. Ocorreu uma autêntica seleção natural. Atualmente, a malária foi extinta do Mediterrâneo e do Oriente Médio, restando apenas grande número de habitantes com essa deficiência herdada de gerações passadas.

Cientistas mapearam o gene de portadores atuais da deficiência de G6PD e compararam suas diferenças acumuladas por séculos. Programas matemáticos em computador calcularam a época do surgimento da mutação na população. O período coincide com a expansão da malária após o surgimento da agricultura. A época provável para a deficiência predominante da África ocorreu entre 11.700 e 3.800 a.C., enquanto para a predominante no Mediterrâneo foi entre 6.600 e 1.600 a.C.[271]

Médicos da Antiguidade descreveram outra anemia comum no litoral do Mediterrâneo. As hemácias eram destruídas e a morte, frequente. Atribuíram a um tipo anormal de sangue, comum entre os habitantes do Mediterrâneo. A doença recebeu, portanto, o nome de talassemia (do latim: sangue do mar). A talassemia também está presente em toda região em que predominou a malária no passado. Encontramos no Mediterrâneo, África, Oriente Médio, península arábica, Índia, sudeste asiático e Oceania.

Aqueles que apresentavam a forma grave da doença não tinham vantagens, pois a anemia severa levava à morte. Por outro lado, aqueles com a forma leve levavam vida normal e adquiriram vantagens em relação à malária. Como a talassemia causa alteração no interior das hemácias, o plasmódio não tem condições para desenvolver-se. Assim, essa forma leve trouxe proteção contra a infecção.[272] Ocorreu na talassemia o mesmo que com a deficiência de G6PD: os mais aptos a sobreviver pela malária geraram maior número de descendentes que receberam o gene defeituoso dos pais. Após séculos, elevou-se o número de portadores da enfermidade. Dessa forma, a doença predomina hoje nas áreas que apresentam a malária ou apresentaram no passado. Os doentes atuais talvez lamentem portar a doença, mas sem ela não estariam aqui. Afinal, foi ela que propiciou a sobrevivência de seus ancestrais em uma época em que a malária ceifava seus vizinhos.

Partimos do Mediterrâneo, atravessamos o deserto do Saara e chegamos às regiões centrais da África. Ali encontramos povos com diversos tipos de alterações em suas hemácias decorrentes também da seleção natural que a malária impôs. Portam hemácias que protegeram seus antepassados. Na porção centro-oeste da

África existem povos refratários aos ataques do plasmódio *vivax*. A proteção é tão eficiente que a malária por esse plasmódio não existe na região. O plasmódio *vivax* não conseguiu se estabelecer lá e perdeu a guerra. A proteção decorre de um pequeno detalhe, e não de uma doença, como nos dois casos anteriores.

As hemácias apresentam uma estrutura química em suas superfícies. É o antígeno Duffy que está presente nas hemácias da população mundial, exceto nas da área centro-oeste africana. Seus habitantes produzem hemácias normais, exceto por não terem o antígeno Duffy na superfície – o que não faz a menor falta. Porém, esse pequeno detalhe trouxe grandes vantagens a essa população.

O plasmódio reconhece a hemácia através do seu antígeno Duffy. Uma pessoa que apresente hemácias sem o Duffy estará protegida do ataque da malária porque o plasmódio não encontrará a hemácia. O parasita tem a impressão de que entrou no sangue de um homem sem hemácias. Africanos produtores de hemácias sem o Duffy não sofreram a doença, enquanto seus vizinhos morreram. Os sobreviventes geraram descendentes também com o gene alterado. O gene se tornou comum entre os povos dessa região e a malária foi expulsa por não encontrar um humano suscetível à doença.[273]

Encontraríamos os primeiros portadores da deficiência do Duffy por volta da época em que a malária se alastrou pela região. Ou seja, na época do nascimento da agricultura. Pesquisadores coletaram as diferenças genéticas nesses grupos e calcularam a data provável das primeiras mutações que originaram todos os descendentes atuais da deficiência do Duffy. Para nossa surpresa a data também coincide com o nascimento da agricultura e época da disseminação da malária pela região.[274]

Nessa época alguns africanos sofriam de uma rara doença que provocava anemia severa, a anemia falciforme. Esses agricultores não sabiam que seu mal decorria de hemácias doentes com formas alteradas. Em vez do formato normal, em disco, apresentavam deformação para forma de foice, daí o nome "anemia falciforme". O organismo reconhecia-as e as destruía levando à anemia. A forma de foice as tornava rígidas e entupiam os vasos sanguíneos. Isso gerava dores ósseas, deficiências de órgãos, má oxigenação dos tecidos e outras complicações. O quadro muitas vezes evoluía para a morte.

A doença era causada por um gene mutante transmitido para os filhos. Porém, era necessária a presença dos dois cromossomos com o gene mutante para desenvolver a anemia falciforme. Um herdado do pai e outro, da mãe. Caso apresentasse apenas um cromossomo alterado, seria um indivíduo normal. Este último levara vantagem porque não apresentava a anemia falciforme e seu único gene defeituoso protegia as hemácias do ataque do plasmódio. Isso se deve, também, ao fato de essa doença na hemácia não criar condições para o desenvolvimento do plasmódio no seu interior.

O número de sobreviventes de malária e portadores desse gene aumentou em relação ao resto da população. Tiveram maior oportunidade de sobreviver e gerar descendentes portadores do gene. Ocorreu aumento na frequência da doença.[275] Desse modo, a anemia falciforme é frequente no solo africano, praias do Mediterrâneo, península arábica e alcança a Índia. Os povos além da Índia também apresentam proteção contra a malária porque tem início a presença de outra alteração de hemácia.

A malária não conseguiu ceifar alguns habitantes das regiões do sul e sudeste asiático, Oceania e ilhas do Pacífico. Foram protegidos por outras alterações nas hemácias; o gene que produz um outro componente do seu interior, a hemoglobina, que se alastrou no sudeste asiático, graças a sua proteção contra a malária. Nas ilhas do Pacífico e Oceania ocorreu uma nova seleção natural pelo gene da ovalocitose. A presença de dois cromossomos portadores do gene doente é incompatível com a vida. Portanto, encontramos portadores da doença com um cromossomo portador do gene doente e outro cromossomo normal. Elas sobrevivem porque um dos cromossomos não apresenta o gene. Esses portadores estão protegidos da malária e sobrevivem passando seu gene adiante. Na Nova Guiné a frequência da doença é extremamente alta nas terras baixas onde a malária predomina, ao passo que é rara nas terras elevadas da ilha, como também é rara a presença da malária.

Todas essas doenças e alterações nas hemácias corroboram a hipótese de a malária não ter acompanhado os primeiros humanos na sua grande emigração do solo africano, mas sim se alastrado com o nascimento da agricultura.[276] Se o pequeno grupo humano saído da África apresentasse a malária, o esperado seria que todas essas doenças hereditárias protetoras tivessem emergido de forma homogênea pelo planeta. Mas vemos doenças hereditárias diferentes em áreas diferentes. Isso sugere mutações distintas em áreas diversas nos povos já estabelecidos à época da chegada da malária.

UMA DOENÇA COM INGREDIENTES DE TRÊS CONTINENTES

As áreas alagadas pela irrigação trouxeram outro mal escondido nas águas que banhavam os pés e pernas dos primeiros agricultores. Essa doença nasceu no continente africano e asiático apesar de nós, brasileiros, convivermos com a enfermidade. Estamos falando da esquistossomose causada pelo parasita *Schistosoma mansoni*, que afeta o fígado de milhares de brasileiros. Talvez você, leitor, esteja habituado com o apelido pelo qual a doença é mais conhecida: "barriga d'água".

Os parasitas mostram-se fiéis uns aos outros. O macho vive abraçado à fêmea durante sua vida inteira. A moradia desse casal de *Schistosoma* é o conjunto de veias que formam a veia porta presente no nosso abdome. Esta é uma das maiores veias abdominais e tem a função de trazer nutrientes absorvidos no intestino para o fígado. O sangue enriquecido em nutrientes passa pelo fígado, atinge o coração e é distribuído ao corpo. A residência dos parasitas é extremamente cômoda, uma vez que se localiza na porta de entrada dos nutrientes provenientes de nossa alimentação.

O parasita mantém sua sobrevivência e perpetua sua espécie. Para isso, elimina grandes quantidades de ovos. Os parasitas migram contra o fluxo de sangue que vem do intestino em direção ao fígado. Uma vez vencida a correnteza sanguínea, eliminam seus ovos na proximidade da parede do nosso intestino. Essas diminutas esferas atravessam a parede intestinal e atingem nossas fezes, por onde são eliminadas na natureza. Se albergássemos apenas os parasitas adultos, não teríamos inconvenientes. O problema é que a doença advém dos milhares de ovos depositados. Vários desses ovos não conseguem adentrar à parede do intestino e são levados pela correnteza do sangue até o fígado. Nesse órgão, a veia porta sofre ramificações como um grande rio que forma diversos afluentes de tamanhos menores. Cada afluente sofre novas ramificações e assim por diante. Dessa forma, a grande veia porta distribui seu sangue por todo o fígado em uma rede de veias afluentes de tamanho cada vez menor até se tornarem diminutas. Os ovos que fluíam naturalmente pelo sangue da veia porta percorrem essas veias cada vez menores e chegam aos pequenos afluentes terminais. Nessa região, o diâmetro dos ovos é quase igual ao das diminutas veias. Nessa fase da viagem, os ovos "encalham" nos vasos sanguíneos, que estão no interior do tecido hepático.

Nosso organismo os reconhece como corpo estranho, envia células que inflamam a região e tentam eliminar aquele intruso. Falham. A inflamação cicatriza e estrangula a passagem da veia pela região. Ano após ano, o portador da esquistossomose recebe ovos nos pequenos vasos, o que aumenta as cicatrizes. Em determinado momento, as cicatrizações são tantas que o sangue não consegue se distribuir pelos afluentes em razão das obstruções adiante.

Um rio com sujeira acumulada em seus afluentes não dá vazão ao fluxo de água. A correnteza torna-se lenta e a água, por não ter vazão, transborda nas suas margens. Algo semelhante ocorre na veia porta. O fluxo de sangue torna-se lento devido às obstruções na entrada do fígado. Um volume maior de sangue se represa na veia porta, dilatando-a. A pressão nesta veia torna-se extremamente elevada, o que se denomina de "hipertensão portal". Com o aumento da pressão que o sangue exerce na parede da veia, há infiltração e vazamento da água presente no sangue para o lado de fora do vaso sanguíneo. A água que escapa se acumula no abdome até distendê-lo. E assim podemos reconhecer um portador da doença da barriga d'água.

Parte do sangue da veia porta busca novos caminhos. A exemplo de um fluxo de carros em um congestionamento de qualquer grande cidade. Ao ocorrer um acidente em alguma via pública, o trânsito não escoa de maneira adequada. Muitos motoristas desviam do acidente por ruas menores e, em geral, paralelas à via obstruída. Ocorre algo semelhante na veia porta.

O sangue que não encontra uma passagem livre para transpor o fígado e chegar ao coração segue por uma rota alternativa. Para isso desvia-se para a veia que envolve parte do estômago para daí entrar nos vasos do esôfago e chegar ao coração. O problema está no fato de as veias do esôfago não serem, nem estarem, preparadas para receber uma quantidade grande de fluxo sanguíneo. Essas veias esofágicas se dilatam e recebem o nome "varizes do esôfago". Como são veias mais delicadas e frágeis, podem não resistir à alta pressão e se rompem com inundação de sangue no estômago. A doença manifesta-se por vômito com grande quantidade de sangue e, geralmente, é uma emergência médica com risco de morte. O cirrótico, em geral provocado pela ingestão de bebida alcoólica, tem o mesmo problema. A obstrução do fluxo sanguíneo pelo fígado decorre das cicatrizes provocadas pela agressão alcoólica.

Apesar de todas essas complicações causadas pela esquistossomose, seu responsável conseguiu aquilo que queria, perpetuar a espécie. Lembremos que parte dos ovos atingiu o intestino e foi eliminado pelas fezes humanas.

Os ovos que atingem a natureza amadurecem ao adentrar em outro ser vivo. Esse organismo específico e vulnerável é o caramujo brasileiro do gênero *Bionfalária*. É um caramujo aquático que habita represas, lagos, tanques e lagoas do nosso território. Nele os ovos transformados crescem, amadurecem e se rompem em outra forma (cercárias) para invadir novamente os seres humanos.

Ao saírem dos caramujos, as cercárias se movimentam pelas águas, aguardando a chegada do homem que se banha por lazer, trabalho ou acidentalmente. Ao entrarem em contato com a pele humana, as cercárias liberam substâncias que auxiliam na quebra dessa barreira e invadem a pele. Essas substâncias e a invasão das cercárias causam coceira no local de entrada. Isso torna muito conhecido o dito popular de que "lagoa de coceira transmite barriga d'água". Uma vez dentro do nosso organismo e atingindo o sangue, as cercárias chegam à veia porta e se transformam em adultas para fechar o ciclo de vida) do parasita.

Apesar da doença ter se tornado epidêmica na época do nascimento da agricultura (veremos o porquê mais adiante), ocorreu uma série de fatores e coincidências para seu nascimento. Incluindo seu surgimento no Brasil. Hoje, a doença é considerada um problema de saúde pública. Qual seria a sequência de elos que levou a isso? Começaremos os descrevendo, um a um, como em uma receita para a criação de uma nova doença humana que foi servida, praticamente, na época em que nasceu a agricultura.

* * *

Primeiro precisamos do caramujo para incubar os ovos na natureza. Especificamente o caramujo *Bionfalária* que é vulnerável aos ovos do *Schistosoma mansoni*. Não teremos trabalho para encontrar o primeiro ingrediente. Podemos comparar o material genético entre as diferentes espécies de caramujo da América, África e Ásia.[277] Um número muito maior de espécies é encontrado no solo americano do que no africano. Isso sugere que sua origem se deu nas Américas, pois, ao permanecer muito mais tempo no local de origem, mais mutações contribuíram para derivar uma variedade muito grande de espécies. Ao passo que, levado para a África, o pouco tempo de sua chegada não foi suficiente para que ocorressem tantas mutações. Além disso, encontramos fósseis de caramujo em solo americano que datam de mais de quarenta milhões de anos, enquanto no solo africano os fósseis são muito mais recentes. Mas o maior indício de sua origem americana e, posteriormente, seu transporte e colonização em solo africano encontram-se na comparação do DNA dos caramujos de ambos os continentes.

O DNA mostrou que as diversas espécies de caramujos americanos se originaram de um possível caramujo ancestral comum.[278] Deste seguiram-se várias mutações e ramificações para formar as diversas espécies americanas. Um desses ramos americanos foi ancestral de todos os caramujos africanos. Mas como e quando esse ancestral americano cruzou o Atlântico para atingir a África?

Nos dias de hoje o transporte transatlântico desses caramujos seria muito mais fácil. As águas de lastro das embarcações fornecem carona a muitas espécies de seres vivos todos os dias. Uma embarcação, ao descarregar sua carga em qualquer porto do planeta, torna-se instável pela perda do peso. Para compensar substituímos a carga por água captada do estuário. Essa água é bombeada para reservatórios no interior de seu casco de tal maneira que o peso do líquido torna a embarcação menos oscilante e, portanto, mais estável. Inicia seu regresso com seu compartimento de carga vazio, mas com seus reservatórios de água de lastro lotados. Uma vez no porto de origem, a água é despejada no seu estuário para que uma nova leva de carga adentre a embarcação. Com esse procedimento, diversas espécies de animais e vegetais presentes no primeiro estuário são trazidas e libertadas no último. As embarcações transferem, assim, diversos seres vivos de regiões para regiões, de continentes para continentes. A cada ano estima-se que de três a cinco bilhões de toneladas de água são internacionalmente transferidas. E junto são transportadas mais de cinco mil espécies de seres vivos por dia. Muitas destas não sobrevivem às condições de armazenamento da água, às travessias longas, às características físicas e químicas ou competitivas do novo habitat. Mas muitas se tornam vitoriosas e encontram uma condição ideal para sua sobrevivência e disseminação.[279]

Há inúmeros casos relatados. Foi dessa maneira, por exemplo, que embarcações do sudeste asiático trouxeram a bactéria do cólera para as costas do Peru em 1991. A epidemia no país se alastrou para outros países americanos, incluindo o Brasil. O mexilhão-zebra europeu venceu o Atlântico para aportar em solo americano e disseminar-se entre os rios e lagos navegáveis dos Estados Unidos. Hoje representa um problema por entupir as tubulações. O mar Negro recebeu águas-vivas americanas que proliferaram e esgotaram o plâncton, prejudicando a pesca da região.

O caramujo aquático do gênero *Bionfalária*, porém, não se alastrou em uma época coincidente com as atividades comerciais humanas transatlânticas. Acredita-se que muitas espécies ancestrais dos caramujos americanos foram carregadas para a África através de aves migratórias. Suas penas teriam abrigado esses caramujos e os transferido à África. Outra possibilidade foram os aglomerados de troncos, folhas, gravetos e outros materiais orgânicos, que, uma vez compactados, funcionaram como balsas flutuantes para seu transporte transatlântico. A data provável da sua invasão africana foi ao redor de três milhões de anos, bem antes do surgimento dos primeiros homens modernos.

Antes do surgimento do homem moderno, já existia o primeiro elo para a existência da esquistossomose. O caramujo aquático *Bionfalária* no solo americano e poucas espécies evoluídas desta que aportaram na África. Faltava agora o segundo ingrediente de nossa receita, o parasita *Schistosoma mansoni*. Apesar de o caramujo ter nascido nas Américas, precisaremos percorrer praticamente meio mundo para chegar ao local de origem dos parasitas que viriam a infectar esses moluscos. Os caramujos americanos originaram-se livres de infecção e aqui permaneceram estéreis desses invasores. Os poucos que chegaram ao solo africano foram primeiramente infectados. O parasita causador da doença originou-se na Ásia. Lá encontramos uma espécie descendente de parasitas ancestrais que surigiram há milhões de anos. Foi uma das primeiras a causar doença humana. Originou-se e permaneceu em solo asiático. É o *Schistosoma japonicum*.

Porém, um ancestral desse parasita foi carregado para as proximidades do Oriente Médio e gerou descendentes na região. Esse ramo evolucionário sofreu mutações que formariam mais espécies de *Schistosoma*. Várias teriam acometido outros animais. Desses parasitas surgiu um ramo evolucionário que acometeria o homem no futuro, o *Schistosoma mansoni*. Essas espécies de parasitas ancestrais se mantiveram em alguns animais nas proximidades do Oriente Médio. A partir de 19 milhões de anos atrás, os registros fósseis evidenciam uma entrada no solo africano de carnívoros, suínos, ungulados e roedores provenientes da região.[280] Isso, provavelmente, pela colisão da península arábica com a atual Turquia, por causa da movimentação das placas tectônicas. Muitos desses animais trouxeram consigo formas ancestrais de *Schistosoma* e também a já formada *S. mansoni* para o solo africano. Em solo africano essas espécies de *Schistosoma* sofreriam diversas mutações e vários ramos evolucionários surgiriam. Uma das últimas espécies a se originar e, também, causar a doença no homem foi o *S. haematobium*.

Antes do surgimento do homem moderno, havia algumas espécies do *Schistosoma* esparsas pelo Velho Continente. A mais antiga, primeiramente formada, seria o *japonicum* presente no solo asiático, local em que encontrou algumas formas de caramujos vulneráveis a seus ovos. No Oriente Médio havia o *mansoni,* que também adentrou à África pela migração de animais e, nesse solo, encontrou o caramujo aquático proveniente das Américas. Milhares de anos após, os ramos evolucionários formaram, já na África, o *haematobium,* também causador de doença no homem, e associado à outra forma de caramujo aquático nativo da África.

A comparação do DNA dessas espécies do parasita pôde descrever a sequência de surgimento das espécies. Dessa forma, traçamos também a trajetória que os parasitas ancestrais e seus descendentes seguiram.[281] Várias outras espécies entraram nesta comparação, porém não foram citadas porque não causam doença ao homem, mas em outros animais. Teríamos, assim, dois dos ingredientes já formados e unidos, o parasita e o caramujo. Faltava agora um terceiro, que funcionaria como o fermento para a disseminação da doença entre os humanos: a agricultura. Fatos ocorridos recentemente, fatos no Senegal podem exemplificar como o nascimento da agricultura favoreceu a proliferação da doença.

Em 1985, no Senegal, foi construída uma barragem adequada aos interesses agrícolas da nação. A cerca de quarenta quilômetros da desembocadura do rio Senegal, a construção impedia que as águas salgadas invadissem o rio que servia como fonte de irrigação à agricultura. As autoridades não previram que as alterações químicas e físicas associadas à irrigação, por influência da barragem, trariam malefícios aos moradores. A represa diminuiu a salinidade da água do rio e seus afluentes, bem como dos canais de irrigação que captaram suas águas. A esse efeito aliou-se o aumento do pH da água, que, associado à queda da salinidade, foi crucial para o desenvolvimento dos caramujos aquáticos da região. Surgiu um número maior de

A população egípcia entrava em contato com as águas do rio Nilo nas suas enchentes anuais, nos canais de irrigação, em represas e plantações. Essa rede hídrica permitia a multiplicação dos caramujos e a consequente proliferação da esquistossomose.

caramujos por cada metro quadrado de terreno alagado. Os agricultores entravam satisfeitos nas áreas alagadas pela irrigação e responsáveis pelo florescimento de sua colheita. Porém não sabiam que os caramujos proliferavam e, com eles, as cercárias, que adentravam em suas peles e transmitiam a esquistossomose. Em determinados vilarejos e cidades, mais da metade dos habitantes apresentam *S. mansoni*.[282] Hoje, a região é considerada um dos principais focos da doença no mundo. A doença também se aproveitou de outras represas recém-construídas pelo planeta.[283] Assim, até hoje a doença continua associada à agricultura. Mas sua história é bem mais antiga.

Um dos maiores indícios da doença entre os antigos encontra-se na civilização do Egito. Os camponeses egípcios banhavam suas pernas nas áreas alagadas pela agricultura. Canais de irrigação vinham do Nilo. Cevada e trigo floresciam nessas terras alagadas que também ocasionavam a proliferação dos caramujos. O Nilo, seus afluentes e seus canais de irrigação construídos pelos egípcios antigos forneciam uma rede hídrica para os caramujos caminharem, multiplicarem-se e espalharem a doença humana. Nessa época predominavam os moluscos transmissores do *S. haematobium* que acomete a bexiga urinária.[284] Diversos relatos de pacientes jovens com eliminação de sangue pela urina revelam o parasita entre os egípcios antigos. Múmias preservadas e esmiuçadas pela ciência do século XX continham seus ovos desde a época da fundação da dinastia egípcia.[285] Encontramos ovos em múmias de três mil anos antes de Cristo até os períodos de dominação romana.

A história repetiu-se nas terras férteis e alagadas pela irrigação agrícola da Mesopotâmia. As civilizações que ali se instalaram e desenvolveram sua agricultura com canais de irrigação também presenciaram o forramento de seus alagados pelos caramujos. Fósseis dos moluscos são encontrados na região há seis mil anos. Do mesmo modo, a irrigação no solo asiático contribuiu para que a esquistossomose se instalasse entre a população das regiões da Índia e China. Por causa do comércio, era comum viajantes infectados eliminarem suas fezes portadoras dos ovos do parasita em regiões distantes e infectarem os caramujos que, eventualmente, estivessem livres da infestação.

Do mesmo modo que ocorreu com a malária, o aumento da população em decorrência da maior oferta de alimentos da agricultura contribuiu para que a doença se espalhasse. Uma quantidade cada vez maior de pessoas doentes distribuía suas fezes infectadas pelas regiões próximas e distantes durante as viagens.[286] O comércio de escravos também trazia e levava pessoas contaminadas para regiões distantes e abastecia os caramujos. O *S. mansoni* não era tão frequente quanto o *S. haematobium* entre a população antiga do Egito e da Mesopotâmia, mas sua disseminação crescente fez com que equilibrasse a balança e conquistasse sua cota entre os antigos. A doença disseminou-se pelas regiões irrigáveis da África, Oriente Médio e Ásia. A esquistossomose atingiu uma proporção considerável de habitantes e estaria pronta para ser exportada para outros continentes.

Para transpor o Atlântico, pegaram uma carona em embarcações. O DNA do parasita americano assemelha-se ao do parasita do oeste africano.[287] Acredita-se que escravos africanos acometidos pelo parasita desembarcaram em massa no solo brasileiro e nas ilhas do Caribe durante os séculos XVI a XVII. Evacuaram seus ovos nas proximidades de áreas alagadas com a presença dos caramujos que, até então, desconheciam o parasita. Iniciaram-se, assim, os focos da doença pelas terras americanas.

O *S. mansoni* predominou no Brasil e, como o DNA dos parasitas presentes no nordeste brasileiro mostra uma variedade genética muito grande, acredita-se que o local – que recebeu maior número de escravos nas fases iniciais do tráfico negreiro – tenha sido a porta de entrada da doença. Houve muito mais tempo para o parasita se multiplicar e sofrer diferentes mutações que originaram essa grande variação genética nordestina. A Europa também recebeu escravos africanos e viajantes europeus em regresso de viagens e infectados pela esquistossomose. Pessoas evacuaram em fossas europeias e deixaram os ovos fossilizados para serem descobertos pela ciência do século XX na França. Revelou-se, assim, a presença dos ovos dos *S. mansoni* e *haematobium* em fossas e latrinas utilizadas nessa nação entre os séculos XV e XVI.[288]

A agricultura dos povos asiáticos propiciava íntimo contato humano com as águas, o que facilitava a transmissão da esquistossomose.

Outro fantasma humano surgiu ao nos assentarmos nas áreas férteis para o desenvolvimento da agricultura. No momento em que nos tornamos sedentários e fixados ao solo pela agricultura, convivemos com nossas excretas nas redondezas de nossas casas. Eliminávamos nas proximidades dos lares. As águas que vinham dos rios, riachos ou lagos recebiam excrementos humanos. As bactérias intestinais causadoras de diarreias retornavam pela ingestão de água contaminada ou por alimentos manipulados e contaminados.[289]

Aliado a isso, a população humana cresceu com a oferta alimentar de suas plantações. Nasciam as epidemias de diarreia bacterianas, que acompanhariam a humanidade. Ainda hoje, mesmo com o conhecimento científico, morrem mais de um milhão de pessoas vítimas da diarreia por ano. A maioria encontra-se nos países pobres, sem saneamento básico adequado, sendo mais da metade crianças.

As primeiras civilizações sofreram pelas diarreias. Surtos floresciam nos principais centros urbanos. Um desses acometeu o centro da filosofia ocidental da época. Com o avanço da ciência, podemos decifrar a causa da misteriosa "peste de Atenas" que foi tão debatida por anos.

DESVENDADA A MISTERIOSA PESTE DE ATENAS

O apogeu da Grécia antiga vem em nossas mentes na figura da cidade de Atenas. Templos recebem visitantes, e deuses são cultuados. Fervilham habitantes em suas praças. Os atenienses respiram filosofia, democracia e cultura. Embarcações chegam e partem, alavancando o crescimento comercial e financeiro. Edificações sobem. Esculturas emergem de pedras. Muitos associam o período áureo da cidade com seu ícone máximo, Péricles.

Apesar dessa suntuosa imagem do poderio de Atenas, algo muito diferente ocorria no ano de 430 a.C. O poder de Atenas despertara insegurança nas cidades-Estado do Peloponeso. Esparta liderara alianças entre cidades dessa península e partira em guerra na direção de Atenas. Transcorrera um ano desde que a Guerra do Peloponeso começara. Agora, em 430 a.C., os atenienses aglutinavam-se dentro dos muros da cidade evitando a poderosa força militar espartana. Algo mais ocorria no interior desses muros, uma epidemia. A pira funerária não se apagava e fumaça ascendia do interior de Atenas. Corpos e mais corpos eram cremados, o que indicava aos inimigos que algo terrível acontecia. Os templos estavam repletos de moribundos acomodados em seu solo. Habitantes disputavam as fontes em busca de água, estavam desidratados pela epidemia. Uma nuvem de calor subia pela cidade febril. Alguns recordavam que a doença viera por embarcação marítima originária do Egito.

A doença alastrou-se pela população ateniense. Muitos morriam em uma semana. Os sintomas e sinais amplamente documentados[290] variavam de dores de cabeça, febre, olhos inflamados, vômito, diarreia, tosse com sangue, lesões na pele e dores pelo corpo. Após a tormenta que também matou Péricles, foi computado o número de baixas. A epidemia matou um terço da população da cidade e é conhecida como a peste de Atenas.

Desde então, a peste de Atenas permanece um mistério. Muitos acreditam ter sido sarampo ou varíola, devido ao relato de lesões de pele. Porém, essas doenças não explicariam outros sintomas. Aventou-se também que poderia ser a peste transmitida pela pulga do rato. O tifo foi outro candidato. A descrição de diarreia levantou a possibilidade de bactérias intestinais. Até mesmo o vírus ebola foi suspeito por causa dos relatos constantes de sangramentos. A lista das possíveis causas engrossou a cada estudo realizado sobre a peste de Atenas. A descrição dos sintomas não bastaria para sabermos qual microrganismo adentrou os muros de Atenas. Precisaríamos dos avanços da ciência e restos ósseos que testemunharam a epidemia.

Canais construídos na cidade de Santos no início do século XIX. Diversas medidas para fornecimento de água potável e direcionamento do esgoto surgiram com a descoberta dos microrganismos.

Os atenienses enterraram alguns corpos em um cemitério próximo à cidade. Talvez tenham improvisado às pressas as valas diante do caos reinante. As vítimas da peste permaneceram sob o solo por séculos, e somente as descobrimos, por escavações, em meados da década de 1990. Emergiram aos olhos da ciência e mostraram a datação de seu enterro coincidente com a época da peste de Atenas.

Antes de morrer, seus corpos foram tomados pela bactéria ou vírus da epidemia. O microrganismo misterioso percorreu o organismo e ficou na polpa dos dentes. Novamente, o homem tentaria recuperar o agente infeccioso. Estudiosos racharam os dentes dos esqueletos do sítio arqueológico e pesquisaram a presença de restos de DNA no interior. Buscaram a sequência do material genético de diversos microrganismos suspeitos e um dos testes revelou positividade. Estava presente na polpa dentária o DNA da bactéria da febre tifoide, uma espécie da bactéria da salmonela.[291]

A salmonela justifica vários sintomas descritos na peste de Atenas e estaria envolvida em aglomerado humano, em tempo de guerra e ingestão de água e alimentos contaminados pela ausência temporária de condições higiênicas. Permanece a dúvida se houve algum outro agente infeccioso na epidemia. Aventou-se a possibilidade de que, devido às descrições da doença, tenha ocorrido uma associação de epidemias por agentes infecciosos diferentes em um mesmo instante. A ciência do século XXI comprovou a existência da salmonela, resta sabermos se mais algum agente infeccioso acometeu os atenienses naquele fatídico ano de 430 a.C.

A espécie de salmonela da febre tifoide está presente apenas nos humanos. Um paciente adquire a bactéria por alimento ou água contaminados por fezes de outro humano. Essa bactéria é um excelente exemplo das diarreias que surgiram na época em que nos tornamos sedentários e agricultores. Acompanhou todos os períodos históricos com epidemias devastadoras.

Somente na segunda metade do século XIX descobrimos sua presença. Descobrimos também que era transmitida por alimentos contaminados. O homem começou a dar atenção aos alimentos e ao tratamento de água. Uma história muito descrita e conhecida que não vamos detalhar aqui. Cabe, porém, discutirmos uma nova descoberta peculiar referente à salmonela.

Apesar do conhecimento que ocasionou melhorias na oferta de água potável além dos cuidados necessários em manipular os alimentos, havia casos de salmonela na cidade de Londres no início do século XX. Algumas pessoas ainda adoeciam mesmo relatando ausência de condições causadoras de diarreia. Doentes chegavam ao hospital sem haver ingerido água suspeita de contaminação nem mesmo alimentos. A bactéria tomava outro atalho para atingir humanos. Alguns bairros que apresentavam fornecimento de água pela mesma companhia tinham diferenças no número de pessoas internadas por salmonela. Pessoas doentes surgiam em bairros que recebiam água bem tratada ou coletada de fonte segura e livre de contaminação por fezes humanas. Ao mesmo tempo, seus vizinhos livravam-se da doença.

Esse fator desconhecido que favoreceria o surgimento da salmonela e outras diarreias seguia um padrão temporal. As diarreias acometiam a população em determinadas épocas do ano, principalmente nos meses quentes do verão. Algo relacionado ao clima estaria associado à doença. Rastreou-se e mapeou-se a cidade na esperança de encontrar uma explicação para o surgimento das diarreias transmitidas por alimentos ou água.

Londres era uma cidade com comércio intenso, uma população crescente e vias públicas repletas de transeuntes. Mas havia algo mais em suas ruas. A presença de uma imensidão de carros movidos a tração animal, por cavalos. Em 1902, a Inglaterra atingiu seu pico máximo em número de cavalos pelas cidades. Puxavam locomoções individuais, carretos, carroças, carros, bondes e outros. Estima-se em três milhões e meio a população equina inglesa daquele ano.[292] Os carros movidos a combustível ainda nasciam e a pavimentação iniciava-se de maneira tímida nas ruas londrinas. Cada animal fornecia uma carga enorme de esterco anual, da qual uma parte era utilizada como adubo na agricultura. Na cidade de Londres o esterco era essencial para a sobrevivência e a proliferação de moscas, principalmente nos meses quentes. Elas poderiam trazer doenças?

Meio século antes, as moscas eram vistas por alguns como aliadas à nossa saúde. Nessa época reinava a teoria dos miasmas, que atribuía a origem de infecções por gases venenosos contidos no ar que respirávamos. A ciência desconhecia as bactérias e, portanto, acreditava-se em ares contaminados. Com esse raciocínio dizia-se que as moscas dispersavam as emanações venenosas contidas no ar ao voarem com seus movimentos rápidos e mudanças abruptas de direções. Mas os tempos mudaram e os miasmas perderam espaço para as bactérias recém-descobertas. As moscas tornaram-se inimigas da saúde humana. No Egito comprovou-se que suas patas seguravam bactérias e, ao voarem, transportavam esses microrganismos. Mostrou-se que ao pousarem nas proximidades dos olhos, principalmente no momento em que dormíamos, transmitiam bactérias causadoras de infecções oculares. Suas patas entravam em contato com dejetos humanos, agarravam bactérias e as transferiam aos alimentos no próximo pouso. Descobria-se mais uma maneira de transmissão das doenças diarreicas, inclusive as temidas cólera e salmonela. Água tratada e limpa não bastava, era necessária também a limpeza das cidades para evitar a proliferação das moscas.

O DNA da salmonela mostrou evolução recente. A bactéria surgiu e evoluiu há algumas dezenas de milhares de anos. Provavelmente após sairmos da África e na época em que caminhávamos pelo planeta.[293,294,295] Permaneceu em alguns poucos humanos nômades e alastrou-se nas primeiras cidades e civilizações nascidas com a agricultura. O mesmo ocorreu com outras bactérias que também causam diarreia.[296] Evoluíram em épocas bem anteriores ao assentamento humano ao longo das regiões férteis do planeta.

O período do surgimento da salmonela gera um problema. A bactéria habita apenas o homem, como visto anteriormente. Portanto, alguns nômades caçadores e coletores adoeceram com febre tifoide. Deixaram suas fezes contaminadas para trás porque eram nômades. Além disso, uma doença debilitante e com elevada mortalidade não se sustentaria em uma população humana tão pequena. Dificilmente os raros e escassos grupos humanos migrariam portando pessoas doentes. A salmonela estaria fadada à extinção porque a vida nômade dificultaria a permanência da bactéria e suas epidemias entre os poucos humanos. Então, como a bactéria originada há mais de cinquenta mil anos e exclusiva do homem chegou até os períodos do nascimento da agricultura? Iniciamos a resposta nos Estados Unidos no ano de 1907.

BACTÉRIA CAMUFLADA

A baía das Ostras é uma região agradável e próxima da cidade de Nova York. No início do século XX, trabalhadores da grande cidade passavam suas férias de verão nessa localidade. Aqueles que não tinham suas casas de veraneio, alugavam-nas. Um banqueiro nova-iorquino e sua família viajaram para a baía das Ostras no verão de 1906. Porém, as férias agradáveis transformaram-se em pesadelo.

No dia 27 de agosto, a filha da família apresentou febre. O diagnóstico foi a temida salmonela. A doença avançou em outras cinco pessoas da casa alugada em menos de uma semana. Acometeu dois empregados, outra filha do banqueiro, sua esposa e, finalmente, o jardineiro da casa e único morador da região. Todos deviam ter ingerido algum alimento ou água contaminados pela bactéria.

A investigação preliminar do surto foi infrutífera. Isso traria prejuízo ao proprietário do imóvel porque não mais conseguiria alugá-lo. A casa seria rotulada como fornecedora de febre tifoide e traria insegurança aos futuros novos inquilinos. A doença era uma das mais temidas na época devido à gravidade e mortalidade. O proprietário procurou ajuda em Nova York. Solicitou a investigação do surto a George Soper, que era engenheiro civil com vasta experiência em epidemias pela doença. Seria uma maneira de desassociar sua casa da epidemia.[297]

A febre tifoide era sabidamente transmitida pela ingestão de água ou alimentos contaminados. Portanto, Soper buscou explicação nessas fontes. No entanto, esbarrou em um problema. Nenhum outro caso da doença foi relatado na cidade, e mais: há anos não se documentava algum caso de febre tifoide naquela região. Se os inquilinos ingeriram algum alimento suspeito, também ocorreriam casos entre outros moradores da região. Soper investigou o fornecimento de leite e outros alimentos. Rastreou o suprimento de água. Suas buscas não encontraram fonte suspeita da doença. Inquiriu até mesmo uma senhora indiana vendedora de peixes e frutos do mar em sua barraca. Esses alimentos ofereciam riscos por serem apanhados em águas próximas do despejo de esgoto. Toda investigação caía em um mesmo beco sem saída. Nenhum outro caso da doença foi registrado na cidade. A febre tifoide se restringira à casa em que houve os seis casos da doença. O proprietário tinha seus motivos de alarme porque a suspeita maior estava na residência. Soper partiu em direção às instalações do imóvel.

Todos adoeceram em um intervalo curto de tempo. Isso indicava pouca probabilidade de que a primeira pessoa doente, a filha do banqueiro, contaminara os outros. Era mais provável que uma mesma fonte infectou todos em momentos discretamente diferentes. A casa era com frequência alugada nas temporadas de verão e nunca havia ocorrido caso semelhante. Mesmo assim, Soper coletou água de suas torneiras e enviou para dois laboratórios diferentes. As análises de ambos apresentaram resultados satisfatórios. Nenhuma espécie de salmonela foi encontrada na água fornecida para a residência. Soper despejou substância marcada nos ralos e banheiros para avaliar se ali detectava algum problema. Caso a encontrasse, constataria comunicação entre o esgoto e o lençol freático da fonte de água. Porém, os resultados foram negativos.

A arquitetura da construção da casa era adequada para evitar infecções diarreicas. Mesmo se Soper identificasse algum fator para o surgimento da doença, seria difícil explicar como surgiu o primeiro caso. Soper partiu em busca da vizinhança. Era imprescindível saber se o esgoto dos vizinhos não contaminou a fonte de água da casa. Porém não havia nenhum caso de doença entre eles. Uma observação não passou despercebida aos olhos de Soper e foi o fato que o levou à solução.

A família contratou uma nova cozinheira três semanas antes da epidemia. Levaram-na na viagem para que se encarregasse das refeições. Por isso, era uma pessoa-chave para as investigações. O mais estranho é que a senhora abandonou o emprego poucos dias depois da epidemia. Deixara a família sem motivo e seu paradeiro era desconhecido, como se fugisse. Seu nome era Mary Mallon, irlandesa alta, forte, de poucas palavras e ao redor de 40 anos. Uma coisa era certa, a cozinheira Mary não adoecera. Permaneceu saudável durante todo o ocorrido na baía das Ostras e no retorno da família. Soper buscou saber o paradeiro da cozinheira na agência de empregos, a mesma na qual a família adquirira suas referências.

O engenheiro pesquisou os destinos pregressos da cozinheira e, para sua surpresa, encontrou dados relevantes. Necessitava encontrar aquela mulher imigrante da Irlanda. Visitou algumas famílias para quem Mary havia trabalhado como cozinheira. Para sua surpresa, quase todas apresentaram febre tifoide logo após a chegada da cozinheira. Existiam famílias adoentadas desde o início do século XX. Todas acometidas pela doença logo após a cozinheira conseguir o emprego. Sem dúvida Mary Mallon era a fonte de muitas epidemias, inclusive a da família da baía das Ostras. Mas o que faria aquela mulher irlandesa desencadear as epidemias? Seria necessário um inquérito de como preparava seus alimentos. Após uma árdua busca, Soper conseguiu encontrar seu paradeiro. Encontrou-se cara a cara com a sua suspeita número um. Em uma conversa que se tornou famosa, a irlandesa posicionou-se agressiva e refratária a qualquer manifestação de colaboração a Soper. Parecia que já aguardava o momento de sua captura como responsável pelas epidemias de febre tifoide.

Soper conseguiu autorização dos órgãos sanitários para a prisão da senhora Mary. Foi transferida ao hospital de quarentena da cidade e teve amostras de sangue e fezes colhidas. De maneira surpreendente, suas fezes mostravam centenas de bactérias da febre tifoide. Mary portava a salmonela mesmo sem apresentar sintoma da doença. Isso mesmo, não adoecia apesar de a bactéria se proliferar no intestino. É o que chamamos de "portador são", capaz de albergar a bactéria sem que esta lhe cause doença. Foi a primeira vez que se identificou um portador assintomático nas Américas. Entrou para a História. O médico alemão Robert Koch havia descrito casos semelhantes no continente europeu. A sociedade rotulou Mary como um perigo e, apesar de libertada temporariamente, foi mantida prisioneira no hospital de detenção do sistema de saúde da cidade pelo resto de sua vida.

Hoje, acreditamos que os portadores assintomáticos da salmonela sejam os responsáveis por transportar a doença para regiões distantes. E foi assim entre aqueles nômades caçadores e coletores. Eles foram, portanto, os responsáveis pela permanência da bactéria entre os humanos nômades até a chegada da agricultura.[298] Apesar de nascida há milhares de anos, a bactéria permaneceu oculta entre humanos saudáveis. Acometeu poucas pessoas, mas manteve-se firme na sua jornada, acompanhando os primeiros homens modernos pelo planeta. Encontrou terreno fértil para suas epidemias com o desenvolvimento da agricultura e nos séculos seguintes.

DOMESTICAÇÃO DOS ANIMAIS. VÍRUS FAZEM A FESTA

A agricultura foi acompanhada pela domesticação dos animais. A face do planeta se transformava pela ação dos primeiros agricultores. Os animais possíveis de domesticação eram criados nas redondezas das habitações humanas. Dava-se preferência aos que procriavam em cativeiros, fáceis de alimentar e com períodos curtos de gestação. Convivíamos com cachorro, carneiro, cabra, porco, ganso, galinha, gado, cavalo e burro. Em 4.000 a.C. todos esses animais viviam próximos ao domicílio humano, principalmente entre o sudeste asiático, nordeste africano e Mesopotâmia.[299] Tínhamos suprimentos de carne e leite além das plantações para alavancar o crescimento populacional mundial. Por outro lado, quanto maior o número de animais domesticados pelo homem, maior é a chance de sermos atingidos por vírus novos e desconhecidos.

Agora sim, com agricultura e domesticação de animais, microrganismos mais agressivos e letais poderiam sobreviver no homem. Vírus e bactérias que causassem morte frequente garantiriam a perpetuação de suas gerações porque havia muito mais humanos para reinfectar e manter o ciclo. Os grandes aglomerados populacionais decorrentes da oferta abundante de alimentos puderam comportar epidemias ferozes.[300,301] Causadas por agentes mais agressivos do que os de nossos ancestrais africanos, que não podiam matar, mas sim manter uma infecção crônica ou latente dada a raridade de hominíneos.[302] Porém de onde vieram esses novos microrganismos? A resposta estava nas redondezas desses primeiros centros agrícolas.

Em alguma região asiática, plantadores já assentados desfrutavam de seus animais domesticados. O leite do gado entrara na alimentação. Os humanos circulavam pelos criadouros repletos de fezes, urina e outras secreções do gado.

Manipulavam a carne de animais abatidos e, por conseguinte, entravam em contato com sangue dos ruminantes. Essas condições podem ter contribuído para que uma forma mutante de vírus bovino invadisse os primeiros agricultores. Uma vez no homem, sofreu adaptações e passou a causar infecções humanas e epidemias com elevada mortalidade. O que não seria mais um problema – ao vírus, evidentemente – porque não faltavam humanos para reinfectar.

O vírus recém-nascido em uma hipotética tribo asiática foi o responsável pelo surgimento do sarampo, que acompanhou o homem ao longo dos séculos seguintes. Epidemias de sarampo tornaram frequentes no solo asiático. Ganharam força, talvez, nas inúmeras populações aglomeradas entre os rios chineses e indianos e se espalharam pelo continente. O sarampo chegou até a proximidade do Oriente Médio e norte da África. Legionários adoeceram no Oriente na época das campanhas militares do Império Romano. Retornaram combalidos e eliminando vírus pela tosse durante a fase da doença produtora de catarro. Introduziram o mal na Europa.

Epidemias de sarampo ceifaram vidas durante toda a história humana até os dias atuais. Sempre preferiram aqueles mais pobres com defesas comprometidas. A desnutrição favorecia sarampo mais grave com maior mortalidade. Finalmente, o surgimento da vacina trouxe esperanças para controlar o mal. A vacina revolucionou a prevenção do sarampo. Altamente eficaz, previne a doença e possibilita pensar-se até na sua erradicação. Porém, porque a vacina não é acessível a todos, mais de meio milhão de crianças morre anualmente de sarampo nos países pobres.[303] Em virtude da existência da vacina, não seria de se esperar nenhuma morte e nem mesmo um caso da doença. Mas a história da humanidade muitas vezes não acompanha a história da ciência. Disputas, guerras, colonizações, explorações aumentam o abismo das desigualdades. E, portanto, o acesso a vacinas e remédios é limitado.

Mas como sabemos que o sarampo se originou de um vírus que acomete o gado nas estepes asiáticas? Respondemos pela comparação do material genético do vírus do sarampo com o de outros da mesma família. Existem vírus semelhantes que acometem cabras, bodes, carneiros, ruminantes, golfinhos, focas e cães. Mas, de todas essas espécies animais, existe uma em que o material genético de seu vírus é muito semelhante ao do sarampo humano: o RNA do vírus que acomete os ruminantes, principalmente o gado. O vírus no gado causa a peste bovina. Ambos os vírus, do sarampo e da peste bovina, provavelmente evoluíram de um vírus ancestral comum. Na época em que os asiáticos domesticaram o gado, o contato próximo do homem com suas secreções e líquidos excretados propiciou que o vírus bovino atingisse os primeiros agricultores. As mutações originaram o vírus do sarampo.

Suspeitamos do local de origem do sarampo pelos relatos históricos da doença e, indiretamente, pela história da peste bovina originada nas estepes asiáticas. Portanto, o sarampo deve ter surgido pela primeira vez nos povoados desse continente. O vírus da peste bovina encontrou gado asiático aglomerado, cercado e reproduzindo-se. Condição ideal para alastrar-se e precipitar epidemias de peste bovina. Povoados humanos presenciaram desesperados seus rebanhos letárgicos, com febre e supurações (oculares, nasais e bucais), progredirem à morte. Os povos mongóis nômades levaram a doença até o leste europeu. Ruminantes doentes que acompanharam o exército tártaro deram carona ao vírus. A peste chegava ao gado do Velho Continente.

Nos séculos seguintes, a doença atormentou os criadores europeus. Infecções frequentes e recorrentes dizimaram rebanhos. Cerca de 80% do gado infectado morria.[304] Estima-se que por volta de duzentos milhões de cabeças de gado morreram nas epidemias europeias do século XVIII. Posteriormente, o vírus da peste bovina saltaria para a África.

O deserto do Saara bloqueava a entrada da doença nas porções sul da África. Animais suscetíveis à peste bovina não conseguiam atravessar o deserto. O camelo, transeunte dessa área, não é acometido pela doença. Mas a história mudou e o homem introduziu a doença no chifre da África. Na década de 1880, auge da colonização africana pelos países europeus, tropas italianas combatiam na Eritreia. Trouxeram consigo cabeças de gado para alimentação. Muitos desses bovinos portavam o vírus apesar de parecerem sãos.

Outros creditam às tropas britânicas a responsabilidade de levar gado infectado ao solo africano. Um ano após a chegada dos italianos, a doença espalhou-se pela Somália e Etiópia. Rumou tanto para o sul como para o oeste do continente. Os animais, virgens da doença até então ausente em solo africano, começaram a tombar. A epidemia vitimou antílopes, búfalos e rebanhos de gado no final do século XIX. Varreu animais do Sudão, Chade e atingiu a borda do Atlântico. Desceu pela região central da África, passando pelo Quênia e Tanganica até atingir o extremo da África do Sul. Varias tribos sofreram com seus rebanhos exterminados pela doença. A fonte de alimentação e economia esvaiu-se e levou muitos povos à miséria absoluta, como os fulanis.

Estimamos o estrago da peste bovina com o exemplo ocorrido em uma pequena área na Tanzânia. O atual Parque Nacional do Serengeti, próximo ao lago Vitória, foi atingido e exemplifica as alterações ecológicas sofridas pela intromissão viral.[305] A peste bovina alastrou-se entre ungulados da região. Tombaram búfalos, antílopes, zebras, girafas e gazelas. A ausência desses herbívoros diminuiu a oferta de alimentos aos povos masai e sukuma. A fome reinou entre os africanos. Aqueles que escaparam da morte abandonaram suas casas em busca de regiões melhores. Os que permaneceram resistiram a ataques de leões esfomeados que não mais viam os herbívoros que costumavam caçar. A escassez dos ungulados fez com que a população de seus predadores regredisse. O número de leopardos, leões, chacais, chitas e hienas diminuiu. As acácias e gramas não viram mais os dentes dos ungalados e dominaram a região. As moscas tsé-tsé perderam, entre os ungulados, fonte de sangue. Recuaram as epidemias da doença do sono. A regressão do mal não foi motivo de comemoração entre os masai e sukuma, que imploravam por proteína animal. Somente no século XX, o equilíbrio foi retomado. Animais ressurgiram na região e a vacinação contra a peste bovina foi introduzida em meados do século.

Foram anos difíceis para o ecossistema e seus habitantes humanos. Esse é apenas um exemplo do que deve ter se repetido inúmeras vezes pelo solo africano tomado pela epidemia de peste bovina. Tudo se iniciou nas estepes asiáticas em que um vírus ancestral comum originou o vírus do sarampo, o qual o homem levou para outras partes do planeta e que, ao mesmo tempo, originou o vírus da peste bovina, mal também levado pelo homem para outras regiões do mundo.

O VÍRUS DO SARAMPO E SUA FAMÍLIA

Os vírus parentes ao do sarampo são conhecidos pela elevada capacidade de transpor espécies. Sofrem mutações e adaptações que os capacitam a invadir outro tipo de animal e iniciar nova doença. Essa é a principal teoria do nascimento do próprio sarampo. Recentemente, tivemos novos exemplos e, de novo, a domesticação de animais esteve envolvida. Na década de 1990 descobrimos dois novos vírus pertencentes à mesma linhagem evolucionária do sarampo. Os "recém-nascidos" apareceram no sudeste asiático, região que teve sua fauna e flora amplamente estudada pela ciência no século XIX.

Voltemos, então, a abril de 1854, quando uma embarcação inglesa atracou no porto de Singapura. No seu convés encontrava-se a silhueta de um personagem, provavelmente entediado pela longa viagem, que faria sucesso no meio científico. Seria responsável pelo estudo da evolução animal. O naturalista inglês Alfred Russel Wallace pesquisou os aspectos evolucionários das espécies e também dedicou estudos à Geografia e Antropologia. Nascido em 1823, contribuiu, junto com Darwin, na teoria da evolução das espécies.

Wallace rastreou as espécies vivas na Oceania e no sudeste asiático. Deixou amplo registro. Dedicou anos de sua vida percorrendo as ilhas da Indonésia, a região do sudeste asiático, países e ilhas adjacentes. Catalogou uma infinidade de espécies animais e vegetais dessa região rica em ilhas vulcânicas. Realizou uma descoberta que só seria explicada no século seguinte.

Wallace comparou a fauna e flora da região e percebeu que havia uma linha imaginária dividindo-a em duas partes.[306] A ilha de Java, Sumatra, Bornéu e outras vizinhas apresentavam espécies de animais e vegetais semelhantes às da região da Malásia, no continente asiático. Era a porção Indo-Malásia situada acima da linha de Wallace. Ao passo que Nova Guiné, Timor e outras ilhas próximas apresentavam espécies diferentes da primeira região, porém semelhantes às encontradas na Austrália. Era a porção Austro-Malásia abaixo da linha. Wallace encontrou duas regiões com fauna e flora diferentes e separadas pela sua linha. As ilhas pertencentes à porção Indo-Malásia eram habitadas por elefantes, tapir, rinocerontes, tigres, gatos, cervos, esquilos e macacos, todos ausentes do outro lado da linha. A porção Austro-Malásia era coberta por eucaliptos e acácias, diferentemente da floresta tropical encontrada nas ilhas da Indo-Malásia. As espécies de insetos e pássaros eram bem divididas entre as porções. As diferenças saltavam aos olhos devido a singularidades entre as ilhas de Bali e Lombock, com pouco menos de cinquenta quilômetros de distância. Apesar da proximidade, cada ilha ficava em um dos lados da linha de Wallace. Pica-paus e tordos abundavam em Bali, enquanto cacatuas e uma espécie de peru, em Lombock. As diferenças prosseguiam com outras espécies.

Os achados de Wallace foram explicados no século seguinte, com a descoberta do movimento dos continentes pelas placas tectônicas. Wallace estava certo de que as duas porções, apesar de estarem próximas, vieram pela migração de áreas distintas e distantes. A deriva continental fez com que essas duas porções se aproximassem, já com suas faunas e floras diferentes em evolução. O resultado foi encontrarmos duas regiões tão próximas e tão diferentes quanto às espécies de vida que lá habitam.

Além das variedades de animais e vegetais típicas de cada porção, encontramos microrganismos que também são característicos de cada lado da linha de Wallace. Encontramos vírus específicos e nascidos no solo australiano, bem como vírus originários de outras ilhas e regiões do arquipélago.[307,308,309] Mas em algum momento da história um vírus ancestral comum ultrapassou a linha de Wallace. Sofreu mutações e originou dois vírus distintos, um em cada lado. As futuras gerações desse vírus conquistaram a natureza. Mostraram-se aos humanos na década de 1990, um deles na Malásia e outro na Austrália. Como o vírus ancestral fez isso?

* * *

O vírus australiano surgiu em 1994. Uma epidemia desconhecida iniciou-se entre a criação de cavalos da região de Hendra na Austrália. A estranha infecção matou 14 dos 21 cavalos acometidos. Os treinadores tentaram diagnosticar o mal em desesperada medida para salvar aqueles equinos. Porém, estavam diante de um vírus desconhecido e jamais conseguiriam fazer um diagnóstico àquela época. Esses profissionais entraram em contato com secreções e líquidos expelidos pelos animais doentes. Adquiriram a doença. Dois ficaram doentes e um morreu.[310] Raros casos ainda surgiram em áreas distantes de Hendra. As amostras de tecidos e líquidos dos animais revelaram a presença de um vírus diferente de qualquer outro conhecido. Inspirado no lugar em que surgiu, foi batizado de hendra. A humanidade ainda seria apresentada a um primo do vírus hendra. Aquele primo que nascera do mesmo vírus ancestral, comum a ambos, e que conseguira ultrapassar a linha de Wallace. Surgiu quatro anos depois e mostrou ser bem mais agressivo.

No sudeste asiático, a população cresceu de forma exponencial. Aglomerados humanos estenderam-se pela região. As cidades inchadas necessitavam cada vez de mais alimentos para sua crescente população. As criações de animais – gado, porco e aves – proliferaram nas redondezas das grandes cidades.[311] Nas proximidades de Ipoh, na Malásia, as criações de porcos tiveram a rotina alterada em setembro de 1998. Uma estranha doença acometeu o pulmão dos animais e prejudicou a economia de pequenos criadores da região. A infecção acarretava nos porcos tosse, febre, apatia e morte.

Os trabalhadores das criações que manipularam líquidos e secreções dos suínos também adquiriram o microrganismo e começaram a adoecer. Diferentemente dos animais, a doença nos humanos acometia o cérebro. Inflamação do sistema nervoso central ocasionava meningite com vômitos, dores de cabeça, febre e progressão a coma.

Fretes de porcos enviados ao sul levaram a doença à Singapura, o que causou a morte de humanos que abatiam e destrinchavam os animais oriundos de Ipoh.[312] Para controlar a epidemia, os órgãos de saúde obrigaram o sacrifício de mais de um milhão de porcos. Ainda assim, o estrago foi grande: 265 humanos doentes com 105 mortes. Mais de um terço de quem adquiria a doença morria. Um vírus novo foi descoberto: o nipah.

Aprofundamos o estudo do material genético de ambos os vírus. Descobrimos que o nipah e o hendra são parentes muito próximos.[313] Ambos originaram-se de um ancestral viral comum.[314] Provavelmente, ele cruzou a linha de Wallace e evoluiu de um lado com mutações para originar o nipah. Ao passo que do outro lado as mutações originavam o hendra. Como o ancestral conseguiu transpor esses limites? A resposta estava na identificação do animal que alberga os vírus.

Iniciaram-se as buscas desses vírus na natureza logo após as epidemias (pelo vírus hendra em 1994 e pelo vírus nipah em 1998). Acabou-se, após investigação em diversos animais, encontrando-os nos morcegos.[315] Morcegos frugívoros capturados na Malásia apresentavam no sangue e nos líquidos o vírus nipah, enquanto os australianos continham o vírus hendra. Em algum momento esses mamíferos voadores migraram de uma região a outra com aquele que seria o vírus ancestral.[316] Com a separação, sofreram mutações e adaptações próprias até se transformarem em dois vírus diferentes, nipah e hendra.

Vários são os motivos para esses vírus terem atingido o homem.[317] Na verdade, os microrganismos permaneceram nas matas. Nós que adentramos em seu reduto. O aumento populacional desencadeou desmatamento contínuo para suportar a população crescente e também novas áreas agrícolas. Caminhávamos em direção ao interior das matas. As criações de animais cada vez mais numerosas agruparam os mais suscetíveis às epidemias. O habitat reduzido dos morcegos intensificou suas migrações. Apesar de se alimentar apenas de frutas, o morcego consegue passar seu vírus aos animais. Sua urina elimina grande quantidade de vírus, que contaminam alimentos e água das criações. Sua saliva, contaminada, permanece em frutas parcialmente devoradas, e estas, uma vez no solo, podem atingir a boca dos suínos. Essa história pertence a dois novos vírus parentes do vírus do sarampo, mas há diversos outros surgindo pela região do sudeste asiático e Oceania. A maioria em decorrência do contato próximo da população crescente com reservas florestais.

ASCENSÃO E QUEDA DA VARÍOLA

Até agora, o camelo não apareceu como vilão de nenhuma doença citada. Pelo contrário, por livrar-se da peste bovina, não levou a doença ao solo africano através do Saara. Porém, o camelo é o principal suspeito de fornecer um dos maiores males ao homem. Mal que atormentou a humanidade até a segunda metade do século XX. Essa doença avançou nos povoados antigos que acabavam de domesticar seus animais. Não sabemos ao certo se nasceu em solo africano ou na região oeste do continente asiático. Ambas as regiões domesticaram o camelo e despontam como responsáveis por fornecer o vírus que, após adaptações e mutações, originou a varíola humana. O DNA do vírus da varíola é muito semelhante ao DNA de vírus que acomete o camelo.[318] O vírus ancestral evoluiu nos camelos enquanto no homem evoluiu para a extinta varíola.

O DNA de ambos os vírus se assemelha, ainda, ao de outros que acometem alguns roedores. Nesse caso, podemos supor que vírus ancestrais de roedores também possam estar envolvidos na origem da varíola. O camelo pode ter sido vilão para o homem por passar-nos vírus ou, associado ao homem, ambos podem ter sido vítimas dos vírus de roedores. A agricultura e domesticação dos animais, também, ocasionaram concentração de roedores nas vizinhanças humanas disputando restos de alimentos. Entre esses, o gerbo é uma espécie de roedor que pode ter transferido vírus ao homem e ao camelo.

O gerbo habita áreas desérticas. Adaptado à falta de água, economiza-a nos reservatórios de gordura de seu corpo e também elimina urina e fezes muito concentradas, o que poupa a perda de água. Na década de 1930, dezenas de gerbos da Mongólia e Manchúria foram capturados e levados aos Estados Unidos e Japão. Os gerbos americanos foram vendidos à Inglaterra e ambos os países exportaram as crias para diversas regiões. Hoje, são tratados como animais de estimação semelhantes ao hamster. A grande maioria dos gerbos mundiais é descendente daquelas dezenas capturadas na Ásia. Porém, o roedor é originário da Ásia e África, continentes que disputam o surgimento da varíola. Nas duas regiões, que abarcam o vale do rio Nilo, a Mesopotâmia e os rios da Índia, houve aglomerado humano somado com camelos e roedores à época da agricultura.

Até o momento não podemos desvendar o mistério da origem da varíola humana. O vírus pode ter se originado do camelo ou gerbo tanto no solo africano como no asiático. A varíola foi extinta da humanidade na década de 1970 após uma maciça campanha de vacinação mundial e não há mais vírus circulante na natureza para analisarmos seu material genético em detalhes. Portanto, não há meios de comparar vírus na natureza e sabermos se o DNA da varíola originou-se do vírus presente no camelo ou se ambos vieram dos vírus de roedores.

A bem da verdade, existem vírus da varíola estocados a baixas temperaturas em laboratórios americanos e russos. São vestígios da disputa de ambas nações pela hegemonia mundial à época da extinção da varíola e vigência da Guerra Fria. O receio do retorno da doença faz com que esses vírus estejam com seus dias contados, ou melhor, seu destino está traçado: serão destruídos. Ocorreram inúmeros adiamentos e aguardamos a próxima data.

Desde sua origem nas terras asiáticas ou africanas, a varíola percorreu uma longa distância. O homem a levou para os quatro cantos do planeta por rotas terrestres e marítimas. As legiões combatentes do Império Romano trouxeram legionários infectados da Mesopotâmia para a Europa. A varíola aguardou o momento certo para transpor o oceano Atlântico. Surgiu com a descoberta da América e inúmeras embarcações partidas da Europa em direção ao Novo Mundo. A varíola foi introduzida nos índios americanos com as primeiras embarcações, nos anos de 1500. Acometeu a população indígena do Caribe, atingiu o litoral mexicano e ascendeu o planalto do México para chegar à

Colonização inglesa na América do Norte. Os colonos trouxeram a varíola, o sarampo e a gripe – enfermidades que foram transmitidas aos nativos americanos.

cidade de Tenochititlan. Lá prestou auxílio ao espanhol Cortez por acometer e exterminar parte da população asteca. Facilitou a conquista espanhola.

Atingiu também os Andes e a elevada mortalidade dos incas também favoreceu a conquista de Pizarro.[319] A varíola ainda foi levada para o litoral da América do Sul e varreu populações indígenas brasileiras. Os escravos africanos chegavam frequentemente trazendo o vírus, que precipitava epidemias nas embarcações negreiras vindas da África e, também, surtos epidêmicos nas Américas. As ilhas do Pacífico receberam a doença pelas embarcações europeias nas suas expedições de exploração científica.

No final do século XVIII, a doença já se distribuía pelo planeta. A Austrália foi uma das últimas terras virgens a receber a varíola. Com a Independência dos Estados Unidos, os ingleses enviaram embarcações – com a enfermidade – para colonização de sua colônia até então esquecida. Nessa época, um dos parentes próximos do vírus da varíola trouxe esperanças para prevenirmos as epidemias.

A família do vírus da varíola é antiga e, ao longo de milênios, ramificou-se para originar diversos tipos de vírus. Formaram-se aqueles que acometem roedores, ruminantes, camelos, macacos e suínos.[320,321] Cada tipo evoluiu e se especializou em determinadas espécies de animais. Alguns escapavam de sua espécie para originar doenças novas em outras. Ramos evolucionários originaram vírus que acometem o gado (*cowpox*). Posteriormente, originaram vírus que comprometem roedores africanos (*monkeypox*) e, finalmente, as terminações finais da evolução chegaram ao vírus da varíola, do camelo e do gerbo.[322,323]

Foi o vírus que acometeu o gado, *cowpox*, que nos livrou da varíola. A responsável foi o médico Edward Jenner.[324,325] A doença da vaca pelo *cowpox* surgia esporadicamente pela Inglaterra. Causava lesões bolhosas na mama das vacas sem maiores consequências para esses animais. Porém, a infecção atingia humanos em determinadas circunstâncias. As mãos das mulheres responsáveis pela ordenha entravam em contato com as bolhas e também passavam a ter bolhas. O vírus era transmitido para as mãos em forma de bolhas, que rompiam e cicatrizavam. A infecção não causava maiores transtornos.

O vírus da varíola e do *cowpox* apresentam semelhanças no DNA porque vieram de um ancestral comum. Portanto, quando o sistema de defesa dessas mulheres montava anticorpos para o *cowpox* acabava, por tabela, criando células de defesa contra a varíola. Tornou-se crença comum no interior da Inglaterra que a mulher que adquirira o *cowpox* não pegaria a varíola. Isso não passou despercebido aos olhos de Edward Jenner em 1796.[326] Ele pensou em inocular o conteúdo das bolhas do úbere da vaca nos braços das pessoas. Preveniria, assim, o adoecimento pela varíola. A história da primeira vacinação é repleta de detalhes que não vou reproduzir aqui. Importante sabermos que a evolução nos deixou vírus primos que possibilitaram a idealização da primeira vacina.

COINCIDÊNCIAS TRÁGICAS

A varíola castigou a população mundial durante séculos. Famílias enterraram crianças nas inúmeras epidemias da doença. Muitos doentes se restabeleceram da infecção apesar de permaneceram com cicatrizes na pele de aterrorizar os mais vaidosos. Outros sobreviventes ficaram cegos pelo acometimento da doença aos olhos. As epidemias visitaram as cidades europeias entre os séculos XV e XIX. Na mesma época, a população presenciou uma nova ameaça: muito frio. Hoje, podemos reunir evidências de que ambos os acontecimentos, epidemias e alteração climática, podem não ter sido coincidência.

Pequenas mudanças climáticas já vinham ocorrendo desde o século XIII, mas o frio que pairou nas cidades europeias era algo novo para seus moradores. Foram tempos difíceis durante esse período conhecido como "Pequena Era Glacial". As vilas nos Alpes presenciaram o gelo dos picos das montanhas descerem até suas cercanias. Muitas ficaram tomadas pela calota de gelo. Vilarejos na Inglaterra foram abandonados. Rios e lagos europeus congelaram nos invernos rigorosos. Porém, o mais grave foi perder solo propício à agricultura. Alemanha e França perderam terras agrárias ao clima. A fome reinou. Sabemos que os períodos de fome favorecem as epidemias. Crianças desnutridas e debilitadas adoecem com mais frequência. Porém, nesse caso as epidemias podem ter precipitado o surgimento da "Pequena Era Glacial". Elas influenciaram o clima?

A teoria, recente, relaciona as grandes epidemias com os consequentes séculos de frio e fome vividos pela população europeia. A partir do século XIV, as epidemias ocasionaram uma grande mortalidade mundial. A chegada da peste negra em 1348 eliminou um terço da população europeia e mais milhares de pessoas na Ásia. A peste ainda retornaria periodicamente nas cidades europeias com mortalidades semelhantes. A descoberta da América trouxe epidemias para os índios a partir do século XVI. A varíola, o sarampo e a gripe mataram mais da metade da população indígena americana.

O frio, segundo a teoria, seria consequência da diminuição do gás carbônico na atmosfera. Exatamente o oposto do que vemos hoje, quando o acúmulo do gás aprisiona a radiação solar e é responsável pelo aquecimento do planeta conhecido como efeito estufa. Nos séculos da "Pequena Era Glacial", a queda populacional, causada pelas epidemias, reduziu a intensidade de queimadas e desmatamento, o que contribuiu para a diminuição do gás carbônico. Além disso, populações dizimadas abandonaram terras anteriormente produtivas e as florestas conquistaram as terras agrárias abandonadas. A invasão verde retirou o gás carbônico. Queda que é confirmada em estudos que o quantificaram em amostras de gelo da Antártica.

ANATOMIA DA GRIPE

A domesticação dos animais trouxe microrganismos ao homem que, adaptados e mutantes, foram responsáveis por algumas de nossas epidemias.[327,328,329] Acompanharam as migrações humanas e se tornaram parte da nossa história. São os exemplos da varíola e do sarampo, como já vimos. Há um tipo de vírus que pode ter iniciado suas investidas desde o início das criações animais, persistindo até hoje, quando existe maior quantidade de criações e com mais densidade para alimentar mais de seis bilhões de humanos. Esse cenário do vírus partindo dos animais em constantes ataques aos seus criadores se perpetua por milênios e mostrou sua agressividade nos primórdios do século XXI.

O sudeste asiático presenciou o avanço das plantações, principalmente de arroz. A natureza nunca dispersara aqueles vegetais em tão larga escala. Além disso, grupos de animais também mudaram o meio ambiente. A região presenciou a chegada de novos animais e seu alastramento. Eles eram cercados e controlados de perto pela população humana cada vez maior. Os asiáticos tinham a seu dispor alimentos plantados e animais para reprodução.

Algumas aves reproduziam-se na vizinhança das habitações humanas. Aglomeravam-se ao longo dos rios férteis da atual China. Essas aves habitavam, no início, a selva tailandesa.[330] Reproduziam-se de maneira tímida, porém suficiente para perpetuar a espécie. Algumas foram caçadas. Outras, poupadas de uma morte imediata para a reprodução em cativeiro. Os ovos eclodiam em diminutas aves, aos olhos ávidos dos humanos que buscavam implementar sua alimentação. Essas criações se estenderam em direção ao norte e atapetaram o sudeste asiático, incluindo a China. Foram selecionadas as aves de maior tamanho para gerarem crias maiores e, portanto, renderem mais proteína animal aos humanos. Gerações de criação modificaram o seu aspecto, que se tornou bem diferente daquelas da Tailândia.[331] Nasceram, dessa forma, no sudeste asiático, as primeiras aves que evoluíram para as atuais galinhas. Ainda seriam transportadas para regiões do oeste da Ásia.

Os futuros chineses conviviam com plantações de arroz e outros vegetais menos expressivos, associados a um número crescente de galinhas ao redor de suas moradias. Ainda surgiria outro companheiro desse novo ecossistema: o javali. Viria das ilhas do sudeste asiático. Os javalis colonizaram o sudeste asiático, as porções sul da Ásia e expandiram a colonização para o território europeu. Essa rota baseia-se em estudos do DNA dos javalis esparsos nessas regiões.[332] Portanto, tem alta probabilidade de ser verídica, apesar da ocorrência de discussões e lacunas a serem preenchidas.[333]

Em alguns momentos e locais distintos, os humanos apoderaram-se de algumas subespécies de javalis já sob os efeitos da evolução. Em vez de matá-los para saborear a sua carne, optaram por mantê-los aprisionados em cativeiros para reprodução. Assim, conseguiriam alimento muito mais fácil do que com a caça. Gerações de javalis com mutações levaram a descendentes menos agressivos. Originaram-se, assim, os porcos atuais. O porco foi domesticado em regiões e momentos diferentes na Ásia e Europa. Os descendentes mais apetitosos foram separados para futuras crias. Transformávamos os animais selvagens e selecionávamos as melhores crias conforme nossa conveniência.[334]

Regiões asiáticas concentravam galinhas, porcos e humanos. Preparava-se o terreno para o nascimento de mais uma doença infecciosa humana originária dos animais. Diferente das demais, perpetuaria sua transposição dos animais aos humanos ao longo dos dez mil anos seguintes e, nos dias atuais, trouxe pânico.

Os habitantes do sudeste asiático não sabiam que esses animais eram suscetíveis a um determinado vírus e, involuntariamente, criaram ótimas condições de infecções. Enquanto esparsos na natureza e embreados nas matas, os animais raramente se infectavam. O vírus agredia sua vítima e desaparecia daquele grupo em decorrência dos poucos animais circulantes. Ao domesticá-los, criamos aglomerados que forneceram condições para que o vírus saltasse de um animal ao outro. Estamos falando aqui do famoso vírus da gripe das manchetes recentes dos jornais, o responsável pela "gripe do frango".

* * *

O vírus *influenza* tipo A, ao que tudo indica, esteve presente nas aves aquáticas e migratórias. Circulava em patos, marrecos, gansos, flamingos, cisnes, gaivotas, garças e outros. Essas aves albergavam no intestino o vírus, que se proliferava e, em algumas espécies, não ocasionava doença. São os principais reservatórios do vírus na natureza e o eliminam nas suas fezes. Durante as migrações para as mais distintas regiões, as aves paravam em reservatórios de água também frequentados por galinhas e porcos, ambos suscetíveis ao vírus. As fezes das aves migratórias continham *influenza* ou algum vírus ancestral que, eliminados nos reservatórios de água, eram ingeridos pelos animais de criação humana. O vírus circulava com facilidade entre espécies de porcos, galinhas e aves aquáticas e migratórias. Poderia sofrer mutações e adaptações ao invadir as novas espécies e, também, ao retornar às espécies primeiramente fornecedoras. Mutações acumuladas originariam diversas formas do *influenza*.

Pesquisadores da Pensilvânia estudaram o material genético de amostras do vírus *influenza* presente em animais de diferentes continentes e construíram sua "árvore genealógica". Calcularam o tempo das mutações e encontraram a data em que viveu o primeiro ancestral de todos os vírus atuais. Essa primeira forma do *influenza* existiria há cerca de dois mil anos.[335] Época em que já haviam instalado a agricultura e a domesticação dos animais. Possivelmente, as criações asiáticas de galinhas e porcos contribuíram para maior número de vírus circulante entre diferentes espécies. Desde então, as variações genéticas originaram as diferentes formas do vírus *influenza* encontradas nas aves aquáticas dos dias atuais. As epidemias entre os animais domesticados criaram condições para que o vírus, em grande número, atingisse o homem. Essa é a teoria do surgimento dos primeiros casos de infecção pelo vírus da gripe. No homem, o vírus adquiriu mutações e adaptações para permanecer na espécie humana e atacá-la mais durante os invernos. Mas órgãos internacionais descreveram um problema bem mais grave: novos vírus *influenza* causaram transtornos mundiais e epidemias com maiores consequências.

O problema assinalado hoje começou há dez mil anos. De lá para cá, os animais originaram gerações e gerações de descendentes que serviram de alimento à população humana asiática crescente. Quantidades grandes de vírus circulavam entre as aves aquáticas e migratórias que os traziam para os animais de criação. O vírus circulava entre as espécies de aves e porcos que os trocavam. O homem, no olho do furacão, expunha-se ao risco de adquirir vírus mutantes e epidemias letais. Estava criada a receita de pandemias (epidemias que se alastram para outras regiões, países e continentes) pelo vírus da gripe. A maneira como se forma esse vírus letal é extremamente interessante pela sua alta complexidade e demonstra o poder da natureza.

Há diversos tipos de vírus *influenza* e cada qual infecta determinadas espécies animais. Isso acontece por causa de uma molécula presente na superfície viral, a hemaglutinina, que é diferente em cada tipo de vírus. Ela funciona como um radar para encontrar sua presa pelo contato. Para entender melhor, vamos tentar visualizar o vírus *influenza*. Ele se assemelha ao ouriço do mar, mas milhares de vezes menor: é esférico, com várias projeções na sua superfície, como os espinhos do ouriço. O vírus desliza pelas vias respiratórias do animal atingido em busca das células. Utiliza essas projeções na superfície para encontrar e reconhecer a célula alvo de seu ataque. Procura por moléculas que se encaixem perfeitamente às suas. Caso a encontre, o vírus adere e invade a célula. Se não a reconhecer, então a invasão é abortada.

São conhecidos 16 tipos de hemaglutinina e, portanto, classificamos os vírus *influenza* de H1 até H16.[336] Existe, ainda, outra molécula presente no vírus, a neuraminidase com 9 tipos diferentes. Portanto, também classificamos o vírus de N1 a N9. Por esse motivo nos habituamos com as manchetes de jornais sobre a epidemia aviária da Ásia causada pelo vírus H5N1.

Todos os tipos de vírus da gripe conseguem sobreviver no organismo de aves aquáticas e migratórias. Poucos são aqueles com a capacidade de invadir outros animais, como humanos e suínos. As pandemias letais vieram exatamente de alterações genéticas que os tornam capazes de atingir o homem. Com a globalização do transporte, principalmente após o período industrial, essas pandemias ganharam força. O Brasil conheceu, em 1889 e 1890, um

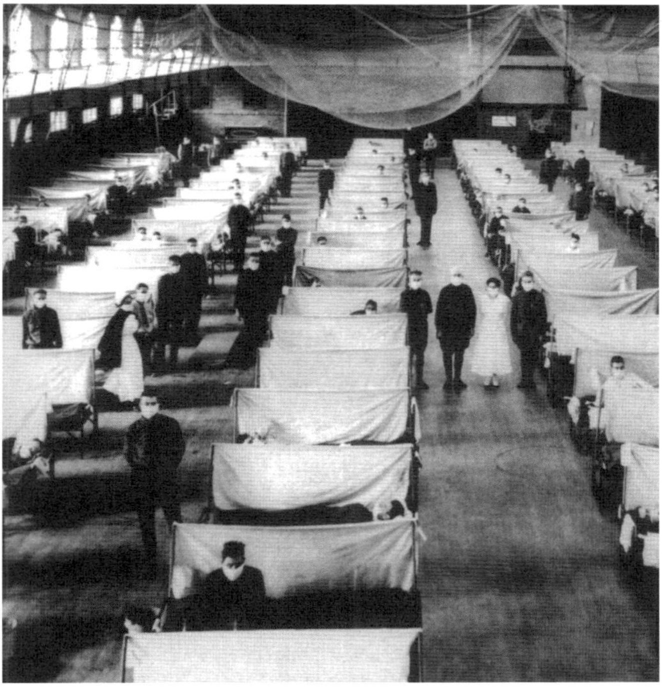

Imagem da pandemia de gripe espanhola de 1918. O ginásio de esporte da Universidade do Estado de Iowa (EUA) foi transformado em enfermaria para recuperação dos doentes.

vírus da gripe surgido no sul da Rússia que se alastrou pelo continente europeu. Embarcações a vapor circularam o vírus com maior eficiência. Pessoas doentes embarcaram em um paquete na cidade de Hamburgo. Desembarcaram em Salvador. Suas tosses e corizas transferiram o vírus para quase metade dos habitantes da cidade. A doença alastrou-se pelo litoral nordestino e alcançou o Rio de Janeiro. Levou D. Pedro II para cama. Não deixaria vestígios, porém, para estudarmos com a ciência do século XX. Ao contrário do que ocorreu com a próxima e mais grave, a epidemia da gripe espanhola de 1918.

No último ano da Primeira Guerra Mundial, a Europa foi assolada por uma das piores pandemias de gripe da história. Nascida em território americano ou asiático, alastrou-se pela Europa com ajuda da guerra. A primeira onda de casos foi efêmera e ocorreu na primeira metade de 1918. No final de agosto, porém, as consequências foram muito mais severas. O vírus transferiu-se de pessoa a pessoa e ganhou progressivamente todo o planeta. O número de casos explodiu. Uma embarcação proveniente de Liverpool com escalas em Recife, Salvador e Rio de Janeiro foi a provável responsável pela introdução da gripe espanhola no Brasil. O planeta ficou gripado. Cerca de vinte milhões de pessoas morreram de uma gripe muito mais letal do que costumávamos presenciar. Alguns pesquisadores elevam o número de mortes para próximo dos quarenta milhões. Não era um vírus qualquer da gripe, era um vírus recém-criado e recém-entrado no organismo dos humanos. Como não estávamos habituados a ele, não apresentávamos defesa formada e necessária para evitar tamanha mortalidade.

Os países em guerra dificilmente admitiriam que seus exércitos estavam sendo dizimados pelo vírus da gripe. A censura das nações em guerra omitia declínio do poderio militar diante de uma luta tão disputada. A epidemia poderia perfeitamente ser atribuída, então, a uma nação neutra na guerra. Isso deve ter sido o motivo da epidemia ser conhecida como "gripe espanhola".[337] Na Inglaterra e no País de Gales, morreram cerca de duzentas mil pessoas. Os Estados Unidos computaram meio milhão de mortes. Boa parte entre os acampamentos militares com soldados de prontidão a serem enviados aos campos de batalha europeus. Povoados de esquimós tiveram mais da metade de seus habitantes mortos pela gripe. Na Índia, o número é ainda mais espantoso: cinco milhões de mortes.

Dos mais de vinte milhões de humanos mortos pela doença, cinco personagens entrariam para a História da gripe espanhola: um esquimó, dois soldados americanos e duas vítimas que passaram seus últimos dias agonizantes em um hospital de Londres. Muitos avanços científicos vieram após o término da epidemia da gripe espanhola. O microscópio eletrônico nos revelaria a silhueta dos vírus que, à época da gripe espanhola, eram imaginados, mas nunca visualizados. Aprenderíamos a estudar o DNA e RNA dos microrganismos. No final do século XX, um grupo de cientistas conseguiu recuperar pedaços de pulmão dessas cinco pessoas falecidas havia oito décadas. Alguns fragmentos do tecido estavam preservados em produtos químicos. Foram retirados durante a necropsia dos soldados americanos e nos londrinos vitimados pela doença e foram guardados em produtos que os conservaram. O fragmento pulmonar do esquimó foi recuperado pela exumação de seu corpo na década de 1990. Seus órgãos encontravam-se parcialmente preservados pelas terras gélidas do Alasca.[338]

Os pesquisadores estavam diante de fragmentos pulmonares e neles estaria presente o material genético do vírus que exterminou mais de vinte milhões de pessoas em 1918.[339] Bastava sequênciar seu RNA para ficar cara a cara com o maior vilão do século XX. Foi o que fizeram. O vírus *influenza* surgiu diante dos olhos da ciência. Sabíamos agora o tipo responsável por alcançar nossos antepassados da década de 1910, era o H1N1. Seu material genético apresenta semelhanças com o tipo de *influenza* encontrado em porcos e também em aves. Apesar de termos em nossas mãos a identidade do vírus da primeira pandemia de gripe do século XX, falta ainda confirmar sua procedência. Seriam as aves, os porcos ou vírus humanos mutantes?[340]

Duas outras pandemias de gripe surgiram no século XX e mostraram a complexidade desse vírus na natureza. Uma ocorreu pelo H2N2, em 1957, e matou mais de um milhão de pessoas; enquanto a outra, em 1968, pelo H3N2, vitimou cerca de 700 mil habitantes do planeta.[341] As duas originadas no continente asiático. Os estudos mostraram que ambos os vírus tinham pedaços de seu material genético iguais aos do vírus *influenza* que acometem patos. Os patos poderiam ter transmitido seu vírus aos humanos e desencadeado as epidemias das décadas de 1950 e 1960. Porém, existia algo mais nesse material genético: fragmentos de genes do próprio *influenza* humano. Descobríamos dois novos vírus *influenza* formados pela mistura de genes de vírus de patos e vírus que causam gripe em humanos.[342] Por algum motivo surgira vírus com mistura de genes. Como seria possível?

Vamos entender, primeiro, como o vírus *influenza* se reproduz. Ele contém oito fragmentos de RNA que, após a invasão celular, conseguem que a célula "alugada" obedeça às suas ordens e fabrique novos vírus. Em uma das últimas etapas de fabricação viral, vários desses fragmentos de RNA copiados são reunidos, empacotados e envolvidos pelo envelope viral, que também é fabricado na célula invadida. A linha de produção termina com um novo vírus. Essa proliferação superlota o interior da célula e precipita a sua explosão, que, após cumprir seu papel de fábrica, deixa de ter utilidade. Dessa forma, novos vírus idênticos ao invasor são eliminados e invadem novas células. Agora fica mais fácil entender como surgiria, nas décadas de 1950 e 1960, um novo vírus da gripe originado pela mistura de RNA dos vírus do homem e do pato.

Encontramos a resposta nas células dos animais que esses vírus invadem e nas quais se reproduzem. Comparemos o ocorrido com duas pessoas que fazem cópias de seus livros em uma copiadora. Uma pessoa (chamemos de cliente A) leva um único embrulho contendo oito livros diferentes para serem reproduzidos. Pede que sejam feitos dez pacotes iguais ao embrulho que trouxe. O pacote completo seria comparado ao vírus *influenza,* enquanto os oito tipos de livros seriam seus oito fragmentos de RNA. O atendente da loja abriria o embrulho, realizaria as dez cópias de cada livro e, assim, teria vários livros em cima de suas prateleiras. A tarefa seguinte seria separá-los em dez grupos com os oito tipos de livros para então tornar a empacotá-los. Essa seria a sequência com que o vírus se prolifera na célula animal que infecta: primeiro desfazer o pacote, copiar cada um dos livros e depois montar os dez embrulhos idênticos ao trazido pelo cliente. Lembrando que a célula infectada seria a loja, o vírus seria o embrulho e os oito fragmentos de RNA virais seriam os oito livros copiados.

Imagine agora que um segundo cliente (cliente B) levasse um novo embrulho com oito livros diferentes para aquele lojista também realizar dez cópias de cada livro. Nesse caso poderia ocorrer uma mistura acidental. O lojista faria ambos os serviços em um mesmo dia. Ao término das cópias dos livros (dos clientes A e B), teria que separá-los e empacotá-los. Em um momento de distração alguns pacotes poderiam conter alguns livros do cliente A misturados com outros do cliente B. Dessa forma, sairia da loja um terceiro tipo de embrulho contendo oito livros misturados dos dois clientes. Isso pode ocorrer na natureza com o *influenza*. Uma célula animal invadida por dois tipos de vírus *influenza* copia o RNA de ambos e pode misturá-los ao empacotar. Essa é a explicação pela qual as pandemias das décadas de 1950 e 1960 foram causadas por vírus *influenza* formados pela mistura de RNA de vírus humano e aves.

O vírus das aves pode sofrer mutação que o torna capaz de invadir o homem, que, por sua vez, já pode ter uma infecção pelo seu próprio vírus da gripe. Presentes nas mesmas células, ambos poderão ser misturados, formando um terceiro tipo. O primeiro vírus da ave pode, apesar de adquirir capacidade para invadir o homem, não ter condição de ser transmitido de pessoa a pessoa pela tosse ou espirro. Mas no momento em que seu material genético for misturado com o do vírus humano esse tipo de transmissão pode ocorrer e, assim, iniciar uma nova pandemia. Estaríamos diante de um vírus recém-criado e, portanto, estranho ao nosso sistema de defesa. Resultado: pandemia fatal. Para isso ocorrer basta a natureza fornecer mutações nos vírus das aves que os tornem capazes de invadir o homem, porém o *influenza* estabelecido no homem e nas aves não se transmite, exceto se aparecem formas novas nas aves como o H5N1. Mas não precisaríamos esperar tanto se lembrarmos de outro animal suscetível ao *influenza*, o porco.

Os vírus das aves e dos humanos têm capacidade de invadir os suínos. Esse seria um forte candidato para receber ambos e precipitar a mistura de seus RNA. Os ingredientes para isso foram encontrados no continente asiático com seus aglomerados humanos, de aves migratórias e criação de porcos. E, como sabemos, quanto maior o número e tamanho dessas criações e maior os aglomerados humanos, maior será a quantidade de vírus circulando. Receitas para uma elevada chance das misturas de RNA.[343]

Além da mistura de fragmentos de RNA, o próprio vírus pode sofrer mutação no momento de sua replicação que os tornaria mais agressivos e letais. Isso foi demonstrado em granjas do México, na primeira metade da década de 1990. As aves migratórias dos Estados Unidos trouxeram alguns tipos de vírus *influenza* para as granjas mexicanas. As galinhas foram acometidas por esses vírus desde 1993, mas permaneciam saudáveis. Por isso, não foram tomadas medidas de emergência pelos criadores, como extermínio ou quarentena das aves. Seria um prejuízo desnecessário à economia daquele país. Porém, a conduta mostrou-se equivocada. O vírus revelou-se mais surpreendente do que parecia e no ano seguinte sofreu mutações.[344] Isso o tornou bem mais agressivos e precipitou epidemias com alta mortalidade entre as granjas mexicanas. O vírus tinha a capacidade de alterar-se na natureza e tornar-se agressivo.

As criações mundiais necessitam fiscalizações contínuas para evitar a introdução de vírus *influenza* que precipitem epidemias letais. Muitas vezes, o microrganismo é trazido pelas aves migratórias de difícil controle. Uma vez descoberto tal vírus entre as criações animais, é necessário interromper a epidemia. A única maneira é eliminar os animais suscetíveis e ainda não infectados. Assim, o vírus não encontra mais animais vulneráveis e desaparece da região. Por esse motivo, assistimos noticiários com extermínio de grande número de animais de criação. Prejuízo certo à economia da região. Na década de 1990, ocorreram epidemias em granjas da Arábia Saudita, Paquistão, Irã, Coreia, Itália e China.[345] Os primeiros anos do século XXI foram marcados também pelo extermínio de aves na Holanda, Bélgica e Alemanha.

São muitos os tipos de *influenza* baseados na classificação de hemaglutinina e neuraminidase, como visto anteriormente. O número sobe ainda mais se considerarmos a capacidade de misturarem o RNA entre si, além de suas próprias mutações. A maioria dessas epidemias traz um prejuízo comercial, mas pouco risco ao homem por serem tipos de vírus característicos por acometer apenas aves. Exceto pela epidemia iniciada em 1997 que culminou na "gripe do frango".

A PONTA DE UM *ICEBERG*

O ano de 1997 foi marcado pelo surgimento de um vírus da gripe ameaçador. Julgávamos tê-lo controlado, mas tivemos uma surpresa. Em algum lugar da Ásia, provavelmente em alguma província do sul da China, ocorreu um encontro macabro. Alguns gansos e codornas dividiram o mesmo espaço. Algum lago, rio ou represa testemunhou o contato desses animais que buscavam alimentação ou água. Evacuaram nas imediações. Trocaram, provavelmente, ameaças na disputa de alimentos. Mas também trocaram vírus *influenza*. Provavelmente, vírus *influenza* dos gansos invadiram o organismo das codornas.[346] No ano anterior ocorrera epidemia em uma fazenda de gansos na província de Guangdong que era causada por um *influenza* mais agressivo. Houve uma mistura de RNA entre, talvez, dois tipos de vírus das codornas com o vírus do ganso. Nasceu um novo *influenza* tipo H5N1 que já presenciamos entre os noticiários.

Ele circulou entre esses animais e pode ter atingido também aves aquáticas e migratórias. A população de Hong Kong festejava a mudança de soberania da Inglaterra para a China sem saber que algo microscópio aproximava-se de seu território. Em 1997, o novo vírus chegou às criações de galinhas e causou epidemias entre granjas de Hong Kong. Porém os órgãos de saúde não ficaram alarmados. Afinal, o H5N1 era típico de aves e sabia-se que jamais atingira o homem. Esse seria diferente.

O vírus foi capaz de saltar das galinhas ao homem pela primeira vez. Causou gripes humanas severas em que um terço dos doentes morreu.[347] Foram 18 casos de gripe com 6 mortes, todos habitantes de Hong Kong que trabalhavam no meio das aves. Eram criadores, tratadores, trabalhadores de mercados ou outros profissionais com contato próximo com aves e seus excrementos.

Membros internacionais de controle de doenças emergentes voaram para Hong Kong e identificaram o novo vírus. A história de 1918 poderia se repetir. Bastava que o material genético desse novo vírus se misturasse ao RNA de vírus humano. Isso poderia ocorrer no próprio organismo do homem portador de gripe ou mesmo em porcos. Necessitou-se, para evitar a catástrofe, dizimar mais de um milhão de aves.

Controlaram a epidemia pelo H5N1 nas aves de Hong Kong, porém o mal já estava feito. O novo *influenza* circulava na natureza. Aguardava o momento certo para mostrar sua cara e, enquanto isso, sofria mutações.[348] O vírus provavelmente atingiu aves migratórias que o transportaram livremente pelas regiões da Ásia. Nos anos seguintes seria encontrado em aves aquáticas e migratórias.[349] Nos meses de temperatura mais baixas na região, entre outubro e março, ocorreram epidemias nas aves aquáticas. Porém a partir de 2001 o vírus atingiu também aves terrestres: pato, marreco, gaivota, ganso, cisne, garça, flamingo, pardal e pombo.[350,351] Esporadicamente retornava aos humanos, mas em número de casos muito tímido. Mesmo assim, mostrou que não perdera sua agressividade e poder de matar. Em fevereiro de 2003 causou a morte de dois membros de uma família chinesa. O policiamento de seu material genético mostrou que sofrera misturas de RNA à medida que acometia um número maior de aves aquáticas e, posteriormente, terrestres.

Seu material genético isolado em vírus circulantes no ano de 2001 mostrou que houve seis fragmentos de RNA misturados com vírus de outras aves. Em 2002, no ano que já atingia aves terrestres, eram identificados mais oito tipos diferentes de H5N1 pela mistura de seu RNA. Algumas alterações no seu material genético foram fundamentais para poder invadir as aves terrestres. Ao final de 2002 já chegava a nove os tipos de H5N1 circulantes no sudeste chinês.[352] Um desses tipos de vírus H5N1 predominou entre as aves e iniciou a tomada nos territórios do continente. Utilizavam-se das aves aquáticas migratórias para conquistar e colonizar novos e distantes territórios.

O final do ano de 2003 foi marcado pelos avanços do vírus H5N1 no espaço humano. Em dezembro daquele ano, dois leopardos e dois tigres do zoológico da Tailândia morreram após comer carcaça de galinha. O vírus adquirira a capacidade de invadir felinos. Iniciou epidemias nas aves de criação. Em três meses acometia criações na Coreia, no Vietnã, no Japão, na Tailândia, no Camboja, em Laos e na Indonésia. Humanos doentes surgiram no Vietnã e na Tailândia. Em meados de 2004, o vírus adquirira a capacidade de matar aves aquáticas selvagens, que até então acreditávamos serem apenas portadoras e não adoecerem.[353] A Malásia entraria na lista dos países que conviviam com epidemias nos animais de criação. Estava instalada a epidemia da "gripe do frango". O número de mortes humanas começou a se elevar no Vietnã e na Tailândia. Em meados de 2005, a Indonésia entrou na lista dos países em que humanos eram acometidos pelo vírus. O zoológico tailandês presenciou a morte de mais tigres. A lista de países com doença humana pelo H5N1 crescia. Tombavam humanos do Camboja, da China e do Laos.

Em 2005, pouco mais de um ano após o início da epidemia asiática, descobriu-se mais de seis mil aves migratórias mortas no lago chinês Qinghai. Todas acometidas pelo vírus H5N1. O lago recebe centenas de milhares de aves migratórias e, devido à sua localização na região central da China, esses animais poderiam carregar o vírus para as proximidades da Europa e sul da Ásia.[354] Foi o que aconteceu. Surgiram animais doentes na Rússia, no Cazaquistão, na Mongólia, na Turquia, na Ucrânia, no Kuwait, na Romênia e na Croácia. O vírus se espalharia entre aves domésticas e criações. O surgimento de doentes humanos na região era apenas uma questão de tempo.

Na primeira metade de 2006 o vírus consolidaria sua presença no Oriente Médio e leste europeu enquanto avançava pela Europa. Aves delataram sua presença em solo da Bulgária, Eslovênia, Áustria, França, Hungria, Bósnia, Suíça, Sérvia, Suécia, Polônia, Dinamarca, Itália, Grécia e Alemanha. A migração das aves levou o vírus para países africanos: Egito, Nigéria, Sudão, Camarões e Djibouti.

Em 2006 humanos acometidos pela gripe tombavam na Ásia, principalmente na Indonésia. Foram relatados casos, ainda, na Turquia, no Iraque e no Azerbaijão. No mesmo momento, humanos também eram atingidos no Egito e no Djibouti, no novo continente conquistado pelo vírus.

Desde então, aves doentes surgem de maneira esparsa em regiões dos três continentes. Em 2008 são computados quase quatrocentos casos humanos no planeta, e, destes, 63% morreram.[355] A comunidade científica aguarda surgirem novas áreas com epidemias pelo H5N1. Quanto maior a circulação do vírus, maior será a chance de acometimento humano. Quanto maior o número de humanos infectados, maior o risco de ocorrer uma mistura com o vírus *influenza* humano em nosso organismo. Para isso basta um humano ser acometido pelo seu vírus da gripe ao mesmo tempo em que o vírus H5N1 o invadir.

A mistura de RNA também poderá ocorrer em outro animal infectado por ambos os vírus, como o porco. Essas alterações podem fazer que o H5N1 adquira a capacidade de transmissão pessoa a pessoa, pela tosse ou espirro, e iniciar uma nova pandemia de gripe como a vista em 1918. Isso ainda não aconteceu. Todos os casos de morte até agora ocorreram em pessoas com contato próximo às aves. Mas outra possibilidade para uma nova pandemia letal ganhou espaço no mesmo instante em que o H5N1 reinava na Ásia.

O passado novamente trouxe informações valiosas a respeito do surgimento da pandemia de 1918. Novos fragmentos do RNA do vírus *influenza* da pandemia de 1918 foram esmiuçados. Constatou-se semelhança com o RNA de vírus de aves. O vírus *influenza* de aves sofreria pequenas mutações suficientes para se adaptar no organismo humano e elevar sua agressividade e capacidade de transmissão de pessoa a pessoa.[356] Nesse caso, o vírus da "gripe espanhola" não teria sido resultado de uma mistura genética, mas sim de mutações e adaptações do vírus da ave.[357,358] Se essa hipótese for comprovada, o fato de haver mais de trezentos humanos acometidos pela infecção pelo H5N1 das aves é ainda mais preocupante. Pois em qualquer momento uma mutação, sem a necessidade de mistura de RNA, poderia tornar esse vírus capaz de transmissão de homem para homem. Nesse caso, viveríamos uma, talvez, "pandemia da gripe asiática" tão letal, se não mais, que a remota pandemia da "gripe espanhola" de 1918. Enquanto isso permanece no terreno das especulações, retornemos à época das primeiras domesticações dos animais.

NÓS, OS SOBREVIVENTES

A domesticação dos animais trouxe consequências importantes à nossa dieta. Mudanças enzimáticas transformariam nossa digestão. No período em que éramos nômades caçadores e coletores, conseguíamos adquirir alimentos variados. Porém, necessitávamos de um açúcar fundamental para sobrevivência das crianças, a galactose. Sua ingestão era crucial para desenvolver o cérebro dos filhos do *Homo sapiens*. E nenhum animal ou planta continham galactose na natureza. A única fonte era o leite materno.

As mães utilizavam glicose dos alimentos e, por reações químicas, sintetizavam galactose. Esta última ainda era unida a outra molécula de glicose para formar outro tipo de açúcar, a lactose (galactose + glicose). Agora, sim, as crianças recebiam lactose despejada no leite materno. A galactose não existe na natureza e a lactose, por sua vez, só é encontrada no leite dos mamíferos.

As crianças precisavam quebrar a molécula de lactose para retirar do seu interior a galactose necessária. Desfaziam a ligação de galactose e glicose que formava a lactose. Isso ocorria ainda no intestino. As células intestinais infantis produziam a enzima lactase, que se unia à lactose e quebrava a ligação liberando livremente a galactose. A lactose descia pelo estômago dos lactentes sendo decomposta. Agora absorvíamos galactose livre que seguia pelo sangue aos órgãos em desenvolvimento.

A história se alterava com o crescimento das crianças ávidas pela galactose. Ao crescerem, não precisavam mais da galactose e, portanto, o leite materno deixava de ser fundamental. Se não tínhamos a ingestão de leite materno, então não precisaríamos quebrar a molécula de lactose. Conforme as crianças cresciam e deixavam de mamar, os genes responsáveis pela produção da lactase eram bloqueados. O intestino suspendia a produção da enzima. Os homens adultos não produziam mais a enzima lactase. Portanto, não estavam programados para receber leite.

Se voltássemos no tempo há pouco mais de dez mil anos e fornecêssemos um banquete de leite aos nossos ancestrais caçadores e coletores, presenciaríamos diarreias coletivas. Apenas os lactentes permaneceriam tranquilos a observar tamanho caos nos adultos. Os mais velhos deixariam de digerir a lactose, que avançaria até as porções finais do intestino e, por ser uma substância osmótica, puxaria água causando a diarreia. As bactérias intestinais, ávidas por açúcar, utilizariam a lactose e surgiriam flatulências e cólicas pela produção de gases. Ainda hoje existem pessoas com deficiência na produção de lactase que desenvolvem esses sintomas ao tomar leite. O banquete hipotético descrito foi servido pelo próprio homem quando domesticou os animais.

Os animais domesticados também forneceram leite, além de sua carne. Os humanos adultos voltavam a ingerir leite anos depois de largarem os seios maternos. Tiveram que vencer os obstáculos causados pela intolerância à lactose da vida adulta. Aqueles que conseguissem manter a produção de lactase intestinal conseguiriam digerir o leite animal e estariam livres de diarreias. Muitos que não conseguiram sofreram diarreias crônicas sem saber a causa. As diarreias podem ter levado à desnutrição por perda de absorção de nutrientes. Ocasionaram emagrecimento, diminuição das defesas, anemia e outras alterações que podem ter contribuído para a morte. Os produtores de lactase estavam mais aptos a sobreviver. A introdução do leite animal na dieta selecionou aqueles mais preparados para sobreviver e gerar descendentes. Foram os mesmos que mantiveram ativos seus genes produtores de lactase até a vida adulta.[359]

Vemos o registro do que ocorreu há dezenas de milhares de anos nos dias atuais[360] por meio de populações que mantêm as características de seus ancestrais desde antes da introdução de leite animal na vida adulta.[361] Povoados humanos cujos ancestrais não desenvolveram a domesticação do gado habitam a região sudeste da Nigéria. O solo pouco favorável ao pasto levou essas populações e seus descendentes a desconhecerem o leite animal como alimento. Como consequência, quase todos os adultos apresentam intolerância à lactose. Enquanto isso outros povos da Nigéria domesticaram o gado e introduziram o leite em sua alimentação. Portanto em outras partes da Nigéria não vemos intolerância à lactose, porque seus adultos, selecionados, produzem a enzima.

Nos Estados Unidos a intolerância à lactose está associada à origem dos americanos. Parte dos negros americanos oriundos do oeste africano apresenta intolerância. O tráfico de escravos trouxe seus ancestrais de regiões africanas a lugares onde não havia o leite animal como fonte de alimentação e, portanto, não selecionou sua população para a produção de lactase na vida adulta. Os americanos descendentes de imigrantes europeus não apresentam a intolerância. Devem isso aos europeus, seus ancestrais, que domesticaram o gado e introduziram o leite nas refeições.

Outros atores entraram em cena como coadjuvantes na participação da seleção de pessoas tolerantes à lactose na vida adulta. Muitos vieram pela mesma fonte do leite. São vírus causadores de diarreias humanas, o rotavírus e o calicivírus.

Os calicivírus são formas infectantes dispersas pelo mundo e causam diarreia em crianças. Seu material genético, constituído por RNA, foi comparado com o de outros tipos de calicivírus que acometem animais. Conclusão: alguns vírus, presentes em bovinos e suínos, devem ter originado o humano, pois são muito parecidos.[362] Provavelmente, a domesticação desses animais propiciou que formas ancestrais de seus vírus atingissem os humanos. Os vírus ancestrais evoluíram nos humanos e suas mutações originaram os nossos calicivírus, enquanto os que permaneceram nos bovinos e suínos evoluíram para os vírus encontrados nesses animais na atualidade.

Vemos algo semelhante no rotavírus, responsável por diarreia muito mais intensa e grande parcela da mortalidade infantil mundial nos países pobres. O RNA do rotavírus humano também é muito parecido ao de alguns vírus de suínos e bovinos e, provavelmente, acometeu alguns hominíneos africanos que se aproximaram desses animais. Até o momento precisamos de novos estudos genéticos para confirmar a origem desses vírus.

Especula-se que o calicivírus e o rotavírus surgiram em epidemias humanas com a criação de animais simultaneamente à introdução do leite na dieta. A capacidade de manter a produção de lactase selecionou os humanos que sobreviveriam e perpetuariam essa qualidade em seus descendentes. Naquela época, as infecções pelo rotavírus e calicivírus devem ter contribuído para debilitar aqueles que já apresentavam diarreias crônicas pela intolerância à lactose. Assim, as infecções diarreicas virais podem ter sido muito mais graves nesses humanos com intolerância à lactose, que já se encontravam depauperados e desnutridos. Os calicivírus e os rotavírus encontraram pessoas deficientes na produção da lactase que não suportaram suas violentas diarreias. Portanto, podem ter ajudado a selecionar quem digeriria leite no futuro. Os bovinos presentearam o homem com o leite e, no mesmo instante, aliados aos suínos, forneciam as primeiras epidemias de diarreias virais. Separaram os humanos e seus descendentes que usufruiriam o leite no futuro.

Outros tipos de diarreias também podem ter selecionado os mais aptos. As bactérias intestinais já estavam em cena como visto anteriormente. Os alimentos e a água carregavam a salmonela, shigella e tantas outras. As epidemias de diarreia bacteriana se intensificaram com a vida sedentária e também podem ter agido para selecionar os tolerantes à lactose.

O ATAQUE CONTINUA

Os microrganismos foram globalizados pelo homem. Comércio, guerras, conquistas territoriais e explorações contribuíram para levarmos infecções às terras distantes. Seres microscópicos atapetaram o planeta. Partiram da África carregados por nós. Alastraram-se pela agricultura e domesticação animal. O avanço dos estudos genéticos também mostra a rota percorrida por microrganismos a partir das colonizações e explorações ultramarinas. Um ótimo exemplo é visto na tuberculose, nossa companheira fiel.

A tuberculose acompanhou o homem desde sua saída da África. Nós a levamos para os quatro cantos do planeta. A bactéria sobreviveu entre a população mundial. Americanos, asiáticos, africanos, europeus e polinésios presenciaram a doença. Períodos de fome e guerras ajudaram-na a ceifar um número maior de vidas. Em alguns lugares, o estrago foi maior. Em outros, a doença não recebeu muita atenção e chegou a ser confundida com qualquer outra enfermidade. Médicos da Antiguidade greco-romana notaram e descreveram sua presença pelo litoral Mediterrâneo. Espalhava-se pela população aglomerada das cidades antigas. Uma parcela da população sucumbia com tosse e emagrecimento, enquanto transmitia a bactéria para outras pessoas.

A doença e seus sintomas foram bem conhecidos na Grécia antiga. Os médicos chegaram a desenvolver exames para prever as chances dos tuberculosos. Avaliavam se ocorreria cura ou morte. Para isso, baseavam-se no tipo de dano pulmonar. Nos casos em que a tuberculose causa um grande dano, há necrose do tecido pulmonar. Consiste em uma porção do pulmão que apodrece e morre pela doença. Muitos médicos antigos aprenderam a avaliar se havia focos pulmonares mortos. Solicitavam que o paciente escarrasse em recipiente de água do mar e avaliavam o destino de sua excreção. Caso o material expelido dos pulmões boiasse, isso indicava uma chance de cura. Se afundasse, indicaria que a morte o aguardava. Isso porque o tecido pulmonar apodrecido apresenta densidade maior que a água do mar, e portanto afunda.[363] Outro método utilizava pedaço de carvão incandescido. Se a tosse contivesse apenas secreções, essas evaporariam no carvão sem exalar odor fétido. Nos casos de necrose, haveria fragmentos pulmonares mortos eliminados pela tosse. Estes queimariam no carvão e eliminariam odor pútrido característico de má evolução.

A doença encontrou ótimas condições para espalhar-se na Idade Média. As cidades medievais incharam no interior de seus muros. Outras necessitaram de novos muros para englobar moradores que já se espalhavam do lado de fora dos antigos. A população urbana crescia e se aglomerava. Famílias dormiam no mesmo quarto. Um tuberculoso tossia na calada da noite e a bactéria encontrava outros pulmões a poucos metros de distância. A noite é o momento ideal da bactéria porque a luz do sol (ultravioleta) prejudica sua viabilidade. O clima direcionava a alimentação da população europeia. Inverno mais rigoroso ou falta de chuvas arrasava as colheitas do ano. A fome e desnutrição acometiam a população e desencadeavam ineficiência das defesas do organismo, e a tuberculose avançava. O número de casos aumentou, porém ainda tímido ao que ocorreria nos séculos seguintes durante a industrialização europeia e americana.

Havia outra epidemia reinante à época, a lepra. O número de leprosos europeus aumentou com o transcorrer das Cruzadas. Os combatentes trouxeram bactérias para o solo europeu no regresso do Oriente Médio, local com presença da doença. A lepra reinava entre a população dessa região e se estendia até a Índia desde a Antiguidade. Acreditava-se que suas lesões de pele refletiam impurezas que afloravam dos doentes. Seriam, portanto, pessoas impuras e imorais. Na Idade Média, a Igreja comandou a busca por pacientes leprosos e, portanto, pecadores. Uma perseguição febril tomou conta da Europa cristã e muitas outras doenças foram rotuladas como lepra. Muitos não acreditam em uma epidemia de lepra, mas sim em uma caça às bruxas comandada pela comunidade religiosa. Entretanto os casos se multiplicaram. Pelos portões das cidades saíam um número cada vez maior de excluídos pela doença em direção aos leprosários, que só aumentavam. Apesar da ausência de medicação, a epidemia de lepra, que apresentou seu pico no início das Cruzadas, recuou e, praticamente, cessou em meados do século XIV.

Algum fator auxiliou os humanos para pôr fim àquela rotina de expulsão de leprosos? Talvez a tuberculose. O motivo? Ambas as bactérias pertencem ao mesmo gênero. São primas entre si. Ao adquirirmos a bactéria da tuberculose estimularíamos nossas defesas para combater o mal. Pela semelhança de ambas as bactérias, a defesa agiria também na lepra e combateria sua aquisição. Isso foi avaliado com a descoberta da vacina contra a tuberculose, a BCG, durante o século XX. Alguns estudos mostram que pacientes vacinados contra a tuberculose adquirem lepra mais branda, menos debilitante e com menos deformações.[364] Porém o assunto ainda é controverso e pouco desbravado. Se a diminuição dos casos de lepra no período da Idade Média é atribuída ao aumento do número de tuberculosos, seria pela maior agressividade desta última. A tuberculose é transmitida com maior facilidade e causa danos mais imediatos do que a lepra, que se comporta como doença mutilante e crônica.

Um grupo de cientistas selecionou esqueletos de vários sítios arqueológicos que datam desde a época do Império Romano até o século XIII. Pesquisaram o DNA das duas bactérias. Muitas amostras ósseas tinham o material genético da tuberculose. Aquelas pessoas, um dia, apresentaram a doença que poderia estimular a defesa para evitar a aquisição da lepra se não fosse por um pequeno detalhe. Muitas apresentavam também o material genético da lepra. Surpreendentemente, esses doentes portavam as duas doenças.[365] A tuberculose não protegia, então, contra a lepra.

Assim, outra possibilidade é cogitada. Os pacientes leprosos e afastados das comunidades viviam em exclusão social. Isso contribuiu para má alimentação, má higiene e, aliada à própria lepra, deterioração do estado físico, que favorecem a aquisição de tuberculose. Assim, a contribuição da nova doença ao avanço da lepra seria o oposto: não pela melhoria da defesa contra esse agente, mas por matar muitos pacientes leprosos já debilitados.

A lepra também pode ter desaparecido por causa de uma embarcação genovesa que aportou na cidade de Messina, Sicília, em 1347. Para aqueles que a avistaram do porto, seria mais uma das inúmeras embarcações que ali chegavam. Mas não era. O navio genovês havia sido acometido pela peste negra que se disseminara na população da região da Crimeia, local de onde partira. Alguns doentes podem ter embarcado no regresso ou mesmo ratos contaminados pela doença podem ter ascendido pelas cordas. O final daquele ano seria marcado pela chegada da peste negra à Europa. Em dois anos a doença avançou e conquistou as cidades europeias. As pulgas dos ratos transmitiam a peste aos habitantes do continente e, nas cidades atulhadas de lixo, rato é o que não faltava. Como a doença também afeta os pulmões, a eliminação da bactéria da peste pela tosse também contribuiu para seu alastramento. Quase um terço de toda população europeia morreu. Cidades desapareceram. A peste negra pode ter varrido do mapa muitos pacientes leprosos e debilitados. Não precisaríamos buscar na tuberculose uma das causas para o declínio da lepra.

A atenção dos europeus voltou-se para a nova doença e a caça às bruxas aos leprosos acabou. Se a incidência de lepra diminuiu, a tuberculose ganhou mais força e seria transportada para o continente futuramente descoberto, a América. Sabemos dessa viagem transatlântica graças aos avanços do estudo de seu DNA, que proporcionou a comparação das bactérias mundiais da tuberculose.

APRENDENDO COM OS INIMIGOS

Os animais e vegetais, apesar de serem considerados seres inferiores, auxiliaram-nos nos avanços da ciência do século XX. Seguimos alguns de seus exemplos como modelos para nossas descobertas. Já utilizávamos vegetais para fins terapêuticos desde o nascimento das primeiras civilizações. As plantas medicinais curavam habitantes das civilizações da Mesopotâmia, Egito, China, Grécia e Índia. Nos séculos XIX e XX, aprendemos a isolar, extrair e, depois, fabricar muitas substâncias vegetais para nossa utilidade. Na área das doenças infecciosas, a lista de substâncias medicamentosas que furtamos dos seres inferiores é extensa. Muitos animais e vegetais evoluíram direcionados, em parte, para produzir moléculas de combate a microrganismos invasores.

Inúmeras espécies de vegetais produzem poderosas substâncias contra bactérias e fungos. Outras combatem vírus. Os microrganismos que ousam invadir e se reproduzir nesses vegetais enfrentam um arsenal de substâncias antimicrobianas. Os tipos de moléculas são inúmeros e estão presentes em diversos vegetais, como em eucaliptos, carvalho, pimenta, cravo, chá, cebola, maçã e feijão.[366] O poder de proteção contra a invasão de microrganismos também se estende aos animais. Substâncias poderosas contra bactérias são lançadas por lampreias, peixes cartilaginosos, siris, caranguejos, mariscos, camarões, caramujos e lagostas.[367] O ambiente aquático rico em seres microscópicos tornaria esses animais vulneráveis às infecções se não fossem seus antibióticos patenteados pela evolução. Glândulas na pele dos anfíbios produzem dezenas de substâncias antimicrobianas que intimidam a invasão de microrganismos.[368] Fomos buscar nos próprios microrganismos as substâncias que nos livrariam de suas infecções. Esses seres microscópicos responsáveis pelas epidemias humanas nos forneceram a receita para combatê-los.

A penicilina foi descoberta de maneira acidental no final da década de 1920 em uma placa de cultura em que se proliferou um tipo de fungo. A presença de outras bactérias concorrentes dos nutrientes prejudicaria esse fungo. Sua estratégia foi produzir substância com poder antibacteriano. Alexander Fleming observou a ausência de bactérias ao redor do fungo. Investigou, buscou e identificou a substância produzida pelo organismo que destruía as bactérias. A espécie de fungo era o *Penicillium*, portanto batizou a substância como penicilina. A utilidade da penicilina foi redescoberta durante a Segunda Guerra Mundial e administrada para as infecções em ferimentos de guerra.

Na mesma época descobriríamos uma droga que combateria outro inimigo, a tuberculose. Pesquisadores americanos estudavam bactérias presentes no solo. Acreditavam que algumas produziam substâncias inibidoras do crescimento de outras. Pesquisaram bactérias presentes na mucosa oral de galinhas. Isolaram a bactéria *Streptomyces* também habitante do solo. As análises mostraram a produção de nova substância com poder antibacteriano. Dessa vez, especificamente contra a causadora da tuberculose.[369] A década de 1940 iniciava-se com a descoberta da estreptomicina, primeira droga contra tuberculose.

A partir da primeira metade do século XX, o homem descobriu substâncias poderosas produzidas pelos microrganismos que combatiam outros microrganismos concorrentes de alimento. As indústrias farmacêuticas utilizaram essas moléculas como molde para a produção de inúmeros tipos de antibióticos que forram as prateleiras das farmácias e hospitais.

Na década de 1970, descobriríamos outro arsenal bacteriano que, dessa vez, combatia invasões por vírus. Utilizamos a descoberta para estudo do DNA dos seres vivos. Vamos esmiuçar melhor o assunto para entender como seguimos os passos de bactérias e vírus na história humana.

Alguns vírus invadem células bacterianas para se multiplicar. Hoje lutamos para descobrir drogas com poder de destruição viral, em parte devido ao avanço da aids. As bactérias já encontraram essa receita há milhares de anos. Aprenderam a combater vírus invasores e lançam mão de seus próprios arsenais de defesa. Produzem enzimas que reconhecem sequências de bases de DNA dos agentes infecciosos. Essas enzimas patrulham o interior das bactérias em busca de sequências específicas pertencentes a vírus. Ao encontrar um invasor, as enzimas se ligam a sequências de DNA viral e as cortam. Funcionam como tesouras em busca do fragmento genético viral específico para parti-lo e destruí-lo.

Descobrimos inúmeras enzimas e passamos a utilizá-las para cortar o DNA humano em vários pedaços. Adicionando determinadas enzimas a um fragmento de DNA que desejamos estudar, podemos dividi-lo em fragmentos menores. Teremos, assim, pedaços maiores e menores de DNA. Esses retalhos são separados por uma técnica específica. Visualizamos pedaços maiores e menores separados entre si. Essa disposição de fragmentos genéticos com larguras e espaçamentos variados entre si assemelha-se a uma espécie de "código de barras" do DNA estudado, que é a sua impressão digital.

Em razão das mutações que ocorrem com frequência, não há fragmentos de DNA idênticos entre os humanos. Assim, esse código de barras corresponde à impressão digital de cada pessoa. Esse método é utilizado para comprovar paternidade e busca de vestígios de células do suspeito na cena de crime. Os fragmentos do DNA podem também ter suas bases sequenciadas para melhor comparação.

A impressão digital do DNA de microrganismos também pode ser utilizada pela ciência, como já vimos. Você sabia que podemos investigar o local de origem de um microrganismo presente no seu organismo? Podemos traçar, em alguns casos, a rota feita por esse invasor até chegar em você. Os microrganismos se dividem e cometem alguns erros na cópia de seu material genético (DNA ou RNA). Erros discretos e inofensivos que não comprometem sua sobrevida, mas que os diferenciam. Ao compararmos o material genético, conseguimos distingui-los por sua impressão digital.[370] Poderíamos descobrir que a tuberculose que acomete um parente próximo tem a mesma origem da que está atacando chineses. Atribuiríamos a uma viagem ou a um imigrante a origem dessa tuberculose.[371,372,373]

A rota da globalização de nossa velha companheira, a tuberculose, pôde ser traçada pelos avanços da ciência de seu DNA.

TRANSPORTANDO A TUBERCULOSE

Uma embarcação repleta de negros africanos mal-acomodados avistava um pequeno porto de uma certa ilha. Era o final de uma viagem tenebrosa. Alguns negros provavelmente mortos no percurso haviam sido lançados em alto mar. Muitos dos que conseguiram chegar apresentavam diarreia ocasionada pela má higiene do porão da embarcação. Outros se desidrataram pela escassez de água e alimentos, aliadas às diarreias. A viagem levou-os à desnutrição e ao enfraquecimento. Sofreram maus-tratos desde a captura no interior da África, durante o período em que aguardaram o embarque e na longa jornada transatlântica.

A ilha era a estação final da árdua odisseia. Estamos em uma das ilhas do Caribe em meados do século XVII, quando um dos inúmeros navios do tráfico de escravos negreiros aportava. A região se tornara a maior

A grande quantidade de escravos aglomerados e as péssimas condições de higiene nas embarcações eram as principais razões das frequentes mortes nas viagens transatlânticas.

produtora mundial de açúcar. A chegada dos negros faria com que sua etnia predominasse na futura população dessas ilhas.

Muitos dos negros chegaram às Américas após sobreviveram à desidratação da viagem transatlântica. Certamente, eles tinham maior capacidade de reter sal em seu organismo do que muitos daqueles que pereceram. O sal também retém água, o que ameniza o grau de desidratação e poupa da morte. A característica foi transmitida geneticamente para seus descendentes negros na América. Porém, o sal retido traz uma consequência desagradável, eleva a pressão arterial. Os hipertensos sabem que a primeira recomendação médica é diminuir o sal dos alimentos. Essa teoria explica por que os negros americanos têm maior incidência de hipertensão em relação aos homens de pele clara.

As ilhas do Caribe eram colônias europeias. Recebiam populações de comerciantes, escravos, governantes, visitantes e outros. O fluxo de pessoas que chegava e partia desses lugares era imenso e crescente. Os ingleses dominavam as produções agrícolas das ilhas de Barbados, Nevis, Siant Kitts e Jamaica. Os franceses tomaram posse da Martinica, Guadalupe e a metade oeste da ilha de São Domingos (futuro Haiti). Com o auxílio dos negociantes holandeses, as plantações de tabaco eram substituídas pelas de açúcar, que eram a "bola da vez". A vegetação foi derrubada para o solo receber sementes. O desmatamento varreu mais de 90% da floresta haitiana. Seu solo explorado pelas plantações empobreceu em nutrientes com consequente queda na fertilidade. Os colonizadores já diziam a que vieram. Estima-se que só os traficantes franceses e ingleses trouxeram entre 5,5 e 6 milhões de africanos para a América.[374]

A vinda de europeus e africanos trouxe microrganismos desconhecidos à população indígena na América. Vimos a chegada da varíola e do sarampo. As embarcações negreiras africanas também trouxeram o vírus da febre amarela para a ilha de Barbados em meados do século XVII. O vírus se espalhou entre os mosquitos da região e alcançou outras ilhas e o continente. Além do homem, os microrganismos também descobriam novas terras e novas vítimas para perpetuar sua história no planeta. Poderia ocorrer uma segunda invasão da tuberculose na América pela chegada de europeus e africanos? A tosse a traria para o novo continente e acometeria a população indígena? A tuberculose europeia e africana poderia, uma vez no Novo Mundo, se estabelecer e colonizá-lo? Podemos responder a essas perguntas se, com o auxílio do DNA, aprofundarmos o estudo da sequência do material genético da bactéria. Precisamos das impressões digitais dos microrganismos dos habitantes dos dois lados do Atlântico.

A bactéria da tuberculose (no caso a *M. tuberculosis*) é única por pertencer a um gênero e uma espécie. Porém, sofreu mutações que diferenciam suas sequências de DNA. As alterações são pequenas e não mudam o comportamento agressivo da doença. Encontramos exemplo semelhante no homem. Todos nós pertencemos ao mesmo gênero e espécie. Somos *Homo sapiens*. Porém, alterações no DNA diferenciam um homem europeu, de um africano, de um índio, de um oriental e assim por diante. Durante a evolução, a bactéria sofre mutações no DNA e seus descendentes originam exércitos geneticamente diferentes apesar de serem da mesma espécie. Alguns podem ser mais agressivos, outros mais resistentes aos antibióticos. Comparando as diferenças do DNA, podemos isolar tipos diferentes de bactérias. Como no caso humano, poderíamos ter uma família africana, uma indígena, uma oriental, e outras mais.

O mais interessante é que podemos comparar as diferenças no DNA entre regiões diferentes. Se reunirmos dez pessoas negras e dez japoneses em alguma cidade americana, podemos afirmar que essas pessoas são descendentes de imigrantes da África e do Japão, respectivamente. Sabe-se que negros estão

Pacientes internados em leprosário de Jerusalém em 1899. Note os curativos nas extremidades devido às lesões mutilantes da lepra e às deformações das faces.

presentes na África e a escravidão os trouxe, no passado, para a América. Da mesma forma que imigrantes japoneses originaram alguns dos redutos orientais da América. Com as famílias da bactéria da tuberculose podemos fotografar suas impressões digitais e comparar com bactérias estabelecidas na população mundial. Assim, saberíamos o local de sua origem.

Pesquisadores obtiveram centenas de amostras de bactérias em tuberculosos nas ilhas de Cuba, Haiti, Martinica e Guadalupe. Recolheram as impressões digitais do DNA dessas bactérias e as compararam com famílias bacterianas presentes em outras regiões. As mesmas famílias de microrganismos dessas ilhas foram encontradas no Mediterrâneo, na África e nos Estados Unidos.[375] As famílias da bactéria da tuberculose presentes hoje no Caribe vieram, provavelmente, com europeus durante a colonização e com africanos durante a escravidão.[376] A extensão dos estudos mostrou que há uma coincidência do DNA dos tipos de bactérias de tuberculose da Europa com os dos Estados Unidos, com regiões do Caribe e com a América do Sul.

Lembremos de que essa foi a segunda onda de tuberculose no continente. Há na América tipos específicos das bactérias. Elas descendem, provavelmente, das bactérias de tuberculose que aqui vieram com os primeiros humanos americanos que atravessaram o estreito de Bering.

Estudos genéticos também mostram que bactérias da tuberculose transitaram pelo oceano Índico. O tráfico de escravos e o comércio também a levaram para regiões distantes, como sudeste asiático, províncias chinesas e litoral africano.[377]

A bactéria não veio desacompanhada para a América. Sua prima, a lepra, encontrava-se ao seu lado. O DNA esclareceu a trajetória da lepra pelo planeta, bem como o provável local de sua origem.[378]

O DNA das bactérias da lepra presentes nos povos do leste africano e da Ásia central apresenta sequências sugestivas de serem os mais antigos. A terra natal da lepra é disputada pelo leste africano, Oriente Médio e Índia. Regiões com relatos da doença em escrituras sagradas e relatos históricos da antiguidade. As bactérias presentes na população europeia são descendentes das citadas. A lepra teria sido introduzida no solo europeu e, nesse continente, Como já vimos, o DNA também mostra que as bactérias europeias originaram aquelas presentes no oeste africano. A colonização e exploração europeias levaram a lepra para o norte e oeste da África. Finalmente as bactérias presentes na América são descendentes daquelas da Europa e do oeste da África. Vieram por meio dos europeus e dos escravos africanos.

* * *

Como vimos, o homem globalizou a bactéria da tuberculose. A descoberta da América seguida de sua colonização trazia portadores da doença. Os períodos de colonização e imperialismo levavam bactérias para terras distantes. A Europa entrava na segunda metade do século XVIII, período da chamada Revolução Industrial. A Inglaterra, pioneira, foi seguida pelas outras nações europeias e americanas. A Revolução Industrial trouxe um incremento para a tuberculose, como visto anteriormente. Os cortiços, com aglomerado de trabalhadores depauperados pela longa jornada de trabalho e má alimentação, disseminaram o mal. Os séculos XVIII e XIX foram o período áureo das infecções transmitidas pela tosse. Crianças morriam de escarlatina, difteria, coqueluche e tuberculose. A doença ceifava a vida dos mais miseráveis que moravam nos bairros pobres das cidades industriais. Chegamos ao século XX com a tuberculose sendo uma das principais causas de morte por doença infecciosa. Suas marcas foram encontradas em achados arqueológicos que remontam ao tempo áureo da tuberculose europeia.

Foi na pequena cidade húngara de Vác que a bactéria da tuberculose permaneceu em repouso até ser exposta aos cientistas no final do século XX.

Os pacientes tuberculosos apresentavam emagrecimento considerável e morriam por insuficiência dos pulmões ou depauperação física. Esta pintura do século XIX mostra um enfermo e a evolução da doença em uma época em que não existia tratamento adequado.

Sua descoberta começou na época em que o responsável por uma igreja dominicana necessitou reformar sua construção. Trabalhadores entraram com a intenção de derrubar paredes para ampliar aquele templo religioso. Porém, encontraram sons ocos por detrás de determinadas paredes e suspeitaram de salas ocultas. Tijolos retirados revelaram uma escadaria que conduzia a criptas escondidas e esquecidas por mais de século. No interior escuro repousavam inúmeros corpos. As duas criptas seladas descobertas eram utilizadas para o enterro de cristãos durante o século XVIII e início do XIX.

Mais de duzentos corpos foram encontrados. Metade estava preservada devido às condições climáticas propiciadas pelas criptas seladas. A bactéria da tuberculose foi recuperada em uma família constituída por mãe e duas filhas.[379] As crianças, pequenas e emagrecidas, remontavam a uma época em que a doença andava de mãos dadas com a dona da foice. No tórax dos corpos mumificados encontrou-se o DNA da bactéria da tuberculose. A doença visitou toda a família. A ciência captara algumas formas de bactérias que ocasionaram pânico e mortes até meados do século XX.

Inúmeros europeus sucumbiram pela doença, porém um entrou para a História. O alemão Heinrich Gunter, de 32 anos, vencia sua árdua jornada de trabalho diário apesar de seu emagrecimento e debilitação progressivos. Gunter não sabia que a bactéria da tuberculose invadira seu pulmão, ganhara seu sangue e alastrava-se pelo seu corpo. Seu organismo debilitado não suportou e rendeu-se à doença. Morreu em 1881. Seu sangue foi retirado e injetado em roedores para avaliar a possibilidade do crescimento de microrganismos. Já estávamos uma década adiante das descobertas de que microrganismos causavam as infecções. A bactéria da tuberculose desenvolveu-se nos animais e foi guardada em tubos específicos para ser semeada em outros animais. A única maneira de mantê-la viva seria, de tempos em tempos, inoculá-la em animais para recolher novas bactérias que se reproduzissem. Após anos sendo realizada essa tarefa, os microrganismos foram apresentados no Congresso Britânico de Tuberculose, em 1901, na cidade de Londres. Presenteou-se a organização do evento com tubos que continham a bactéria, que já havia sido inoculada mais de quatrocentas vezes em animais para manter-se viável. Hoje, podemos analisar esses tubos guardados em museu para confirmar o material genético daquele agente infeccioso. Constatamos ser o mesmo da nossa bactéria da tuberculose dos dias atuais.[380] O cientista que apresentou esse trabalho em 1901 é o mesmo que havia descoberto a bactéria da tuberculose quase duas décadas antes.

A INDÚSTRIA QUÍMICA NOS DEFENDE

A bactéria da tuberculose foi vista e descoberta em 1882, na Alemanha. Sua silhueta surgiu em uma lâmina de vidro transpassada por um feixe de luz por um microscópio ainda rudimentar da segunda metade do século XIX. Os olhos que a descobriram eram de Robert Koch. Famoso pelos seus estudos da década anterior que mostraram, sem sombras de dúvidas, que a doença do carbúnculo bovino era causada pela bactéria do antraz. O pequeno laboratório que Koch instalou em sua casa para estudar o antraz foi o responsável pela sua passagem do anonimato à fama. Na época, abril de 1876, Koch sabia da sua descoberta, porém precisava encontrar alguém reconhecido no meio científico que valorizasse aquele estudo de um médico do interior da Alemanha. Partiu então de sua pequena cidade de Wollstein para a cidade de Breslau.[381] Seu destino foi encontrar um renomado professor de botânica da Universidade de Breslau, Ferdinand Cohn.

Cohn era um dos poucos profissionais que estudavam bactérias e tentavam classificá-las de maneira adequada. Naquela década, poucos davam importância a esses seres microscópicos que ainda estavam longe de serem

Robert Koch foi quem descobriu a causa da tuberculose na segunda metade do século XIX. Suas pesquisas foram alavancadas pelos avanços da indústria química alemã.

suspeitos de causar infecções. Porém a situação estava prestes a mudar. Após analisar seus estudos, Cohn ofereceu a chance para Koch comprovar sua teoria de que a doença bovina era causada pela bactéria do antraz. Sob os olhares de patologistas, químicos e anatomistas conceituados, Koch demonstrou durante três dias que estava correto. Para isso, isolou a bactéria e a reproduziu em meios enriquecidos em nutrientes. Ocorreu sua proliferação. Koch selecionou algumas para acomodá-las, novamente, em novos meios de cultura e reiniciar o processo. Realizou diversas dessas passagens para evitar contaminação com alguma outra substância que pudesse estar presente nas primeiras culturas. Em determinado momento seus meios de cultura continham apenas a bactéria. Introduziu-as no gado e este iniciou os sintomas da doença. A bactéria do antraz causava a doença carbúnculo do gado.

A descoberta acarretou consequências maiores que aquelas esperadas pelos órgãos responsáveis pela pecuária europeia. A economia alemã agradeceu a Robert Koch por descobrir a causa e, portanto, como evitar a doença que matava seus rebanhos e atrapalhava seus rendimentos. Os médicos agradeceram muito mais. Foi provado que os microrganismos eram os responsáveis pelas epidemias do século XIX. E não os chamados miasmas das áreas sujas, com esgoto a céu aberto, lixo e detritos que até então eram imputados como responsáveis pelos males.

Ao avistar pela primeira vez a bactéria da tuberculose em 1882, Koch dispunha de um arsenal que o ajudou na descoberta. Arsenal esse que nascera na própria Alemanha e constituía-se de muitos corantes produzidos pela indústria química alemã. Koch foi um privilegiado por nascer no auge dessa época. A nação era uma potência nessa área e se destacava do resto do mundo.

* * *

O ano 1828 foi um marco nos estudos de Química daquele país. Pela primeira vez conseguiu-se fabricar em laboratório a ureia que até então era encontrada somente nos organismos vivos. Foi manufaturada através do cianeto de amônia. Acreditava-se que a ureia só podia ser produzida nos rins dos seres vivos. Porém, aquela reação química de 1828 gerou esperanças de que seria possível – nas bancadas repletas de tubos, vidros, placas, chamas e líquidos coloridos – produzir qualquer substância desejável. Para a felicidade futura de Koch, a indústria química alemã também rumou para a descoberta da fabricação de diferentes tipos de corantes.

O químico August Wilhelm von Hofmann conseguiu sintetizar a anilina do alcatrão do carvão. Foi usada como corante. Hofmann despontou como proeminente químico alemão e foi convidado por ninguém menos que a rainha Vitória e o príncipe Albert para trabalhar no Colégio de Química de Londres. Acompanhado de seus alunos, criou vários tipos de corantes artificiais. Nascia uma série de tonalidades diferentes de violeta seguida das outras cores. Surgiu a cor malva que conquistaria diversos vestidos nos salões europeus. A Alemanha investiu e diversificou a sua indústria química. Centros especializados cresceram para fabricar corantes artificiais.

A Química aliou-se à Biologia e desenvolveu-se a Bioquímica. Utilizavam-se os corantes recém-descobertos em estruturas orgânicas para distinguir melhor as diferentes partes da célula. O núcleo celular era estudado em mais detalhes através do verde metílico. Esmiuçavam-se células vegetais e animais.

Nesse fervor de cores, Robert Koch foi presenteado com o violeta metílico e o violeta genciana. Ambas capazes de colorir alguns microrganismos e diferenciá-los. Koch pôde então aperfeiçoar os métodos de coloração dos seres microscópicos e testar diferentes tipos de corantes. Conseguiu visualizar esses microrganismos de maneira que pudesse diferenciá-los através do tipo de corante que absorviam. A descoberta da bactéria da tuberculose foi questão de tempo e recebeu o nome de "bacilo de Koch".

No ano seguinte, em 1883, Koch viajou para o Egito. Uma violenta epidemia de cólera estava em vigor. Quase sessenta mil pessoas morreram pela diarreia maciça.[382] Novamente, Koch lançou mão de seus corantes para descobrir a bactéria da cólera. Realizou estudos em cadáveres daquela epidemia, mas com a diminuição das mortes foi difícil recuperar mais bactérias para as comprovações finais de sua descoberta. Então, Koch partiu da cidade de Calcutá, na Índia, podendo finalmente confirmar a descoberta do germe causador de doença, a bactéria da cólera.[383] Assim, em apenas um ano, Robert Koch descobria agentes que causavam duas infecções diferentes.

A química alemã foi aplicada em diversos campos de pesquisa concomitante com os estudos de Koch. Cresceram as exportações alemãs de detergentes, sabão, solventes, tintas, corantes e verniz. Os laboratórios de química orgânica desenvolveram pesquisas em prol da saúde humana, tanto no campo do diagnóstico como do tratamento. Na década de 1890, descobriu-se a aspirina pela Bayer e o anestésico local novocaína pela Hoechst. Uma revolução para tratamento de febre, dor, inflamação e procedimentos cirúrgicos pequenos, como extração dentária. Também surgiu uma luz no fim do túnel para a cura da sífilis, a descoberta do Salvarsan que vimos anteriormente.

O conhecimento de que os microrganismos causavam doenças infecciosas, seguida do esclarecimento do mecanismo de transmissão, ajudou no combate às epidemias. Água deveria ser tratada, esgoto necessitaria ser isolado da comunidade e animais transmissores, expulsos das imediações humanas. Mosquitos e ratos não seriam mais tolerados. Essas medidas para controlar as epidemias foram responsáveis pela queda acentuada da mortalidade humana pelas infecções. Durante a primeira metade do século XX, o número de mortes por infecções nos Estados Unidos despencou de 0,8% para 0,2%. E os antibióticos ainda não haviam surgido. É uma falsa ideia a de que sua descoberta acabou com as mortes por infecções. Isso acontece com o conhecimento de como as infecções surgem e as medidas para evitá-las. Nos séculos anteriores, fome e epidemias continham o crescimento populacional. Agora um desses vilões era vencido. O outro também recebeu um ataque da indústria química alemã

Em 1909 uma nova descoberta foi fundamental no combate à fome e à escassez de alimentos da agricultura. O químico alemão Fritz Haber conseguiu com muito custo produzir, pela primeira vez, amônia através da mistura de nitrogênio e hidrogênio. Há tempos os químicos tentavam fabricá-la em laboratório. A amônia era o fertilizante sonhado e que traria, como trouxe, incremento na produção dos alimentos. A descoberta das causas das doenças infecciosas, aliada à descoberta da síntese de fertilizantes, nos auxiliou a chegarmos a mais de seis bilhões de humanos no planeta. Tudo graças, em parte, aos avanços da química alemã.

VAMPIRO RAIVOSO?

Encontramos outro cientista contemporâneo a Koch do outro lado da fronteira alemã. Seu nome: Pasteur. Em território francês, desenvolvia vacina contra uma doença que também foi globalizada pelo homem.

Na primeira metade da década de 1880, o químico trabalhava em seu pequeno laboratório na rua Ulm, em Paris. Apesar da distância no tempo, seu laboratório funcionava com temores semelhantes aos que vemos hoje nos laboratórios de nível de segurança 4. São aqueles dos filmes de epidemias em que cientistas vestem roupas especiais acompanhadas de capacetes lacrados e luvas. Recebem jatos líquidos com produtos de desinfecção ao saírem. Esses laboratórios são empregados para manipular microrganismos, em geral vírus, altamente perigosos e contagiosos, como o ebola.

Há pouco mais de um século, os trabalhadores do laboratório da rua Ulm não sabiam da necessidade dessas roupas. Mas nem por isso relaxavam diante dos experimentos.[384] Tratava-se de um laboratório especializado no estudo da raiva. Os cães raivosos enjaulados eram tratados no subsolo. A doença era conhecida e temida naquela cidade desde os tempos medievais. A mordida por um animal raivoso selava o destino de uma pessoa. Histórias dos séculos anteriores mantinham acesos os pavores da doença. Relatos de cidades medievais atacadas por lobos raivosos assustavam a população.[385] Epidemias desfilavam cães raivosos pelas ruas insalubres das cidades e afugentavam os moradores para suas casas. Homens corajosos percorriam a cidade em busca desses animais para aniquilá-los. Crianças vítimas de suas mordidas aguardavam a evolução da morte. Massacres de animais domésticos eram frequentes.

A saliva do animal raivoso é forrada pelo vírus da raiva, e a mordedura contamina a área lesada. Uma carga grande de vírus permanece nessa região em busca das terminações nervosas da pele. Motivo pelo qual se orienta a imediata e rigorosa lavagem com água e sabão da área mordida. O vírus invade as terminações lesadas e ascende pelo interior dos nervos. Dessa forma, consegue atingir o sistema nervoso central. Invade a medula espinhal e o cérebro. No início se comporta como qualquer infecção com febre, fadiga e perda de apetite. Porém, a próxima fase da doença é assustadora. A raiva cria, em uma de suas formas, um paciente furioso e agressivo. Agitação com face de pânico

A raiva era transmitida para seres humanos por meio das mordidas de cães e gatos. Após anos de pesquisas, o cientista Louis Pasteur desenvolveu a vacina contra a doença na década de 1880. Esses animais domésticos passavam então a ser vacinados anualmente.

pode estar presente. A musculatura enrijece e surgem contrações rigorosas. O prejuízo da função muscular do pescoço impede a deglutição de saliva e ocorre consequente salivação. Um copo de água pode estimular as contrações dos músculos do pescoço e desencadear um pavor pela água – a hidrofobia.

Para alguns, a raiva foi responsável pelas lendas do vampirismo na região dos Bálcãs.[386] A hipótese parece ser plausível se descrevermos a doença sob o aspecto da lenda. Imagine um paciente raivoso com contraturas musculares na região da face, quadro muito frequente. A contração da musculatura labial expõe exageradamente os dentes caninos. Os espasmos musculares da garganta originam sons e ruídos pavorosos. Muitas vezes confundidos com uivos. Contrações musculares involuntárias provocam mordidas e lesões na boca. Ocorre salivação banhada de sangue como se a pessoa acabasse de morder e sugar algum humano ou animal. A doença era causada pela mordida de bicho. Seria cão, lobo, gato ou um vampiro já em metamorfose em forma animal? Pior ainda, descobria-se que morcegos transmitiam raiva. Surgia, então, o animal mais comum para o vampiro se transformar. Os temores pela raiva, porém, tinham os dias contados no laboratório da rua Ulm. Pasteur estava prestes a revolucionar sua prevenção.

Ele já trabalhara para o governo francês e para particulares na solução de doenças animais. Descobrira a causa da doença do bicho da seda que atrapalhava a economia francesa. Desvendara o mistério do carbúnculo bovino que trazia prejuízo à pecuária na França e também contribuira para solucionar doenças em galinhas. Além disso, resolvera problemas na fermentação da cerveja e produção de álcool pela beterraba. Agora, pela primeira vez, pesquisava uma doença humana. Pasteur queria encontrar a vacina para a raiva.

A doença se manifesta após semanas em um animal infectado pelo vírus. Seria muito difícil esperar todo esse tempo para cada experimento. Então, Pasteur conseguiu reduzi-lo. Para isso, retirava uma pequena parte do osso do crânio dos animais raivosos e introduzia sua saliva diretamente no cérebro de suas cobaias. A doença passou a surgir em alguns dias. Para produzir a vacina era necessário um vírus atenuado, que não causasse doença, mas estimulasse o sistema de defesa das cobaias e evitasse a raiva no futuro. Pasteur conseguiu isso ao introduzir o vírus da raiva do cão em macacos. O microrganismo enfraquecia-se nos primatas e, ao ser retirado novamente do macaco e injetado no cérebro dos cães, não produzia a doença. Melhor, quando esses cachorros eram mordidos ou inoculados com o vírus da raiva, seu sistema de defesa estimulado evitava a doença.

Pasteur queria um vírus muito mais fraco, inofensivo e, acima de tudo, que produzisse resposta rápida do sistema de defesa. Dessa forma, conseguiria dar a vacina mesmo após a mordida do animal raivoso. Seu vírus ideal veio através dos coelhos, que também adoecem pelo vírus da raiva. O cientista preparava parte do sistema nervoso desses roedores raivosos para inocular em outros animais. As medulas, desidratadas por ficarem em frascos sem umidade, produziam vírus inativos. E eles não desencadeavam doença após serem inoculados em outros animais. Estava aberto o caminho para desativar o vírus sem que este, no entanto, perdesse sua capacidade de estimular o sistema de defesa. Sua administração evitaria a doença, mesmo se fosse usado após a mordida do animal raivoso.

Após intensos trabalhos na primeira metade da década de 1880, Pasteur viveu um momento de angústia. Chegou à sua porta um menino de 9 anos, Joseph Meister. Sua mãe o trouxe devido ao reconhecimento que Pasteur adquirira pelos trabalhos sobre a raiva. O menino havia sido atacado por um cão raivoso, que o espreitava no trajeto da escola. Viajaram até Paris devido à fama de Pasteur. Porém, o químico ainda não terminara seus experimentos com animais. Tinha dúvidas quanto à eficácia de seu vírus inativo em humanos.[387] Consultou a opinião de médicos parisienses quanto ao risco de o menino desenvolver a doença. Foram unânimes em afirmar a alta probabilidade pelas mordidas profundas nas mãos, pernas e face. A decisão foi tomada. O menor Joseph Meister ficou famoso por ser o primeiro humano a receber oficialmente a vacina e livrar-se da doença. Cresceu saudável e tornou-se porteiro do futuro Instituto Pasteur de Paris. A vacina virou rotina nas pessoas mordidas por animais raivosos. Cães e gatos eram vacinados, com frequencia anual, assim como outros animais domésticos e, em alguns casos, silvestres.

Os cães raivosos capturados pelos órgãos sanitários parisienses eram encaminhados para pesquisas no laboratório de Pasteur, que jamais imaginou que o vírus da raiva tinha origem recente na história humana e muito menos que o próprio homem contribuiu para sua disseminação. Uma luz no entendimento dessa história foi-nos trazida, por ironia do destino, pouco mais de um século por um outro Pasteur, o Instituto Pasteur de Paris. Foi esse órgão que comandou um estudo genético dos vírus pertencentes ao gênero da raiva.[388]

* * *

O vírus da raiva e seus semelhantes acometem apenas mamíferos da ordem dos morcegos e dos carnívoros. Supõe-se que em algum momento da história o microrganismo transpôs-se de uma ordem à outra. Os pesquisadores do Instituto Pasteur iniciaram os estudos. Mapearam parte do material genético dos vírus da raiva e seus semelhantes coletados de animais carnívoros e morcegos. Examinaram os das Américas, da África, Ásia e da Europa. Construíram, assim, a evolução viral. Estimaram a sequência de quais vírus surgiram primeiro e quais os seguiram. Programas matemáticos estimaram a data provável dos vírus ancestrais de todos os atuais.

Encontramos os primeiros ancestrais virais entre 7 mil e 11 mil anos atrás. Portanto, seria a data em que surgiram os primeiros que pertencem ao gênero do vírus da raiva. Como outros tipos de vírus da mesma família que o da raiva são encontrados em insetos, há uma grande chance de os morcegos terem sido infectados por vírus ancestrais vindos destes naquela época. Mas ainda não surgira a raiva canina.

Após atingir os morcegos, vírus semelhantes à raiva desenvolveram-se em diferentes espécies do mamífero voador e evoluíram para tipos diferentes. Dessa forma surgiu o vírus da raiva propriamente dito, que infectou os carnívoros a partir dos morcegos. Atingiu o guaxinim, a raposa, o gato, o cão, o gambá e o lobo. Calcula-se que isso tenha ocorrido entre 900 e 1.500 anos atrás. Há pouco tempo, portanto.

Carnívoros selvagens e domésticos receberiam ainda novos vírus da raiva. O vírus que acomete os guaxinins dos Estados Unidos veio de microrganismos presentes em morcegos americanos. Os morcegos da América do Norte, por sua vez, devem ter recebido o vírus da raiva dos morcegos da América Latina.[389] A época provável em que isso ocorreu foi o século XVII. Época em que o homem alterava o meio ambiente da América Central com suas colônias para plantações. Desmatamentos podem ter ocasionado migrações de morcegos pela alteração ecológica. Isso é apenas especulação. Hoje os guaxinins americanos funcionam como reservatório do vírus no país. Alastram a doença pelo território de maneira lenta e progressiva. Estima-se que a doença nos guaxinins percorra entre trinta e cinquenta quilômetros por ano na direção nordeste.[390] As mutações do vírus da raiva ainda em andamento podem originar microrganismos mais agressivos transmitidos pelos morcegos americanos. Há indícios que existam vírus com capacidade de causar doença mesmo em lesões leves na pele.[391]

Em resumo, vírus ancestrais talvez se transferiram dos insetos aos morcegos. Nesses voadores evoluíram para vírus diferentes que originaram o da raiva. Dos morcegos, atingiu os carnívoros por volta de dez séculos atrás. Animais, tanto domésticos como selvagens, espalharam a doença pela natureza. Porém, há uma outra grande descoberta na árvore genealógica viral.

Uma forma genética do vírus da raiva encontrada em cães e em animais selvagens atingiu todos os continentes do planeta. O material genético desse vírus cosmopolita mostra que surgiu de um vírus da raiva ancestral há cerca de três a cinco séculos. Seria a época em que ocorreu uma espécie de globalização do microrganismo. Qual seria a explicação plausível para esse alastramento viral?

A data coincide com a intensificação das viagens transoceânicas pelo homem. Períodos de colonizações e imperialismo, com intensa navegação pelos mares do planeta. Porém o homem não circulava só, muitas vezes era acompanhado de seu cachorro.[392] Os cães seguiam seus donos e provavelmente levaram o vírus para regiões distantes. Os animais funcionaram como elo entre a civilização e os animais selvagens. Entraram frequentemente nas matas para caçar. Quando raivosos, perdiam-se e morriam por lá. Disseminaram vírus ao agredir animais silvestres ou, ao morrer, serem devorados por carnívoros selvagens das florestas. Isso pode ter contribuído para alastrar essa forma de vírus cosmopolita, inclusive sua transferência para espécies selvagens. Mas poderiam os cães domesticados disseminar vírus da raiva para o interior das matas e desencadear epidemias em animais selvagens? O que ocorreu na Polônia responde parte dessa pergunta.

A Europa na época de Pasteur e nas primeiras décadas do século XX presenciava casos de raiva em cães e gatos. Menos frequentes eram os casos de doença no gado. Os números da doença animal caíram com o incremento da vacinação. A escassez da doença nas cidades não significava completo sucesso, pois o vírus encontrara uma rota de fuga. Dos cães, ele saltou para espécies selvagens e alastrou-se nas matas do Velho Continente. A história desse vírus europeu foi revelada.

Compararam o RNA de vírus presentes em diversos animais silvestres capturados na Europa. Puderam estimar quais vírus da raiva vieram primeiro e quais surgiram posteriormente em cada animal acometido. Os vírus de cães, gatos e gado do início do século XX transpuseram essas espécies e infectaram outros animais. Atingiram raposas e guaxinins da região polonesa por volta da década de 1940. A comparação do RNA dos vírus da raiva esparsos pela Europa mostra que os animais poloneses foram os primeiros a receber o vírus dos animais domésticos europeus.

A Polônia ocupada e destruída pela Segunda Guerra Mundial perdera o funcionamento adequado de seus órgãos responsáveis pelo controle da doença urbana. Laboratórios deixaram de funcionar e diagnosticar a doença em cães e gatos. Empregaram menos vacinas em tempos de guerra. Órgãos responsáveis desativados deixaram de perseguir animais raivosos. Ter-se-ia perdido o controle da raiva urbana e aumentado a chance desses animais atingirem as raposas e guaxinins? Precisamos de mais trabalhos direcionados às alterações ocorridas em decorrência da guerra para esclarecer essas indagações.

Por enquanto, o estudo do material genético consegue traçar a rota viral seguida após o comprometimento dos animais poloneses. A raiva alastrou-se entre as raposas polonesas, mas encontrou uma barreira natural que retardou sua disseminação: o rio Vístula. Vencido esse obstáculo, a doença espalhou-se entre os animais e rumou para o rio Elba, em 1950, e ao rio Reno, uma década depois, atingindo a França oito anos depois.[393] O RNA viral mostra que os primeiros vírus da raiva surgidos nas raposas do nordeste europeu (região da Polônia) atingiram raposas do leste da Europa e, posteriormente, migraram para o oeste europeu, na França.[394,395] O RNA viral nos conta, ainda, que ocorreu a ultrapassagem do vírus para outra espécie animal e qual foi a trilha percorrida. Hoje o principal reservatório da raiva selvagem são as raposas polonesas, seguidas do guaxinim, da marta e do texugo.[396]

DENGUE, DO ORIENTE AO BRASIL

Existe um grupo de vírus semelhantes entre si que são classificados no gênero flavivírus. Vários encontram-se dispersos pela natureza e ocasionam diferentes doenças. Podemos traçar a história desse gênero viral ao comparar o RNA dos diversos tipos do microrganismo espalhados pelos quatro cantos do planeta e construir, assim, uma árvore genealógica, ordenando os primeiros vírus que surgiram e a sequência com que sucederam.[397] Além disso, presumimos a rota que seus ancestrais tomaram pelos continentes e quais animais os transportaram. Esses vírus originaram uma doença extremamente conhecida pelos brasileiros, que nos últimos anos tornou-se problema de saúde pública.

A história desse grupo de microrganismos iniciou-se como tantas outras, com ancestrais comuns a todos os vírus atuais do gênero.[398] Os ancestrais originaram um ramo de descendentes que evoluíram para vírus presentes hoje em morcegos e roedores, tanto no Velho Continente como na América. Provavelmente, os morcegos transportaram o vírus entre os dois territórios pela sua capacidade de voo e, talvez, em épocas remotas em que os continentes ainda estavam próximos. O homem adquire infecções por esses vírus ao entrar em contato com líquidos e secreções dos mamíferos voadores. A evolução fez esse ramo sofrer diversas mutações e adaptações que resultaram em vários tipos de vírus diferentes, e cada qual com diferente tipo de doença no homem, apesar de serem todos de uma mesma ramificação.

Enquanto um ramo se separava dos ancestrais virais, outro seguia sua trajetória evolucionária e sofria mutações e adaptações que incrementariam seu poder de disseminação por uma vantagem: a capacidade de invadir e desenvolver-se em vetores. Mais especificamente em artrópodes que fazem ligação entre os animais que albergam os vírus. Os vetores adquirem o vírus ao morderem ou picarem os animais infectados. Assim os transmitem para outros animais ainda não portadores do vírus. Os vetores, portanto, funcionam como aliados do microrganismo ao contribuir para sua disseminação entre animais.

Assim, com ajuda de carrapatos, esse novo ramo evolucionário espalhou-se entre roedores e aves aquáticas do Velho Continente. Hoje em dia, encontramos diversos tipos de vírus com diferentes doenças transmitidas pelo carrapato, presentes somente na Europa.

Enquanto essa linhagem adquiriu mutações que possibilitaram invadir carrapatos, algo diferente ocorria aos primeiros ancestrais do ramo. Desgarraram-se dessa linhagem, e outras mutações criaram um novo ramo, mais recente, com a capacidade viral de adaptar-se e multiplicar-se em mosquitos. Esses insetos voadores transmitiram vírus de animal para animal. Desse último ramo de vírus houve outra bifurcação evolucionária.

Alguns vírus seguiram uma coevolução nos mosquitos pertencentes ao gênero *Aedes*, enquanto outros partiram para coevoluir nos mosquitos do gênero *Culex*. Mosquito diferente, animal atacado diferente e doença resultante também diferente. Muito interessante é o fato de que as mutações que esses vírus sofreram para invadir e desenvolver-se em cada gênero de mosquitos influenciou qual seria o tipo de animal que os albergaria e qual doença causaria aos humanos.

Por exemplo, os diferentes tipos de vírus que se originaram daqueles antepassados que invadiram os mosquitos *Aedes* infectam apenas primatas presentes no Velho Continente, onde provavelmente se originou esse ramo evolucionário. O homem, ao ser acometido por um dos vírus desse grupo, sofre uma doença infecciosa que em geral é caracterizada por risco de hemorragias. São febres hemorrágicas originadas pelas agressões que esses vírus nos infringem, o que se deve à característica de seu RNA. Portanto, as mutações que os vírus sofreram fizeram seu RNA propiciar invasão em mosquitos do gênero *Aedes*, disseminação em primatas e, ao atingirem humanos, causar doença hemorrágica.

No outro extremo dessa última bifurcação, encontramos o ramo que se adaptou ao mosquito *Culex*. Esses vírus e seus descendentes disseminaram-se entre as aves do Novo e Velho Continente. Os diferentes tipos de vírus que se originaram desse grupo provavelmente surgiram na Europa e, por estarem presentes em aves, atingiram a América. As aves transportaram os vírus pela migração para o outro lado do Atlântico ou Pacífico. Também podem ter sido arrastadas por tempestades tropicais. As mutações ocorridas no RNA desse ramo de vírus criaram características tais que, ao invadir o homem, o vírus tem uma predileção pelo sistema nervoso central e causa, assim, encefalites e meningites.

Traçamos, assim, a árvore genealógica dos flavivírus desde os antigos ancestrais até ramos recentes que invadiram carrapatos e mosquitos. Vírus dos carrapatos permaneceram no Velho Continente, e também em roedores e aves. Outros dos mosquitos *Aedes* ficaram nos primatas da Europa e causam doenças hemorrágicas nos humanos. Por último, aqueles mais recentes que se adaptaram aos mosquitos *Culex* espalharam-se entre aves do Velho para o Novo Continente, e causam meningites e encefalites nos humanos. Nessa árvore genealógica discutiremos o ramo evolucionário pertencente ao mosquito *Aedes* da Europa e que sobrevive entre os primatas.

Nesse ramo, mutações originaram diferentes tipos virais que causam diferentes doenças. Em uma das terminações desse ramo encontramos os vírus da dengue. A doença é causada por quatro tipos de microrganismos, que são classificados pela numeração de um a quatro. Temos, assim, os vírus da dengue DEN1, DEN2, DEN3 e DEN4. Ao sermos infectados por um deles, desenvolvemos a dengue e, ao nos curarmos, tornamo-nos protegidos do vírus pelo resto da vida. Isso graças à produção de defesa específica. Porém, a proteção não se forma para os outros tipos. Portanto, se formos infectados novamente por um dos outros três tipos de vírus da dengue, voltamos a ficar doentes. Esse é o motivo pelo qual encontramos pessoas que tiveram o mal mais de uma vez. Teoricamente, poderíamos ter quatro vezes a dengue. Em uma época remota o vírus restringia-se aos macacos habitantes da península da Malásia, onde os vírus da dengue se originaram por mutações e permaneceram circulando entre mosquitos e primatas. Sabemos disso porque encontramos microrganismos semelhantes em macacos da região.[399] Seus vírus são mais antigos e apresentam RNA semelhante ao da dengue. Podemos concluir que este último originou-se dos primatas asiáticos.[400] Vírus ancestrais dos quatro tipos de vírus da dengue circulam nos macacos das entranhas das florestas tropicais do sudeste asiático.

O cálculo das mutações mostra que o vírus ancestral comum surgiu há pouco mais de mil anos.[401] Talvez na época em que os vikings faziam suas incursões pelo norte da Europa ou colonizavam a Groenlândia, um ancestral dos vírus da dengue circulava entre macacos do sudeste asiático. Mosquitos os disseminavam entre os primatas. O ancestral sofria mutações e se diferenciava em quatro tipos que originariam os vírus da dengue. O homem, provavelmente, ainda era poupado.

A população humana cresceu e áreas urbanas se desenvolveram. Necessitamos desmatar áreas maiores para agricultura e habitação. Invadimos o habitat dos primatas e, também, de seus vírus. Essa proximidade fez com que os mosquitos que atacavam macacos começassem a nos usar como fonte de alimentos. Os quatro tipos de vírus precursores dos da dengue se transferiram para humanos e abandonaram os primatas. Surgiu a doença humana no sudeste asiático. Cada tipo de microrganismo dos macacos acometeu o homem e a epidemia se instalou entre os centros urbanos.

Ao compararmos as variações genéticas dos quatro tipos de vírus da dengue, notamos uma evolução recente, de apenas trezentos anos. Com a industrialização europeia, colonização e intensificação do comércio, esses microrganismos se firmaram entre humanos em epidemias. O comércio e a urbanização trouxeram um novo aliado da doença, o *Aedes aegypti*. Mosquito em que os vírus da dengue se adaptaram com facilidade.[402] Não dependiam mais dos mosquitos silvestres que os transferiram dos macacos para os humanos. Agora, com a urbanização e comércio, os vírus utilizavam o *Aedes aegypti* para disseminar-se entre os humanos. Mas o da dengue, agora instalado nos humanos, ainda teria um incremento na sua disseminação com o século XX, auge do comércio globalizado e da urbanização.

Tropas japonesas e americanas, durante a Segunda Guerra Mundial, disputaram palmo a palmo as ilhas do Pacífico, da Oceania e do sudeste asiático. O vírus espalhou-se pela região entre os refugiados, militares e migrantes infectados. Mosquitos se proliferaram nas águas de chuva coletadas entre os entulhos, construções desabitadas e abandonadas e áreas bombardeadas. O vírus caminhou entre ilhas, continentes e regiões. Após a guerra, a dengue havia percorrido grandes distâncias, levada pelas migrações de refugiados doentes ou pelo comércio globalizado.[403] As embarcações transportavam mosquitos contaminados para regiões distantes. Um grupo de pesquisadores britânicos calculou o ancestral comum de um grupo de vírus da dengue tipo 2 disperso pelo planeta. Esse ancestral surgiu por volta da Segunda Guerra Mundial. Alguns tipos de vírus do DEN2 se expandiram após a guerra e se alastraram pelo globo.

A globalização do comércio ajudou a transportar o vírus da dengue para diversas regiões do planeta. Outros centros urbanos receberam mosquitos contaminados ou pessoas doentes. Alguns tipos de microrganismos adaptaram-se melhor aos mosquitos presentes nas áreas para onde foram levados, facilitando as epidemias.[404] Outros vírus ainda sofreram mutações que contribuíram para melhor proliferação e epidemias.[405]

Em uma verdadeira investigação de detetive, reconstituímos passo a passo o caminho percorrido pelo vírus da dengue tipo 3. Suas pegadas na conquista do planeta foram traçadas ao compararmos o RNA desse vírus de diferentes regiões.[406] Partiu da península indiana, local em que ocorriam epidemias na Índia e no Sri Lanka desde a década de 1960. Embarcações levaram o DEN3 para a costa leste da África. O vírus aportou no litoral de Moçambique durante a epidemia de 1984 e 1985. Seis anos depois, causava epidemias no Quênia (1991), e dois anos depois foi carregado para a Somália (1993). O tráfego marítimo trouxe o vírus das costas africanas para a América em 1994, época em que ocorreu epidemia no Panamá e Nicarágua. Na segunda metade da década de 1990, o vírus espalhou-se pelos países da América Central e prosseguiu em direção ao sul para atingir Brasil e Venezuela em 2001.

O AVANÇO OCULTO DO EBOLA

O material genético viral amplia nosso horizonte de conhecimento. A história a seguir diz respeito a um vírus que acreditávamos causar epidemias esparsas e distintas na África. Porém, sabemos hoje se tratar de uma única epidemia que caminha silenciosamente pelas matas e dizima vilas e cidades africanas. O material genético do vírus revela seu caminho percorrido durante anos.

As cidades de Nzara e Maridi, incrustadas nas matas do Sudão, testemunharam algo diferente da sua rotina na segunda metade de 1976. Um trabalhador de uma fábrica de processamento de algodão teve febre, dores pelo corpo, dor de cabeça, indisposição, mal-estar e falta de apetite. No início, os sintomas não despertaram alarme e foram atribuídos a uma provável gripe. Porém, seu estado físico deteriorou-se e, mais assustador, seus orifícios corpóreos começaram a expelir sangue. Aquela febre inicial e aparentemente inofensiva transformava-se em "febre hemorrágica". Outros habitantes das cidades surgiram com os mesmos sintomas. A doença desconhecida se espalhava entre outros cidadãos. Era contagiosa. Iniciava-se uma epidemia por algum agente infeccioso até então desconhecido naquela região. Extremamente agressivo, o invasor misterioso nocauteava suas vítimas e precipitava sangramentos pelo vômito, tosse, diarreia, gengivas, olhos e nariz. Não se ouvia falar em outra coisa a não ser naquela nova doença que progredia também para vilarejos vizinhos. Com o passar dos dias, o número de doentes aumentou. O contato com secreções sanguinolentas dos doentes transmitia a doença, bem como durante a limpeza do corpo para os funerais.

Agulhas que administravam soros e drogas aos enfermos eram reutilizadas em outras pessoas e traziam o microrganismo. Agulhas não descartáveis catalisavam a epidemia. Estávamos em uma época anterior à aids e não se cogitava o descarte dos materiais contaminados. A bem da verdade, essa situação não mudaria muito mesmo com o conhecimento da aids, uma vez que em regiões pobres continuaram a ser usadas agulhas e seringas não descartáveis por problemas de custo. A doença hemorrágica matou mais da metade dos enfermos: 150 em 284 sudaneses em 6 meses.

No mesmo instante em que a doença varria habitantes das cidades sudanesas, algo semelhante ocorria a oitocentos quilômetros de distância, em Yambuku, no antigo Zaire (atual República Democrática do Congo).

Para cada paciente febril que surgia nas cidades sudanesas, outro emergia em Yambuku. A doença era a mesma. Desconhecida, ainda sem nome e sem um microrganismo identificado. Seria um vírus? Ambas as populações permaneceram atônitas e apavoradas pelo número de mortos por hemorragias. A angústia crescia com a perpetuação daquele mal. Centenas de quilômetros separavam as duas localidades e nenhum viajante chegara a Yambuku proveniente do Sudão, o que poderia ser então o responsável por trazer a doença. Era como se as epidemias surgissem em um mesmo instante em regiões diferentes, como em um ataque terrorista sincronizado.

Os habitantes de Yambuku sofreram muito mais. Foram mais de trezentos pacientes acamados. A morte atingiu a surpreendente marca de 90% dos doentes. A humanidade não vira nada igual até então, uma infecção que praticamente poderia extinguir todos que acometesse. Adquirir aquela nova doença no Zaire significava a morte, enquanto no Sudão ainda havia chance de cura, tal como lançar uma moeda e contar com a sorte de cara ou coroa, vida ou morte.

A doença era causada pelo mesmo vírus em ambos os países. Pequenas alterações no material genético fizeram com que o tipo presente no Zaire causasse maior mortalidade. Diferenças genéticas virais geraram diferenças na agressividade dos vírus. O rio Ebola, fonte vital de Yambuku, foi responsável pelo batismo do microrganismo, posteriormente isolado e descoberto como causador daquela doença que emergiu das entranhas das matas africanas.

Hoje, o estudo genético mostra que realmente se tratou de dois tipos de vírus ebola nas epidemias de Sudão e Zaire em 1976. Daí a mortalidade ser muito maior entre os habitantes do Zaire se comparada com a do Sudão. Foi coincidência as duas epidemias surgirem ao mesmo tempo. Dois vírus primos constituídos de RNA espreitaram os vilarejos dos dois países à espera do momento ideal para saltarem aos humanos. As diferenças de seus materiais genéticos mostram indícios de que se originaram de um vírus ancestral comum que viveu de mil a dois mil anos atrás.[407]

Por sua vez, esse ancestral que originaria o ebola já havia se separado de outro vírus mais antigo ainda há cerca de sete mil anos. Nessa época, um ramo trilhou seu caminho com mutações que originariam outro vírus letal conhecido como marburg. Em linhas gerais, o que o RNA viral nos conta é a existência de um vírus avô de todos, que viveu há cerca de sete mil anos. Este apresentou dois filhos. Um deles gerou descendentes e mutações entre mil e dois mil anos atrás, que originaram os vírus ebola atuais do Sudão e do Zaire, portanto, primos entre si. O outro filho separou-se de seu irmão e gerou descendentes e mutações que originariam o vírus marburg. Apesar de essa árvore genealógica encontrar-se na África, o marburg surpreendentemente foi descoberto passeando no território europeu. Como teria parado a milhares de quilômetros de sua casa?

O vírus marburg foi descoberto em 1967, na Alemanha, em trabalhadores de uma pequena sala de laboratório especializado em pesquisas virais e produção de vacinas. Inicialmente, os funcionários apresentaram sintomas compatíveis com qualquer infecção viral.[408] No entanto, os antibióticos empregados não surtiram efeitos e a situação tranquila se transformou em desespero. Além disso, surgiram sangramentos. Uma temível febre hemorrágica atingia esses trabalhadores alemães da cidade de Marburg (daí o nome do vírus na época em que foi descoberto). Situação semelhante era encontrada, na mesma época, em trabalhadores de outros laboratórios distantes, nas cidades de Frankfurt e Belgrado. No total foram

31 pacientes infectados pelo marburg. Que vírus seria esse causador de uma febre de laboratório?

Apenas trabalhadores de laboratórios adquiriam a doença. Estaríamos diante de um novo tipo de infecção: "a febre do laboratório"? A relação não estava no local, mas sim no animal que os funcionários das três cidades europeias manipulavam. Esses laboratórios da década de 1960 realizavam experimentos com vírus vivo e produziam vacinas. Para isso necessitavam de órgãos de macacos para proliferação viral. As células dos primatas funcionavam como um meio de cultivar os vírus experimentais. Esses três focos da epidemia apresentavam algo em comum. Receberam um carregamento de macacos-verdes provenientes de Uganda. Foi a porta de entrada do vírus marburg no continente europeu saído das matas tropicais africanas. Posteriormente, os Estados Unidos também conheceriam um vírus em seus laboratórios ao importarem macacos das Filipinas para suas pesquisas. Esses primatas trouxeram um outro tipo de vírus ebola, que aportou na cidade de Reston, Virgínia, em 1989. Não ocorreu epidemia porque se descobriu aquele alienígena a tempo. Os primatas foram destruídos e se evitou o avanço do microrganismos entre outros animais daquele território. Passados dez anos, os africanos conheceriam um parente do vírus marburg nessa epidemia conjunta do Sudão e Zaire.

Aquele fatídico ano de 1976 passara para os habitantes das regiões acometidas no Sudão e Zaire. Com exceção de alguns poucos casos em anos posteriores, o vírus ebola não mais mostrara sua face destrutiva. As epidemias pareciam fazer parte do passado. O inimigo recuara, mas provavelmente espreitava na mata. O homem precisava rastrear as selvas à procura dos redutos virais. Tentou-se de todas as maneiras identificar qual animal seria o portador do ebola. Por se tratar de um vírus, necessitaria de um ser vivo para sobreviver. Deveria se multiplicar em algum animal, mas qual? Não se encontrou o microrganismo em nenhum dos inúmeros animais capturados e examinados. Não faltaram tentativas, desde pequenos mosquitos e insetos até porcos, vacas, morcegos, roedores, esquilos, répteis, anfíbios, pássaros e mamíferos. O quartel general de ataque do vírus ebola permaneceu um mistério.

Apesar da ausência de epidemias, o vírus caminhava e avançava pelas matas tropicais. Tropas de infantaria viral eram carregadas em direção oeste e sul pelos misteriosos animais que albergam o vírus.[409] Os bichos que os carreavam ainda eram desconhecidos. O vírus camuflado estava em vantagem.

O inimigo seguiu em duas frentes de ataques. Um dos comboios chegou na região sudoeste do antigo Zaire, na cidade de Kikwit, em janeiro de 1995. Enquanto o outro aportara no Gabão um mês antes. A cidade de Kikwit não estava preparada para a epidemia de 1995. Inexistia infraestrutura de saúde para receber um número cada vez maior de doentes. Apesar de a cidade apresentar mais de duzentos mil habitantes, não havia transporte regular. Veículos eram raros e a mídia praticamente não existia. A epidemia apanhou a população de surpresa. O número de africanos acometidos pela doença chegou a mais de trezentos e, destes, cerca de 80% morreram. Os hospitais não estavam aparelhados para receber os doentes e, além disso, seus médicos e enfermeiras também adoeceram. Houve uma redução de 30% dos médicos da região, 10% das enfermeiras foram vitimadas pela epidemia.[410] Seringas e agulhas não descartáveis e contaminadas voltaram a acelerar a transmissão de vírus nos hospitais. O sangue dos doentes alastrava a epidemia aos seus familiares. O preparo dos cadáveres para os funerais também expunha pessoas ao vírus.

Aproveitou-se uma nova chance para se tentar encontrar o animal portador e disseminador do microrganismo. Procurou-se novamente em mosquitos, pulgas, moscas, piolhos, carrapatos, roedores e morcegos. Nada foi encontrado. O quartel-general do vírus permanecia camuflado na natureza.

O ataque do outro comboio viral enviado ao Gabão não foi tão violento quanto o que invadiu Kikwit. Em contrapartida, foi uma conquista territorial mais ampla, rápida e progressiva. Como uma blitz nazista da Segunda Grande Guerra. Em dezembro de 1994, três trabalhadores de mina de ouro foram atendidos com sintomas infecciosos e sangramentos. O vírus ebola chegava em Makokou, região norte do Gabão. Pouco mais de 40 pessoas apresentaram febre hemorrágica e, destas, 29 morreram. Em dois meses a blitz viral chegava a Mayibout, distante quarenta quilômetros da primeira cidade. O vírus entrou na cidade através de um morador de 18 anos que manipulou a carcaça de um chimpanzé. Esse primata fora vítima do ebola e ainda existiam formas vivas de vírus no corpo em decomposição. Os macacos também adquirem a doença e apresentam mortes frequentes. Em Mayibout a epidemia deixou 31 pessoas na cama e 21 foram transportadas do leito à cova. Em outubro daquele ano, a blitz viral, após percorrer pouco mais de cem quilômetros, entrava na cidade de Booué. Novamente caçadores desinformados tiveram contato com chimpanzés mortos de causa aparentemente desconhecida. Durante cinco meses de ocupação da cidade, a epidemia matou 45 pessoas entre 60 adoentadas. Enquanto a invasão pelo vírus ebola terminava no antigo Zaire com o fim da terrível epidemia de Kikwit, o Gabão era conquistado pelo microrganismo cidade após cidade.[411] Nas matas tombavam chimpanzés e gorilas, enquanto nas cidades e vilarejos, os humanos.

Em março de 1997, o vírus ebola deu uma trégua ao Gabão. Recuou para as matas como um guerrilheiro recolhido. O homem necessitava implementar suas informações nessa inteligência de guerra na tentativa de descobrir qual animal albergava o ebola. Somente assim saberia que animal transportava o vírus até as proximidades humanas. Qual seria sua blindagem? Muitas epidemias começaram com homens que manipularam chimpanzés mortos pela doença. Porém, esses primatas não albergavam o vírus, eram vítimas como nós. Em contrapartida, algumas epidemias iniciaram com os primeiros casos da doença em trabalhadores de fábricas, cavernas ou minas. Isso falava a favor de animais transmissores do vírus que habitavam essas localidades. Entre estes estavam aranhas, escorpiões, outros insetos e morcegos. A procura do vírus falhou nesses e em outros tantos bichos pesquisados. O máximo a que chegamos foi descobrir indícios de que o vírus ebola pudesse invadir alguns roedores e o musaranho,[412] porém não foi encontrado vírus se reproduzindo nesses animais. A invasão viral não se dava pela via terrestre, poderia ser uma invasão aérea?

Apesar de ser maciçamente investigado como suspeito número um, os morcegos não mostraram presença do ebola. Contudo, ao inocular o vírus no organismo de morcegos, observou-se que eles não ficam doentes e criam condições ideais para que o microrganismo se reproduza.[413] Recriamos a infecção, em laboratório nesses mamíferos alados, mas não encontrávamos na natureza. Enquanto nosso serviço de inteligência de guerra contra o ebola fracassava, o inimigo saía das matas do Gabão e prosseguia na conquista territorial.

Passaram-se quatro anos desde a última epidemia de 1997 em Booué. O homem espionou as matas do Gabão em busca de rastros do vírus. Era importante saber qual rumo ele tomara ou mesmo se havia um local em que permanecia escondido. Em outubro de 2001, o vírus iniciava sua segunda onda de ataques ao Gabão. Surgia na cidade de Mekambo, em caçadores que manipularam carcaça de antílope morto pelo microrganismo. Durante os anos seguintes, o vírus rumou para o nordeste do Gabão, esquivando-se do serviço de espionagem humano que, exaustivamente, o procurava entre animais selvagens. Essa segunda blitz viral conquistou cidades e vilarejos rumando para a fronteira com a República do Congo. Várias facções do ebola foram enviadas de maneira independente para suas cidades-alvo.[414] Pelotões virais se dividiram e rumaram aos alvos urbanos. Cidade atrás de cidade caíram nas mãos do vírus ebola. Primeiro foram Mekambo, Medemba, Ekata e outros vilarejos no Gabão. Em dois meses a doença chegou às portas da República do Congo e atingiu Olloba, Yembelongoye, Mvoula, Mbomo e outras cidades menores. Em dois anos a blitz conquistou o nordeste do Gabão e o noroeste da República do Congo. A invasão inicial das cidades congolesas foi agressiva com um total de 178 doentes; destes, a morte levou quase 90%.

O vírus utilizou enviados infectados como estratégia para penetrar nas cidades. Precipitou surtos entre animais selvagens da região durante os dois anos. As epidemias entre os primatas apresentaram dezenas de carcaças, entre gorilas e chimpanzés, aos africanos.[415,416] A população de gorilas caiu em 50% em determinadas áreas atingidas pela epidemia, enquanto os chimpanzés perderam 88% da sua população. A carcaça destes primatas e de antílopes nas redondezas das cidades funcionou como presente de grego aos moradores do Gabão e Congo. Funcionaram como inúmeros cavalos de Troia deixados nas portas das cidades para serem manipulados e presentearem os primeiros moradores com o vírus ebola. Os humanos retornavam para o interior das cidades e iniciavam os surtos urbanos.

A transmissão do macaco ao homem já havia sido comprovada em 1994 durante uma epidemia vivida por chimpanzés na costa do Marfim. Naquele ano foi constatado o desaparecimento de cerca de 25% da população desse primata e muitos foram encontrados mortos. Uma entomologista suíça, que investigava as mortes, adquiriu o vírus ebola ao manipular os órgãos de chimpanzé no momento de sua necropsia.

Estávamos perdendo a batalha contra o avanço viral. Não havíamos descoberto ainda qual animal o abrigava e transportava pelas matas. Em épocas passadas os combatentes de batalhas não visualizavam as tropas inimigas que se movimentavam a longa distância. A inteligência de guerra utilizava meios indiretos para estudar e prever as atitudes do inimigo. A procura de poeira levantada ao longe, bem como sua densidade e intensidade, indicavam se as tropas inimigas se movimentavam em posição de ataque ou apenas reorganizavam seus combatentes ou, ainda, se recuavam.[417] O grau de inclinação e a intensidade do reflexo solar nas baionetas e espadas podiam informar o sentido, a direção e a velocidade do inimigo. Nessa guerra contra o vírus ebola perdíamos várias batalhas por não sabermos seu paradeiro no interior das matas. Restou-nos a mesma estratégia que nossos combatentes passados. Utilizar meios indiretos que monitoravam um iminente ataque. Para isso, pudemos vasculhar o interior das periferias das matas em busca de gorilas, chimpanzés e antílopes mortos. Podíamos realizar testes laboratoriais em busca do vírus em cada carcaça encontrada. Fragmento de RNA viral em carcaças alertava para uma epidemia humana iminente, uma vez que geralmente as epidemias nesses animais precedem às humanas.[418] Temos que concordar que, apesar de único, esse método apresenta falhas e alto custo. Nosso serviço secreto teria que montar uma rede de espionagem mais eficaz para descobrir o esconderijo viral.

Enquanto não ocorria sua descoberta, nosso inimigo reunia forças aliadas para prosseguir a conquista territorial africana. No final de 2000, o tipo de vírus ebola que acometeu o Sudão em 1976 reapareceu em Uganda. Provavelmente, durante todos esses anos o vírus do Sudão percorreu as matas e rumou para Gulu, em Uganda. Invadiu a região com 425 africanos doentes, dos quais 40% não resistiram. Lembremos que a mortalidade pelo vírus ebola do Sudão era mais baixa que a do vírus ebola do antigo Zaire. Em maio de 2004, uma nova epidemia ocorria no Sudão e, em 2005, o Congo voltou a ter casos humanos com o ebola. A família desse microrganismo começava a atacar de maneira unida. Estávamos perdendo a guerra.

A impressão que temos é a de que houve uma estratégia entre os vírus primos do ebola. O tipo de vírus que acometeu o antigo Zaire, em 1976, rumou em direção ao sul do país com a epidemia de 1995 e seguiu para o Gabão. Posteriormente, desviou-se para invadir o Congo, deixou mortes humanas e animais nos rastros de seu caminho. Seu primo, o vírus ebola do Sudão de 1976, provavelmente partiu rumo ao sudeste para chegar em Uganda no ano 2000.[419] Teriam ainda um reforço familiar na sua campanha da conquista. Surgia aquele primo distante e por muitos anos esquecido, o vírus marburg. Estávamos agora diante de uma família mafiosa que se unira para dominar o território da região abaixo do Saara.

As tropas do vírus marburg vieram ao encontro dos ataques pelo ebola. No final de 1998, iniciou-se uma epidemia em trabalhadores de mina de ouro nas proximidades de Durba, na República Democrática do Congo. Durante dois anos surgiram casos da doença, que atingiu um total de quase cem homens, dos quais 80% morreram. O risco de adquirir o mal predominou em mineradores das minas de ouro.[420] O animal que albergava o vírus marburg seria o mesmo do vírus ebola. Novas pesquisas foram empreendidas, mas animais pequenos do interior de minas e cavernas, inclusive morcegos, não entregaram o vírus. O marburg pode ter rumado para a região sudoeste, pois em 2005 eclodia uma nova epidemia em Angola. Em um ataque devastador, o marburg acometeu quase quatrocentas pessoas e matou 88% dos doentes.

Os ventos dessa guerra parecem estar mudando de direção. Até o momento perdemos as batalhas para os vírus ebola dos tipos do Sudão e Zaire, bem como para o ressurgido marburg. Porém, no final de 2005 finalmente cientistas conseguiram identificar o vírus ebola em três espécies de morcegos frugívoros.[421] Bons ventos começaram a soprar em nossa direção. Após exaustivos anos de procura, parece que achamos uma direção correta a seguir. Várias lacunas necessitam ser preenchidas. Os morcegos albergam inúmeros tipos de vírus causadores de infecção humana[422] e sempre foram suspeitos na transmissão do ebola. Porque somente agora encontramos vírus em morcegos se estes sempre foram pesquisados sem nunca manifestá-los? Seriam realmente os animais que albergam o vírus ou estão transitoriamente acometidos pela doença? Nosso serviço de espionagem necessita continuar trabalhando a todo vapor, pois ainda não esclarecemos os passos do microrganismo que se encontra nas matas a nos espreitar até a próxima epidemia.

Todo esse percurso realizado pelos tipos de vírus ebola pôde ser traçado graças à comparação do RNA viral. Entendemos a dinâmica de sua locomoção pelo interior das matas. Resta sabermos com precisão qual animal o transporta. Isso será questão de tempo. Confirmaremos ou não, no futuro, o papel dos morcegos.

NOTAS

CAPÍTULO "ÁFRICA: ESTAÇÃO DE ORIGEM"

1 B. Korber et al., Timing the ancestor of the HIV-1 pandemic strains, Science, 288:1789-1796, 2000.
2 M. Salemi et al., Dating the common ancestor of SIV CPZ and HIV-1 group M and the origin of HIV-1 subtypes using a new method to uncover clock-like molecular evolution. The FASEB Journal, 15: 276-278, 2001.
3 Michael Balter, Virus from 1959 sample marks early years of HIV. Science, 279(5352), p. 801.
4 Simon Wain-Hobson, 1959 and all that. Nature, 391, February 5: 531-532, 1998.
5 M.T.P. Gilbert et al., The emergence of HIV/AIDS in the Americas and beyond. PNAS, 2007.
6 M. D. Grmek, History of Aids: emergence and origin of a modern pandemic, Princeton University Press, 1990.
7 D.A. Feldman & J.W. Miller, The Aids crisis: a documentary history, Greenwood Press, 1998.
8 Luc Montagnier, A history of HIV discovery. Science, 298, November 29: 1727-1728, 2002.
9 M.B. Gardner Simian, Aids: an historical perspective. Journal Medical Primatology, 32:180-186, 2003.
10 Wendy Armstrong; Leonard Calabrese; Alan J. Taege, HIV update 2005: origins, issues, prospects, and complications. Cleveland Clinic Journal of Medicine, 72 (1):73-78, 2005.
11 A Moya et al., The population genetics and evolutionary epidemiology of RNA virases, Nature Reviews Microbiology, 2(4): 279-88, 2004.
12 M. Worobey & E. C. Holmes, Evolutionary aspects of recombination in RNA viruses. Journal of General Virology, 80: 2535-2543, 1999.
13 S.T. Nichol et al., Emerging viral diseases. PNAS, n. 97(23), p.12411-12, 2000.
14 E. Nerrienet et al., Simian immunodeficiency virus infection in wild-caught chimpanzees from Cameroon. Journal of Virology, 79(2): 1312-19, 2005.
15 P. Lerney et al., Tracing the origin and history of the HIV-2 epidemic, PNAS, 100(11): 6588-92, 2003.
16 M.A. Jobling & P. Gill, Encoded evidence: DNA in forensic analysis. Nature Review Genetics, 5, October: 739-751, 2004.
17 MMWR – Morbidity and Mortality Weekly Report, 39(29): 489-493, 1990.
18 MMWR – Morbidity and Mortality Weekly Report, 40(2): 21-27, 1991; e 40(23): 377-381, 1991.
19 Chin-Yih Ou et al., Molecular Epidemiology of HIV transmission in a dental practice. Science, 256(5060): 1165-71, 1992.
20 Lawrence K. Altman, AIDS and a Dentist's Secrets, The New York Times, June 6, 1993.
21 Ronald Smothers, Where a dentist died of Aids, The New York Times, December 2, 1991.
22 M.L Metzker et al., Molecular evidence of HIV-1 transmission in a criminal case, PNAS, 99(22): 14292-14297, 2002.
23 Roberto Machuca et al., Molecular investigation of transmission of human immunodeficiency vírus type 1 in a criminal case, Clinical and Diagnostic Laboratory Immunology, 8(5): 884-890, 2001.
24 P. Lemey, et al. Molecular testing of multiple HIV-1 transmissions in a criminal case. AIDS,19:1649-1658, 2005.
25 A. Atteia et al., Identification of prokaryotic homologues indicates an endosymbiotic origin for the alternative oxidases of mitochondria (AOX) and chloroplastic (PTOX), Gene, 330:143-8, 2004.
26 S.G. Andersson. et al., On the origin of mitochondria: a genomics perspective, Philosophical Transactions of the Royal Society of London B, 358(1429):165-77, 2003.

[27] D.G. Searcy, Metabolic integration during the evolutionary origin of mitochondria, Cell Research, 13(4):229-38, 2003.

[28] Siv G.E. Andersson et al., The genome sequence of Rickettsia prowazekii and the origin of mitochondria. Nature, 396(6707):133-140, 1998.

[29] Wendy Armstrong; Leonard Calabrese; Alan J. Taege. HIV update 2005: origins, issues, prospects, and complications, Cleveland Clinic Journal of Medicine, 72(1):73-78, 2005.

[30] S. Blaiseet et al., Functional characterization of two newly identified human endogenous retrovírus coding envelope gene, Retrovirology, 2:19, 2005.

[31] N. Parseval et al., Survey of human genes of retroviral origin: identification and transcriptome of the genes with coding capacity for complete envelope proteins, Journal of Virology, 77(19):10414-10422, 2003.

[32] J. M. Coffin, Evolution of Retroviruses: fossils in our DNA, Proceedings of the American Philosophical Society, 148(3):264-280, 2004.

[33] Welkin E. Johnson & John M. Coffin, Constructing primate phylogenies from ancient retrovirus sequences. Proc. Natl. Acad. Sci. USA, 96:10254-10260, 1999.

[34] Tonjes, Ralf et al., HERV-K: The biologically most active human endogenous retrovirus family. Journal Acquired Immune Deficiency Syndromes & Human Retrovirology, 13(suppl. 1):s261-s267, 1996.

[35] L. Lavie et al., Human endogenous retrovirus family HERV-K(HML-5): status, evolution, and reconstruction of an ancient betaretrovirus in the human genome, Journal of Virology, 78(6): 8788-8798, 2004.

[36] K. Réus et al., HERV-K (OLD): ancestor sequences of the human endogenous retrovirus family HERV-K(HML-2), Journal of Virology, 75(19):8917-8926, 2001.

[37] The chimpanzee sequencing and analysis consortium. Initial sequence of the chimpanzee genome and comparison with the human genome, Nature, 437:69-87, 2005.

[38] P. Villesen et al., Identification of endogenous retroviral reading frames in the human genome, Retrovirology, 1:32, 2004.

[39] R. Belshaw et al., Genomewide screening reveals high levels of insertional polymorphism in the human endogenous retrovirus family HERV-K (HML2): implications for present-day activity. Journal of Virology, 79(19):12507-14, 2005.

[40] Budzin, A. et al. Human-specific subfamilies of HERV-K (HML-2) long terminal repeats: three master genes were active simultaneously during branching of hominoid lineages. Genomics, 81:149-156, 2003.

[41] M. Barbulescu et al., Many human endogenous retrovirus K (HERV-K) proviruses are unique to human, Current Biology, 9:861-868, 1999.

[42] N. Bennert & Kurth, Retroelements and human genome: new perspectives on an old relation. PNAS, 101(suppl.2):14572-14579, 2004.

[43] D.W. Morrish et al., Life and death in the placenta: New peptides and genes regulation human syncytiotrophoblast and extravillous cytotrophoblast lineage formation and renewal, Current Protein and Peptide Science, 2:245-259, 2001.

[44] David J. Griffiths, Endogenous retroviruses in the human genome sequence, Genome Biology, 2(6):reviews 1017.1-1017.5, 2001.

[45] Luis P. Villarreal, Can viruses make us human? Proceedings of the American Philosophical Society, 148(3):296-323, 2003.

[46] Vivienne Baillie Gerritsen, A vírus for life. Protein Spotlight, issue 50, September 2004.

[47] B. Bonnaud et al., Natural history of the ERVWEI endogenous retroviral locus, Retrovirology, 2:57,2005.

[48] P.N. Nelson et al., Demystified... Human endogenous retroviruses, J. Clin. Pathol, Mol. Pathol.,56:11-18, 2003.

[49] J. Robin Harris, Placental endogenous retrovirus (ERV): struvtural, functional, and evolutionary significance, BioEssays, 20:307-316, 1998.

[50] A. A. Buzdin et al., Human-specific HERV-K intron LTRs have nonaccidental opposite orientation relative to the direction of gene transcription and might be involved in the antisense regulation of gene expression. Russian Journal of Bioorganic Chemistry, 29(1):91-93, 2003.

[51] Frank P. Ryan, Human endogenous retroviruses in health and disease: a symbiotic perspective. Journal of the Royal Society of Medicine, 97:560-565, 2004.

[52] S. M. Kaiser et al., Restriction of an extinct retrovirus by the human TRIM5 alpha antiviral protein, Science, 316(5832): 1756-1758, 2007.

[53] D.J. McGeoch; A. Dolan; A. C. Ralph, Toward a comprehensive phylogeny for mammalian and avian herpesviruses, Journal of Virology, 74(22):10401-10406, 2000.

[54] Liu Long-ding et al. Phylogenetic analysis of homologous proteins encoded by UL2 and UL23 genes of Herpesviridae. Virologica Sinica, 22(3):207-211, 2007.

[55] D.J. McGeoch, et al. Topics in herpesvirus genomics and evolution. Virus Research, 117(1):90-104, 2006.
[56] V. Lacoste et al., A novel homologue of Human herpesvirus 6 in chimpanzees, Journal of General Virology, 86:2135-2140, 2005.
[57] E. Luebcke et al., Isolation and characterization of a chimpanzee alphaherpesvirus, Journal of General Virology, 87(1):11-19, 2006.
[58] A. J. Davison et al., The human cytomegalovirus genome revisited: comparison with the chimpanzee cytomegalovirus genome, Journal of General Virology, 84:17-28,2003.
[59] D.J. McGeoch et al. Toward a comprehensive phylogeny for mammalian and avian herpesviruses. Journal of Virology, 74(22):10401-10406, 2000.
[60] Paul M. Sharp. Cell, 108:305-312, 2002.
[61] É.S. Leal & P.M.A. Zanotto, Viral diseases and human evolution, Mem. Inst. Oswaldo Cruz, 95(suppl. 1):193-200, 2000.
[62] Charles Grose, Varicella zoster vírus: out of Africa and into the research laboratory, Herpes, 13(2):32- 36, 2006.
[63] E. Luebcke et al., Isolation and characterization of a chimpanzee alphaherpesvirus, Journal of General Virology, 87:11-19, 2006.
[64] G. A. Gentry et al., Sequence analyses of herpesviral enzymes suggest an ancient origin for human sexual behavior, PNAS,85:2658-61, 1988.
[65] G.A. Gentry et al., Sequence analyses of herpesviral enzymes suggest na ancient origin for human sexual behavior. Proceedings of the National Academy of Sciences, USA, 85:2658-2661, 1988.
[66] Frans de Waal, Eu, primata: porque somos humanos, São Paulo, Companhia das Letras, 2007.
[67] David P. Brash & Judith Eve Lipton, O mito da monogamia: fidelidade e infidelidade entre pessoas e animais, Rio de Janeiro, Record, 2007.
[68] R.S. Ostrow et al., A rhesus monkey model for sexual transmission of a papillomavirus isolated from a squamous cell carcinoma. Proc. Natl. Acad. Sci.,87:8170-8174,1990.
[69] A.A. Reszka, et al., In vitro transformation and molecular characterization of Colobus monkey venereal papillomavirus DNA. Virology, 181(2):787-792, 1991.
[70] Shih-Yen Chan et al., Genomic diversity and evolution of papilomavirus in Rhesus monkeys. Journal of Virology,71(7):4938-4943, 1997.
[71] Mar Gottschling et al., Multiple evolutionary mechanisms drive Papillomavirus diversification, Molecular Biology Evolution, 24(5):1242-1258, 2007.
[72] Carl Zimmer, Parasite rex, New York, Touchstone, 2001.
[73] F. Bouchet, Parasite remains in archaeological sites, Mem Inst Oswaldo Cruz, 98(suppl.1):47-52, 2003.
[74] E.P. Hoberg et al., Out of Africa: origins of the Taenia tapeworms in human, Proc. R. Soc. Lond. B., 268:781-87, 2001.
[75] Eric P. Hoberg, Phylogeniy of Taenia: species definitions and origins of human parasites, Parasitology international, 55(suppl. 1):S23-S30, 2006.
[76] S.C. Antón & C.C. Swisher, Early dispersals of Homo from Africa, Annu. Rev. Anthropol., 33:271-96, 2004.
[77] Akira Ito et al., Multiple genotypes of Taenia solium: ramification for diagnosis, treatment and control. Acta Tropica, 87: 95-101, 2003.
[78] M. Okamoto et al., Molecular variation of Taenia solium in the world. Southeast Asian J. Trop. Med. Public. Health, 32(suppl. 2):90-93, 2001.
[79] M. Nakao et al., A phylogenetic hypotesis for the distribution of two genotypes of the pig tapeworm Taenia solium worlwide. Parasitology, 124(Pt 6):657-662, 2002.
[80] Regina Maura Cabral de Melo Abrahão, Tuberculose humana causada pelo *Mycobacterium bovis*: considerações gerais e a importância dos reservatórios animais. Arch. Vet. Scienc., 4(1):5-15,1999.
[81] A.A. Cataldi et al., The genotype of the principal Mycobacterium Boris in Argentina is also that of the British Isles: did bovine tuberculosis come from Great Britain?, Rev. Argent. Microbiol.,34(1):1-6, 2002.
[82] Stewart T. Cole, Comparative and functional genomics of the *Mycobacterium* tuberculosis complex, Microbiology, 148:2919-28, 2002.
[83] H. Herzog, History of tuberculosis, Respiration, 65:5-15, 1998.
[84] J.L.F. Antunes et al., Tuberculose e leite: elementos para a história de uma polêmica, Histórias, Ciências, Saúde – Manguinhos, 9(3):609-23, 2002.
[85] R.G. Ducati et al., The resumption of consumption: A review on tuberculosis, Mem. Inst. Oswaldo Cruz,101(7):697-714, 2006.
[86] Heather Pringle, O mundo das múmias, Rio de Janeiro, Ediouro, 2002.

[87] Andrew Collins & Chris Ogilvie-Herald, Tutancâmon: a verdade por trás do maior mistério da arqueologia, São Paulo, Landscape, 2003
[88] A.R. Zink et al., Molecular study on human tuberculosis in three geographically distinct and time delineated populations from ancient Egypt, Epidemiol. Infect.,130:239-249, 2003.
[89] A.R. Zink et al., Molecular analysis of skeletal tuberculosis in an ancient Egyptian population. J., Med. Microbiol., 50:355-366, 2001.
[90] A.R. Zink et al., Characterization of *Mycobacterium tuberculosis* complex DNAS from Egyptian mummies by spoligotyping, Journal of Clinical Microbiology, 41(1):359-367, 2003.
[91] A.R. Zink, et al. Molecular analysis of ancient microbial infections. FEMS Microbiology Letters, 213:141-147, 2002.
[92] S. Mostowy et al. Genomic deletions suggest a phylogeny for the *Mycobacterium tuberculosis* complex, The Journal of Infectious Diseases, 186:74-80,2002.
[93] C. Arnold, Molecular evolution of Mycobacterium tuberculosis. Clinical Microbiological Infection, 13: 120-128, 2007.
[94] R. Brosch et al., A new evolutionary scenario for the *Mycobacterium tuberculosis* complex, PNAS, 99(6): 3684-3689, 2002.
[95] J. Miltgen et al., Two cases of pulmonary tuberculosis caused by *Mycobacterium tuberculosis* subsp. *Canetti*, Emerging Infectious Diseases, 8(11):1350-52, 2002.
[96] G.E. Pfyffer, et al. *Mycobacterium canettii*, the smooth variant of *M. tuberculosis*, isolated from a swiss patient exposed in Africa. Emerging Infectious Diseases, 4(4):631-34, 1998.
[97] M. Fabre et al., High genetic diversity revealed by variable-number tandem repeat genotyping and analysis of HSP65 gene polymorphism in a large collection of *Mycobacterium canettii* strains indicates that the *M. tuberculosis* complex is a recently emerged clone of *M. canettii*, Journal of Clinical Microbiology, 42(7):3248-55, 2004.
[98] R.C. Huard et al., Novel genetic polymorphisms that further delineate the phylogeny of the *Mycobacterium tuberculosis* complex, Journal of Bacteriology, 188(12):4271-4287, 2006.
[99] M.C. Gutierrez et al., Ancient origin and gene mosaicism of the progenitor of *Mycobacterium tuberculosis*. Plos Pathogens,1(1):e5, 2005.

CAPÍTULO "PEGADAS MICROSCÓPICAS NA MIGRAÇÃO HUMANA"

[100] C.A. Scholz et al., East African megadroughts between 135 and 75 thousand years ago and bearing on early-modern human origins, PNAS Early Edition, 1-6, 2007.
[101] P. Forster & Matsumura, Did Early humans go north or south? Science, 308(may 13):965-966, 2005.
[102] Paul Melars, A new radiocarbon revolution and the dispersal of modern humans in Eurasia. Nature, 439 (February 23):931-935, 2006.
[103] P. Forster, Ice Ages and the mitochondrial DNA chronology of human dispersals: a review, Phil. Trans. R. Soc. Lond. B, 359:255-264, 2004.
[104] L. Luca Cavalli-Sforza & Marcus W. Feldman, The application of molecular genetic approaches to the study of human evolution, Nature Genetics Supplement, 33:266-275, 2003.
[105] Alan R. Templeton, Out of Africa again and again, Nature,416:45-51, 2002.
[106] L. Quintana-Murci et al., Genetic evidence of na early exit of *Homo sapiens sapiens* from Africa through eastern África, Nature Genetics, 23, December: 437-441, 1999.
[107] Steven Mithen, Depois do gelo: uma história humana global 20000 – 5000 a.C., Rio de Janeiro, Imago, 2005.
[108] M.C. Stiner, Carnivory, coevolution, and the geographic spread of genus *Homo*, Journal of Archeological Research, 10(1):1-42, 2002.
[109] C.K. Ong et al., Evolution of human papillomavirus type 18: an ancient phylogenetic root in Africa and intratype diversity reflect coevolution with human ethnic groups, Journal of Virology, 67(11):6424-31, 1993.
[110] S.Y. Chan et al, Molecular variants of hum an papillomavirus type 16 from four continents suggest ancient pandemic spread of the virus and its coevolution with humankind, Journal of Virology, 66(4):2057-66, 1992.
[111] T. Wirth; A. Meyer; M. Achtman. Deciphering host migrations and origins by means of their microbes. Molecular Ecology, 14:3289-3306, 2005.
[112] Lisa Ho et al., The genetic drift of human papillomavirus type 16 is a means of reconstructing prehistoric viral spread and the movement of ancient human populations, Journal of Virology, 67(11):6413-6423, 1993.
[113] Shih-Yen Chan et al., Phylogenetic analysis of 48 papillomavirus type and 28 subtypes and variants: a showcase for the molecular evolution of DNA viruses, Journal of Virology, 66(10):5714-5725, 1992.

[114] I.E. Calleja-Macias et al., Worldwide genomic diversity of the high-risk human papillomavirus types 31, 35, 52, and 58, four close relatives of human papillomavirus type 16, Journal of Virology, 79(21):13630-13640, 2005.
[115] Todd R. Disotell, Discovering human history from stomach bacteria, Genome Biology, 4(5):213-16, 2003.
[116] D. Falush et al., Traces of human migrations in *Helicobacter pylori* populations, Science, 299(5612):1582-85, 2003.
[117] B. Linz et al., An African origin for the intimate association between humans and *Helicobacter pylori*, Nature, 445(7130):915-918, 2007.
[118] T. Wirth et al., Distinguishing human ethnic groups by means of sequences from *Helicobacter pylori*: lesons from Ladakh, PNAS,101(14):4746-51, 2004.
[119] C. Ghose et al., East Asian genotypes of Helicobacter pylori strains in Amerindians provide evidence for its ancient human carriage, PNAS, 99(23):15107-15111, 2002.
[120] A. Pavesi, Microbes coevolving with human host and ancient human migrations, Journal of Anthropological Sciences, 83:9-28, 2005.
[121] Igor Mokrousov et al., Origin and primary dispersal of the *Mycobacterium tuberculosis* Beijing genotype: clues from human phylogeography. Genome Research, 15(10):1357-64, 2005
[122] T.R. Wagenaar et al., The out of Africa model of varicella-zoster virus evolution, Vaccine, 21(11-12):1072-81, 2003.
[123] Rory Bowden et al., Patterns of Eurasian HSV-1 molecular diversity and inferences of human migrations, Infections, Genetics and Evolution, 6(1):63-74, 2006.
[124] Athena Review, Journal of Archaeology, History, and Exploration, *Homo erectus*, 4(1),2004.
[125] C.C. Swisher et al., Latest *Homo erectus* of Java: potential contemporaneity with *Homo sapiens* in southeast Asia, Science, 274(5294):1870-1874, 1996.
[126] P. Brown et al., A new small-bodied hominin from the late Pleistocene of Flores, Indonesia, Nature, 431(28 October 2004):1055-1061.
[127] M.J. Morwood et al., Archeology and age of a new hominin from Flores in eastern Indonesia, Nature, 431(28 de October):1087-1091, 2004.
[128] Kate Wong, O menor dos humanos. Scientific American – Brasil (Edição Especial),17:51-59.
[129] Anne Applebaum, Gulag: Uma história dos campos de prisioneiros soviéticos. São Paulo: Ediouro, 2004.
[130] Correlli Barnett, Bonaparte. Wordsworth military library. Wordsworth Editions, 1998.
[131] M. Drancourt et al., Detection of 400 year old Yersinia pestis DNA in human dental pulp: an aproach to the diagnosis of ancient septicemia, Proc. Natl. Acad. Sci.,95:12637-12640, 1998.
[132] M. Drancourt et al., Genotyping, orientalis-like Yersinia pestis, and plague pandemics. Emerging Infectious Diseases, 10(9):1585-1592, 2004.
[133] D. Raoult et al., Evidence for louse-transmitted diseases in soldiers of Napoleon`s grand army in Vilnius, Journal Infectious Diseases, 193(1):112-120, 2006.
[134] G.C. Kohn, Encyclopedia of plague and pestilence, New York, Facts on File, 1995.
[135] M. Maurin & D. Raoult, Bartonella quintana infections, Clinical Micobiology Reviews, 9(3):273-292, 1996.
[136] D.L. Reed et al., Genetic analysis of lice supports direct contact between modern and archaic humans, Plos Biology, 2(11):1972-1983, 2004.
[137] M.A. Perotti et al., Host-symbiont interactions of the primary endosymbiont of human head and body lice, The FASEB Journal, 21:1-9, 2007.
[138] R. Kittler et al. Molecular evolution of *Pediculus humanus* and the origin of clothing, Current Biology, 13:1414-1417, 2003.
[139] Robin A. Weiss, Lessons from naked apes and their infections, Journal Medical Primatology, 36:172-179, 2007.
[140] John A.J. Gowlett, The early settlement of norther Europe: fire history in the context of climate change and the social brain, C.R. Palevol, 5:299-310, 2006.
[141] András Takács-Sánta, The major transitions in the history of human transformation of the biosphere, Human Ecology Review, 11(1):51-66, 2004.
[142] Scott Bowden, New hepatitis viruses: contenders and pretenders. Journal of Gastroenterology and Hepatology, 16:124-131, 2001.
[143] J.E. Levi et al., High prevalence of GB virus C/hepatitis G virus RNA among Brazilian blood donors, Rev. Inst. Med. Trop., 45(2):75-78, 2003.
[144] R.N. Charrel et al., Phylogenetic analysis of GB viruses A and C: evidence for cospeciation between virus isolates and their primate hosts, J. Gen. Virol., 80:2329-2335, 1999.
[145] P. Simmonds, The origin and evolution of hepatitis viruses in humans, J. Gen. Virol., 82:693-712, 2001.
[146] K. Kidd-Ljunggren et al., Genetic variability in hepatitis B viruses, J. Gen. Virol., 83:1267-1280, 2002.
[147] P. Arauz-Ruiz et al., Genotype H: a new amerindian genotype of hepatitis B virus revealed in Central America, Journal of General Virology, 83:2059-2073, 2002.

[148] B.H. Robertson, Viral hepatitis and primates: historical and molecular analysis of human and nonhuman primate hepatitis A, B and GB-related viruses, J. Viral Hepatitis, 8:233-242, 2001.
[149] R.E. Lanford et al., An infectious clone of woolly monkey hepatitis B virus, J. Virol., 77(14):7814-7819, 2003.
[150] D.M. MacDonald et al., Detection of hepatitis B virus infection in wild born chimpanzees: phylogenetic relationships with human and other primate genotypes. J. Virology., 74(9):4253-4257, 2000.
[151] Jean-Pierre Vartanian et al., Identification of a Hepatitis B virus genome in wild chimpanzee from East Africa indicates a wide geographical dispersion among equatorial African primates, Journal of Virology, 76(21):11155-11158, 2002.
[152] S. Noppornpanth et al., Molecular epidemiology of gibbon hepatitis B virus transmission, J. Gen.Virol., 84:147-155, 2003.
[153] E.J. Verschoor et al., Analysis of two genomic variants of orangutan hepadnavirus and their relationship to other primate hepatitis B-like viruses, J. Gen. Virol., 82:893-897, 2001
[154] S.E. Starkman et al., Geographic and species association of hepatitis B virus genotypes in non-human primates, Virology,314:381-393, 2003.
[155] Mario Ali Fares & Edward C. Holmes, A Revised evolutionary history of hepatitis B virus (HBV). Journal of Molecular Evolution, 54(6):807-814, 2002.
[156] P.L. Bollyky & Holmes, E.C. Reconstructing the complex evolutionary history of hepatitis B virus, Journal of Molecular Evolution, 49(1):130-141, 1999.
[157] H. Oota et al., The evolution and population genetics of the ALDH2 locus: random genetic drift, selection, and low levels of recombination, Annals of Human Genetics, 68:93-109, 2004.
[158] Y.P. Lin & T.J. Cheng, Why can not Chinese Han drink alcohol? Hepatitis B virus infection and the evolution of acetaldehyde dehydrogenase deficiency, Medical Hypotheses, 59(2):204-207, 2002.
[159] E.J. Vallender & B.T. Lahn, Positive selection on the human genome, Human Molecular Genetics, 13 (review issue 2): R245-R254, 2004.

CAPÍTULO "CHEGADA À AMÉRICA"

[160] Geraldo Barroso C., Reis, papas e "leprosos", Belo Horizonte, Pelicano, 2004.
[161] C.G. Schrago & C.A. Russo, Timing the origin of new world monkeys, Mol. Biol. Evol., 20(10):1620-1625, 2003.
[162] Richard Dawkins, The ancestor`s tale: a pilgrimage to the Dawn of evolution, Boston, New York, Houghton Mifflin Company, 2004.
[163] K.S. Dulai et al., The evolution of trichromatic color vision by opsin gene duplication in new world and old world primates, Genome Research, 9(7):629-638, 1999.
[164] J. Weinstock et al. Evolution, systematics, and phylogeography of Pleistocene horses in the New World: a molecular perspective, Plos Biology, 3(8):e241, 2005.
[165] Evaristo Eduardo de Miranda, Quando o Amazonas corria para o Pacífico, Petrópolis, Vozes, 2007.
[166] Bill McGuire, A guide to the end of the world, Oxford, New York, Oxford University Press, 2002.
[167] B. Shapiro et al., Rise and fall of the Beringian steppe bison. Science, 306(5701):1561-65, 2004.
[168] K. Lambeck et al., Links between climate and sea levels for the past three million years, Nature, 419(6903):199-206, 2002.
[169] Godfrey M. Hewitt, The structure of biodiversity: insights from molecular phylogeography, Frontiers in Zoology, 1:4-19, 2004.
[170] Robert E. Ricklefs, The economy of nature, New York: W. H. Freeman and Company, 2001.
[171] B.M. Rothschild et al., *Mycobacterium tuberculosis* complex DNA from an extinct bison dated 17,000 years before present, Clinical Infectious Diseases, 33:305-11, 2001.
[172] B. M. Rothschild & L. D. Martin, Frequency of pathology in a large natural sample from Natural Trap Cave with special remarks on erosive disease in the Pleistocene, Reumatismo, 55(1):58-65, 2003.
[173] Clive Gamble, Timewalkers: the prehistory of global colonization, Massachusetts, Harvard University Press, 1996.
[174] An interview with N. Guidon et al., Peopling of the Americans. Athena Review, Journal of Archaeology, History and Exploration, 3(2), 2002.
[175] Maria Cristina Tenório (org.), Pré-história da *Terra Brasilis*, Rio de Janeiro, Ed. Universidade Federal do Rio de Janeiro, 2000.
[176] W.A. Neves & M. Hubbe, Cranial morphology of early Americans from lagoa Santa, Brazil: implications for the settlement of the new world. PNAS,102(51):18309-18314, 2005.

[177] Ian Wilson, Past lives: unlocking the secrets of our ancestors, London, Weidenfeld & Nicolson, 2002.

[178] E.J. Dixon, How and when did people first come to North America? Athena Review, Journal of Archaeology, History and Exploration,3(2), 2002

[179] F.Rollo et al., Otzi's last meals: DNA analysis of the intestinal content of the neolithic glacier mumy from the Alps, PNAS,99(20):12594-12599, 2002.

[180] J.H. Dickson et al., The omnivorous Tyrolean iceman: colon contents (meat, cereal, pollen, moss and whipworm) and stable isotope analysis, Phil. Trans. R. Soc. Lond., 355:1843-1849, 2000.

[181] Adauto Araújo & Luiz Fernando Ferreira, Mem. Inst. Oswaldo Cruz, Rio de Janeiro, 95(suppl.1):89-93, 2000.

[182] F. Bouchet et al., Parasite remains in archaeological sites, Mem. Inst. Oswaldo Cruz, Rio de Janeiro., 98(suppl.1):47-52, 2003.

[183] M.L. Gonçalves et al., Paleoparasitologia no Brasil, Ciência & Saúde Coletiva., 7(1):191-196, 2002.

[184] Adauto Araújo & Luiz F. Ferreira, Oxiuríase e migrações pré-históricas. História, Ciências, Saúde – Manguinhos, II (1):99-109, 1995.

[185] F.E.G. Cox, History of human parasitology. Clinical Microbiology Reviews,15(4):595-612, 2002.

[186] M.L.C. Gonçalves et al., Human intestinal parasites in the past: new findings and a review, Mem. Inst. Oswaldo Cruz, 98(suppl.1):103-118, 2003.

[187] A. Montenegro et al., Parasites, Paleoclimate, and the peopling of the Americas. Current Anthropology, 47(1):193-200, 2006.

[188] Jared Diamond, Collapse: how societies choose to fail or succeed, New York, Viking, 2005.

[189] Edward P. Lanning, Peru before the Incas. N.J.: Prentice – Hall, 1967.

[190] N. Konomi et al., Detection of Mycobacterial DNA in Andean mummies, Journal of Clinical Microbiology., 40(12):4738-4740, 2002.

[191] S.M. F. M. Souza e J. G. Prat, Prehistoric tuberculosis in America: adding comments to a literature review. Mem Inst Oswaldo Cruz, vol. 98(suppl. 1):151-159, 2003.

[192] Thomas M. Daniel, The origins and precolonial epidemiology of tuberculosis in the Americas: can we figure them out? Int. J. Tuberc. Lung Dis., 4(5):395-400, 2000.

[193] Carlos A. Machado & Francisco J. Ayala, Nucleotide sequences provide evidence of genetic Exchange among distantly related lineages of *Trypanosoma cruzi*, PNAS, 98(13):7396-7401,2001.

[194] B.Zingales et al., Epidemiology, biochemistry and evolution of *Trypanosoma cruzi* lineages based on ribosomal RNA sequences, Mem. Inst. Oswaldo Cruz, Rio de Janeiro, 94(suppl.1):159-64,1999.

[195] A.C. Aufderheide et al., A 9,000-year record of Chagas' disease, PNAS, 101(7):2034-2039, 2004.

[196] F. Guhl et al., Chagas disease and human migration, Mem. Inst. Oswaldo Cruz, 95(4):553-555, 2000.

[197] A.C. Aufderheide, Progress in soft tissue paleopathology, JAMA, 284(20):2571-2573, 2000.

[198] P. Lutumba et al., Tripanosomiasis control, Democratic Republic of Congo, 1993-2003. Emerging Infectious Diseases, 11(9):1382-1388, 2005.

[199] L. Berrang-Ford et al., Spatial analysis of sleeping sickness, southeastern Uganda, 1970-2003. Emerging Infectious Diseases, 12(5):813-820, 2006.

[200] O. Haddrath & Baker, A.J. Complete mitochondrial DNA genome sequences of extinct birds: ratite phylogenetics and the vicariance biogeography hypothesis, Proc. R. Soc. Lond. B., 268:939-945, 2001.

[201] M. Van Tuinem et al. Phylogeny and biogeography of ratite birds inferred from DNA sequences of the mitochondrial ribosomal genes, Mol. Biol. Evol.,15(4):370-376, 1998.

[202] A. Cooper et al., Complete mitochondrial genome sequences of two extinct moa scarify ratite evolution. Nature, 409:704-707, 2001.

[203] A. Rzhetsky et al., Four-cluster analysis: a simple method to test phylogenetic hypotheses, Mol. Biol. Evol.,12(1):163-67, 1995.

[204] M.R.S. Briones et al., Application of mathematical models of DNA sequence evolution in experimental phylogenetics and studies of *Trypanosoma cruzi* genetic diversity. Disponívem em <www.unifesp.br/dmip/Briones-Biomat.pdf>.

[205] Jamie Stevens; Harry Noyes; Wendy Gibson, The evolution of Trypanosomes infecting humans and primates, Mem. Inst. Oswaldo Cruz,93(5):669-676, 1998.

[206] M. Cardillo et al., A species-level phylogenetic supertree of marsupials. J. Zool., 264:11-31, 2004.

[207] J.R. Stevens & W. Gibson, The molecular evolution of Trypanosomes, Parasitology Today, 15(11):432-437, 1999.

[208] Jamie R. Stevens & Wendy C. Gibson, The evolution of pathogenic trypanosomes, Cad. Saúde Pública, Rio de Janeiro, 15(4):673-84,1999.

[209] Jamie R. Stevens; Harry Noyes; Wendy Gibson, The evolution of Trypanosomes infecting humans and primates, Mem. Inst. Oswaldo Cruz, 93(5):669-76, 1998.

[210] J. R. Stevens et al., The ancient and divergent origins of the human pathogenic trypanosomes, *Trypanosoma brucei* and *T. cruzi*, Parasitology, 118:107-116, 1999.
[211] M.R.S. Briones et al., The evolution of two *Trypanosoma cruzi* subgroups inferred from RNA genes can be correlated with the interchange of American mammalian faunas in the Cenozoic and has implications to pathogenicity and host specificity, Molecular and Biochemical Parasitology,104:219-232, 1999.
[212] M.W. Gaunt & M. A Miles,. Na insect molecular clock dates the origin of the insects and accords with palaeontological and biogeographic landmarks, Mol. Biol. Evol.,19(5):748-761, 2002.
[213] M.D Bargues et al., Nuclear rDNA-based molecular clock of the evolution of triatominae (Hemiptera: reduviidae), vectors of Chagas disease, Mem. Inst. Oswaldo Cruz, 95(4):567-573, 2000.
[214] M.D. Bargues et al., origin and phylogeography of the Chagas disease main vector Triatoma infestans based on nuclear rDNA sequences and genome size, Infection, Genetics and Evolution, 6:46-62, 2006.
[215] S.P. Morzunov et al., Genetic analysis of the diversity and origin of hantaviruses in *Peromyscus leucopus* mice in North America, Journal of Virology, 72(1):57-64, 1998.
[216] M.C. Monroe et al., Genetic diversity and distribution of *Peromyscus*-borne hantaviruses in North America, Emerging Infectious Diseases, 5(1):75-86, 1999.
[217] T.L. Yates et al., The ecology and evolutionary history of an emergent disease: Hantavirus pulmonary syndrome, BioScience, 52(11):989-98, 2002.
[218] A.J. Altamirano-Enciso et al., Sobre a origem e dispersão das leishmanioses cutânea e mucosa com base em fontes históricas pré e pós-colombianas, História, Ciências, Saúde – Manguinhos, Rio de Janeiro, 10(2):853-82, 2003.
[219] Everton Castro Siviero do Vale & Tancredo Furtado, Tegumentary leishmaniosis in Brazil: a historical review related to the origin, expansion and etiology, An. Bras. Dermatol., 80(4): 421-8, 2005.
[220] Eva Zemanová et al., Genetic polymorphism within the Leishmania donovani complex: correlation with geographic origin, Am. J. Trop. Med. Hyg., 70(6):613-617, 2004.
[221] H.A. Noyes et al., Evidence for a neotropical origin of Leishmania. Mem Inst Oswaldo Cruz,95(4):575-578, 2000.
[222] S.F. Kerr, Palaearctic origin of leishmania, Mem. Inst. Oswaldo Cruz, Rio de Janeiro, 95(1):75-80, 2000.
[223] H. Momen & E Cupolillo. Speculations on the origin and evolution of the genus Leishmania, Mem. Inst. Oswaldo Cruz, Rio de Janeiro, 95(4):583-588, 2000.
[224] B.M. Rothschild et al., Origin of yaws in the Pleistocene, Nature, 378(6555):343-44, 1995.
[225] V.G. Standen & B.T. Arriaza La Treponematosis (yaws) en las poblaciones prehispánicas del desierto de Atacama (Norte de Chile), Chungará (Arica), 32(2):185-192, 2000.
[226] B.M. Rothschild et al., Virgin Europe: periosteal reaction prior to the 15th century and the potential influence of slavery, Paleobios (Lyon),13: 2004.
[227] Bruce M. Rothschild, History of syphilis, Clinical Infectious Diseases, 40:1454-63, 2005.
[228] Christine Rothschild & Bruce M. Rothschild, Occurrence and transitions among the Treponematoses in North America. Chungará (Arica), 32(2):147-155, 2000.
[229] P.L. Walker et al., The evolution of Treponemal disease in the Santa Barbara Channel area of Southern California. In Press: M. Lucas Powell and D.C. Cook (eds), in: The myth of Syphilis: the natural History of Treponematosis in North America, University of Florida Press. Disponível em: www.anth.ucsb.edu/faculty/walker/publications/PLW%202005%20Treponemal%20Disease.pdf>.
[230] B.M. Rothschild et al., First european exposure to syphilis: The Dominican Republic at the time of Columbian contact, Clinical Infectious Diseases, 31:936-41,2000.
[231] Carl Zimmer, Isolated tribe gives clues to the origins of syphilis. Science, 319 (18 January):272, 2008.
[232] WHO: Weekly Epidemiological Record, 9(83):77-88, 2008.
[233] K.N. Harper et al., On the origin of the Treponematoses: a phylogenetic approach. Plos Neglected Tropical Disease, 2(1):1-13, 2008.
[234] John Emsley, The elements of Murder: a history of poison, New York, Oxford University Press, 2005.
[235] Stephen Jay Gould, A falsa medida do homem, São Paulo, Martins Fontes, 1999.
[236] Edwin Black, A Guerra contra os fracos, São Paulo, Girafa, 2003.
[237] Gamble,Vanessa Northington. Under the shadow of Tuskegee: African Americans and health care. American Journal of Public Health, 87(11):1773-1778, 1997.
[238] Andrew Goliszek, Cobaias humanas: a história secreta do sofrimento provocado em nome da ciência, Rio de Janeiro, Ediouro, 2004.
[239] S.B Thomas & S.C. Quinn, The Tuskegee syphilis study, 1932 to 1972: implications for HIV education and AIDS risk education programs in the black community, American Journal of Public Health, 81(11):1498-1505, 1991.
[240] Hal Gold, Unit 731 testimony. Boston: Tuttle Publishing, 2004.
[241] Jayme Brener, A Segunda Guerra Mundial: o planeta em chamas, Coleção Retrospectiva do Século XX, São Paulo, Ática, 1999.

CAPÍTULO "NASCE A AGRICULTURA: O PERIGO MORA AO LADO"

[242] Michael Balter, Seeking agricultures ancient roots. Science, 316(29 June): 1830-1835, 2007.

[243] Armelagos,G.J. & Harper,K.N. Genomics at the origins of agriculture, part one. Evolutionary Anthropology, 4:68-77, 2005.

[244] Diamond, J. Evolution, consequences and future of plant and animal domestication, Nature,418(8 de august):700-707,2002.

[245] J. Diamond & P. Bellwood, Farmers and their languages: the first expansions, Science, 300(5619):597-603, 2003.

[246] J. Dubcovsky & J. Dvorak, Genome plasticity a key factor in the success of polyploid wheat under domestication, Science, 316(29 June): 1862-1866, 2007.

[247] R Pinhasi et al., Tracing the origin and spread of agriculture in Europe, PloS Biology, 3(12):e410, 2005.

[248] Luca Cavalli-Sforza & Francesco Cavalli-Sforza, Quem somos?: história de diversidade humana, São Paulo, Editora Unesp, 2002.

[249] A. Langaney et al., *A mais bela história do homem*: de como a terra se tornou humana, Rio de Janeiro, Difel, 2002.

[250] L. Margulis & D.Sagan, Microcosmos: quarto bilhões de anos de evolução microbiana, São Paulo, Cultrix, 2002.

[251] G.J. Armelagos, et al. The origins of agriculture: population growth during a period of declining health, Population & Environment, 13(1):9-22, 1991.

[252] M.Livi-Bacci, A concise history of world population, Blackwell Publishers, 1997.

[253] U.G. Mueller et al., The evolution of agriculture in ants, Science, 281(25 September):2034-2038, 1998.

[254] S. Paabo et al., Genetic analyses from ancient DNA. Annu. Rev. Genet., 38:645-79, 2004.

[255] U.G. Mueller, Ant versus fungus versus mutualism: ant-cultivar conflict and the deconstruction of the attine ant-fungus symbiosis, The American Naturalist, 160(suppl):S67-S98, 2002.

[256] U.G. Mueller & N. Gerardo, Fungus-farming insects: multiple origins and diverse evolutionary histories, PNAS, 99(24):15247-15249, 2002.

[257] Carl Zimmer, O livro de ouro da evolução: o triunfo de uma ideia, Rio de Janeiro, Ediouro, 2003.

[258] James D. Watson, DNA: o segredo da vida, São Paulo, Companhia das Letras, 2005.

[259] R. Carter e N., Kamini Mendis. Evolutionaty and historical aspects of the burden of Malaria, Clinical Microbiology Reviews,15:564-594, 2002.

[260] J. Mu et al. Host switch leads to emergence of *plasmodium vivax* malaria in humans. Molecular Biology and Evolution, 22(8): 1686-1693, 2005

[261] A.A. Escalante et al., A monkey's tale: the origin of *plasmodium vivax* as a human malaria parasite, PNAS, 102(6):1980-1985, 2005.

[262] S.M. Rich, The unpredictable past of plasmodium vivax revealed in its genome, PNAS, 101(44):1554-15548, 2004.

[263] A.A Escalante et al., The evolution of primate malaria parasites based on the gene encoding cytochrome B from the linear mitochondrial genome, PNAS,95:8124-8129, 1998.

[264] R. Sallares, Et al. The spread of malaria to southern Europe in antiquity: new approaches to old problems. Medical History, 48:311-328, 2004.

[265] MC Leclerc et al., Meager genetic variability of the human malaria agent plasmodium vivax. PNAS, 101(40):14455-14460, 2004.

[266] S.M. Rich e F.J. Ayala, population structure and recent evolution of plasmodium falciparum. PNAS, 97(13):6994-7001, 2000.

[267] D.A. Joy, Early origin and recent expansion of plasmodium falciparum, Science, 300(5617):318-321, 2003.

[268] Daniel L. Hartl, The origin of malaria: mixed messages from genetic diversity, Nature Reviews Microbiology, 2, January 15: 15-22, 2004.

[269] F.J. Ayala et al., Evolution of plasmodium and the recent origin of the world populations of Plasmodium falciparum, Parasitologia, 41(1-3):55-68, 1999.

[270] D.J. Weatherall et al., Malaria and the Red Cell, Hematology, 2002.

[271] S.A. Tishkoff, Haplotype diversity and linkage disequilibrium at human G6PD: recent origin of alleles that confer malarial resistance, Science, 293(5529): 455-462, 2001.

[272] D.J. Weatherall et al., Malaria and the red cell. Hematology (Am. Soc. Hematol. Educ. Program):35-57, 2002.

[273] P.C. Sabeti et al., Positive natural selection in the human lineage, Science, 312(5780):1614-1620, 2006.

[274] S. Seixas et al., Microsatellite variation and evolution of the human. Duffy blood group polymorphism, Molecular Biology Evolution,19(10):1802-1806, 2002

[275] D.F. Owen, Man in tropical Africa: the environmental predicament, New York and London, Oxford University Press, 1973.

[276] D.P. Kwiatkowski, How malaria has affected the human genome and what human genetics can teach us about malaria, Am. J. Hum. Genet., 77:171-192, 2005.
[277] R.J. Dejong et al., Evolutionary Relationships and biogeography of Biomphalaria with implications regarding its role as host of the human bloodfluke, Schistosoma mansoni, Mol. Biol. Evol.18(12): 2225-2239, 2001.
[278] J. Mavárez et al., Evolutionary history and phylogeography of the schistosome-vector freshwater snail. Biomphalaria glabrata based on nuclear and mitochondrial DNA sequences, Heredity, 89(4):266-72, 2002.
[279] J.E. Havel et al., Do reservoir facilitate invasions into landscapes, BioScience, 55(6):518-525, 2005.
[280] C.B. Cox, Plate tectonics, seaways and climate in the historical biogeography of mammals, Mem. Inst. Oswaldo Cruz, 95(4):509-516, 2000.
[281] A.E. Lockyer et al., The phylogeny of the schistosomatidae base don three genes with emphasis on the interrelationships of Schistosoma Weinland, 1858, Parasitology,126:203-224, 2003.
[282] J.A.T. Morgan et al., Schistosoma mansoni and Biomphalaria: past history and future trends, Parasitology, 123(supl.):211-228, 2001.
[283] J.A. Patz et al., Effects of environmental change on emerging parasitic diseases, International Journal for Parasitology,1-11, 2000.
[284] H. Kloos & R.David, The paleoepidemiology of schistosomiasis in ancient Egypt, Human Ecology Review, 9(1):14-25, 2002.
[285] A.R. David, Disease in Egyptian mummies: the contribution of new technologies, The Lancet, 349(9067):1760-1763, 1997.
[286] P.B. Adamson, Schistosomiasis in antiquity. Med. Hist., 20(2):176-88,1976.
[287] J.A.T. Morgan et al., Molecular Ecology, 14:3889-3902, 2005.
[288] F. Bouchet et al., The state of the art of paleoparasitological research in the Old World, Mem. Inst. Oswaldo Cruz,98(suppl. I):95-101, 2003.
[289] Eduardo A. Groisman & Josep Casadesús, The origin and evolution of human pathogens, Molecular Microbiology, 56(1)1-7, 2005.
[290] P.M.V. Martin & Martin-Grane, E. 2,500-year evolution of the term epidemic, Emerging Infectious Diseases, 12(6):976-980, 2006.
[291] M.J. Papagrigorakis et al., DNA examination of ancient dental pulp incriminates typhoid fever as a probable cause of the Plague of Athens, International Journal of Infectious Diseases,10 Jan 2006 – in press.
[292] Anne Hardy, The epidemic streets: infectious disease and rise of preventive medicine,1856-1900, Oxford, Clarendon Press.
[293] C. Kidgell et al., *Salmonella typhi*, the causative agent of typhoid fever, is approximately 50,000 years old. Infection, Genetics & Evolution, 2(1):39-45, 2002.
[294] G.J. Armelagos & K.N. Harper, Genomics at the origins of agriculture, part two, Evolutionary Anthropology, 14:109-121, 2005.
[295] C. Kidgell et al., *Salmonella typhi*, the causative agent of typhoid fever, is approximately 50,000 years old., Infection, Genetic and Evolution, 2:39-45, 2002.
[296] G.M. Pupo et al., Multiple independent origins of *Shigella* clones of *Escherichia coli* and convergent evolution of many of their characteristics, PNAS, 97(19):10567-10572, 2000.
[297] George A. Soper, Typhoid Mary., The Military Surgeon, vol. XLV(1), 1919.
[298] P. Roumagnac et al., Evolutionary history of *Salmonella typhi*, Science, 314(5803):1301-1304, 2006.

CAPÍTULO "DOMESTICAÇÃO DOS ANIMAIS. VÍRUS FAZEM A FESTA"

[299] J. Diamond & P. Bellwood, Farmers and their languages: the first expansions, Science, 300(5619):597-603, 2003.
[300] Andrew P. Dobson & Robin Carper, Infectious Diseases and human population history, Bioscience, 46(2):115-126, 1996.
[301] N.D. Wolfe; C.P. Dunavan; Diamond, J. Origins of major human infectious diseases, Nature, 447(may 17):279-283, 2007.
[302] E.S Leal & P.M.A. Zanotto, Viral diseases and human evolution, Mem. Inst. Oswaldo Cruz, Rio de Janeiro, 95(suppl.1):193-200, 2000.
[303] Progress in Reducing Measles Mortality – Worldwide, 1999-2003. MMWR, 54(08):200-203, 2005.
[304] C. Huygelen, The immunization of cattle against rinderpest in Eighteenth-Century Europe, Medical History, 41:182-96, 1997.
[305] Rob DeSalle edited. Epidemic!: the world of infectious disease, New York, The New Press; The American Museum of Natural History.

[306] Simon Winchester, Krakatoa: o dia em que o mundo explodiu, Rio de Janeiro, Objetiva, 2004.
[307] J. S. Mackenzie et al. Emerging viral diseases of Southeast Asia and the Western Pacific. Emerging Infectious Diseases, 7(3):497-504, 2001.
[308] T. Solomon, et al. Origin and evolution of Japanese Encephalitis virus in Southeast Asia. Journal of Virology, 77(5):3091-98, 2003.
[309] J.C. Osborne et al., Isolation of Kaeng Khoi virus from dead *Chaerephon plicata* bats in Cambodia, Journal of General Virology, 84:2685-89, 2003.
[310] D.T. Willians et al., Emerging viral diseases of Southeast Asia and the western pacific. Emerg. Infec. Dis.
[311] J. Slingenbergh et al. Ecological sources of zoonotic diseases. Rev. Sci. Tech. Off. Int. Epiz., 23(2):467-84, 2004.
[312] Richard T. Johnson, Emerging viral infections of the nervous system, Journal of NeuroVirology, 9:140-147, 2003.
[313] Y.P. Chan et al., Complete nucleotide sequences of Nipah virus isolates from Malaysia, Journal of General Virology, 82:2151-2155, 2001.
[314] K.B. Chua et al., Nipah virus: a recently emergent deadly paramyxovirus, Sience, 288:1432-35, 2000.
[315] M.Y. Johara et al., Nipah virus infection in bats (order Chiroptera) in Peninsular Malaysia, Emerging Infectious Diseases, 7(3):439-441, 2001.
[316] D.G. Constantine, Geographic translocation of bats: known and potential problems, Emerg. Infect, Dis.
[317] A.D. Hyatt et al., Henipaviruses: Gaps in the knowledge of emergence, EcoHealth,1:25-38, 2004.
[318] C. Gubser & G.L. Smith, The sequence of camelpox virus shows it is most closely related to variola virus, the cause of smallpox, Journal of General Virology, 83:855-72, 2002.
[319] Charles C. Mann, 1491: New revelations of the Americas before Columbus, New York, Alfred A. Knopf, 2005.
[320] Aoife McLysaght et al., Extensive gene gain associated with adaptive evolution of poxviruses, PNAS, 100(26):15655-15660, 2003.
[321] D.G. Diven, Na overview of poxviruses, Journal American Academy of Dermatology, 44:1-14, 2001.
[322] C. Gubser et al., Poxvirus genomes: a phylogenetic analysis, Journal of General Virology, 85:105-117, 2004
[323] I.V. Babkin & S.N. Shchelkunov, Time scale of Poxvirus evolution, Molecular Biology, 40(1):16-19, 2006.
[324] Alexandra Minna Stern & Howard Markel, The history of vaccines and immunization: familiar patterns, new challenges, Health Affairs, 24(3):611-621, 2005.
[325] E.A. Belongia et al. Smallpox vaccine: the good, the bad, and the ugly. Clinical Medicine & Research, 1(2):87-92, 2003.
[326] Joshua Lederberg, Infectious history, Science, 288(5464):287-293, 2000.
[327] R. Barrett et al. Emerging and re-emerging infectious diseases: the third epidemiologic transition, Annu. Rev. Anthropol.,27:247-71,1998.
[328] L.K. Horwitz & P. Smith, The contribution of animal domestication to the spread of zoonoses: a case study from the southern levant, Ibex J. Mt. Ecol., 5:77-84, 2000.
[329] Robin A. Weiss, Animal origins of human infectious disease. Phil. Trans. R. Soc. Lond. B.,356:957-77, 2001.
[330] D. Niu et al. The origin and genetic diversity of Chinese native chicken breeds, Biochemical Genetics, 40(5/6):163-174, 2002.
[331] J. Hillel et al., Biodiversity of 52 chicken populations assessed by microsatellite typing of DNA pools, Genet. Sel. Evol., 35:533-557, 2003.
[332] L. Greger et al., Worldwide phylogeography of wild boar reveals multiple centers of pig domestication, Science, 307(5715):1618-1621, 2005.
[333] K-I. Kim et al., Phylogenetic relationships of Asian and European pig breeds determined by mitochondrial DNA D-loop sequence polymorphism, Animal Genetics, 33:19-25, 2002.
[334] J. Goodrich & P. Wiener, A walk from the wild side: the genetics of domestication of livestock and crops, BioEssays, 27:574-576, 2005.
[335] Y. Suzuki & M. Nei, Origin and evolution of influenza virus hemagglutinin genes, Mol. Biol. Evol., 19(4):501-509, 2002.
[336] C.R. Parrish & Y. Kawaoka, The origins of new pandemic viruses: the acquisition of new host ranges by canine *parvovirus* and *influenza* a viruses, Annual Review of Microbiology, 59:553-86, 2005.
[337] Cláudio Bertolli Filho, A gripe espanhola em São Paulo, 1918, São Paulo, Paz e Terra, 2003.
[338] A.H. Reid et al., Origin and evolution of the 1918 "Spanish" *influenza* virus hemagglutinin gene, Proc. Natl. Acad. Sci., 96:1651-1656, 1999.
[339] F. Thomas G. et al., Initial genetic characterization of 1918 "Spanish" *influenza* virus, Science, 275(5307):1793-1793, 1997.
[340] A.H. Reid & J.K. Taubenberger, The origin of the 1918 pandemic *influenza* virus: a continuing enigma, J. General Virology., 84:2285-2292, 2003.

[341] S. Rajagopal & J. Treanor, Pandemic (Avian) *influenza*. Seminars in Respiratory and Critical Care Medicine, 28(2): 159-169, 2007.
[342] R.G. Webster, Predictions for future human *influenza* pandemic, Journal of Infectious Diseases, 176(suppl.1):S14-19,1997.
[343] R.M. Bush et al., Ecological and immunological determinants of influenza evolution, Nature, 422(6930):428-433, 2003.
[344] B. Rannala, Molecular phylogenies and virulence evolution, in Adaptive dynamics of infectious diseases, Cambridge University Press, 2002.
[345] J. Liu et al., H9N2 *influenza* viruses prevalent in poultry in China are phylogenetically distinct from A/quail/Hong Kong/G1/97 presumed to be the donor of the internal protein genes of the H5N1 Hong Kong/97 virus, Avian Pathology, 32(5):551-560, 2003.
[346] R.G. Webster & E.J. Walker, Influenza, American Scientist, 91:122-129, 2003.
[347] Shortridge,K.F. et al. The next influenza pandemic: lessons from Hong Kong, Journal of Applied Microbiology, 94:70S-79S,2003.
[348] WHO. Evolution of H5N1 avian *influenza* viruses in Asia. Emerging Infectious Diseases, 11(10):1515-1521,2005.
[349] R.G. Webster et al., Characterization of H5N1 influenza viruses that continue to circulate in geese in Southeastern China, Journal of Virology, 76(1):118-126, 2002.
[350] G. Laver & E. Garman, The origin and control of pandemic *influenza*, Science, 293 (September 7):1776-1777, 2001.
[351] T.M. Ellis et al., Investigation of outbreak of highly pathogenic H5N1 avian *influenza* in waterfowl and wil birds in Hing Kong in late 2002, Avian Pathology, 33(5):492-505, 2004.
[352] K.S. Li et al., Genesis of a highly pathogenic and potentially pandemic H5N1 *influenza* virus in eastern Ásia, Nature, 430(8 de julho):209-213, 2004.
[353] K.M. Sturm-Ramirez, et al., Reemerging H5N1 *influenza* viruses in Hong Kong in 2002 are highly pathogenic to ducks. J., Virology, 78(9):4892-4901, 2004.
[354] H. Chen et al., H5N1 virus outbreak in migratory waterfowl. Nature, 436(14 de julho):191-192, 2005.
[355] World Health Report 2008, WHO.
[356] T.M. Tumpey et al. Characterization of the reconstructed 1918 Spanish *influenza* pandemic virus, Science, 310(5745):77-80, 2005.
[357] Reid,A.H. et al. Novel origin of the 1918 pandemic *influenza* virus nucleoprotein gene. Journal of Virology, 78(22):12462-12470,2004.
[358] J.K. Taubenberger et al., Characterization of the 1918 *influenza* virus polymerase genes. Nature, 437(6 de October):889-893, 2005.
[359] T. Bersaglieri et al., Genetic signatures of strong recent positive selection at the lactase gene, Am. J. Hum. Genet., 74:1111-1120, 2004.
[360] Edward Hollox, Genetics of lactase persistence fresh lessons in the history of milk drinking. European Journal of Human Genetics, 13:267-269, 2005.
[361] E.J. Hollox et al., Lactase haplotype diversity in the Old World. Am. J. Hum, Genet, 68:160-172, 2001.
[362] Linda M. Van Blerkom, Role of viruses in human evolution, Yearbook of Physical Anthropology,46:14-46, 2003.

CAPÍTULO "O ATAQUE CONTINUA"

[363] Jeanette Farrell, Invisible Enemies: stories of infectious disease, New York, Farrar Straus Giroux, 1998.
[364] C.P. Ramadasan et al., Effects of BCG vaccination on evolution of leprosy, MJAFI, 61:26-28, 2005.
[365] H.D. Donoghue et al. Co-infection of *Mycobacterium tuberculosis* and Mycobacterium leprae in human archaeological samples: a possible explanation for the historical decline of leprosy, Proceedings: Biological Sciences, 272(1561):389-394, 2005.
[366] M.M. Cowan, Plant products as antimicrobial agent, Clinical Microbiology Reviews,12(4):564-582, 1999.
[367] J.A. Tincu & S.W. Taylor, Antimicrobial peptides from marine invertebrates. Antimicrobial Agents and Chemotherapy, 48(10):3645-54, 2004.
[368] Rajchard,J. Sex pheromones in amphibians: a review. Vet. Med. – Czech, 50(9):385389, 2005.
[369] Thomas D. Gootz. Discovery and development of new antimicrobial agents. Clinical Microbiology Reviews,3(1):13-31,1990
[370] Segal,M.R. et al. Comparing DNA fingerprints of infectious organisms. Statistical Science, 15(1):27-45, 2000.
[371] P.D McElroy. et al., Use of DNA fingerprinting to investigate a multiyear, multistate tuberculosis outbreak, Emerging Infectious Diseases,8(11):1252-56,2002.

[372] J.A. Caminero et al., Epidemiological evidence of the spread of a *Mycobacterium tuberculosis* strain of the Beijing genotype on Gran Canaria Island, Am. J. Respir. Crit. Care Med.,164:1165-70, 2001.
[373] M.V. Burgos & A.S. Pym, Molecular epidemiology of tuberculosis, Eur. Respir. J., 20(suppl.36):54s-65s, 2002.
[374] Marc Ferro, O livro negro do colonialismo, Rio de Janeiro, Ediouro, 2004.
[375] V. Duchene et al., Phylogenetic reconstruction of mycobacterium tuberculosis within four settings of the Caribbean region: tree comparative analyze and first appraisal of their phylogeography, Infection, Genetics and Evolution, 4:5-14, 2004.
[376] C. Sola et al., Spoligotype database of mycobacterium tuberculosis: biogeographic distribution of shared types and epidemiologic and phylogenetic perspectives, Emerg. Inf. Dis., 7(3):390-396, 2001.
[377] Igor Mokrousov, Towards a quantitative perception of human microbial co-evolution. Frontiers in Bioscience, 12(September 1):4818-4825, 2007.
[378] M. Monot et al., On the origin of leprosy, Science, 308 (may 13):1040-1042, 2005.
[379] H.A. Fletcher et al., Molecular analysis of *Mycobacterium tuberculosis* DNA from a family of 18th century Hungarians, Microbiology, 149:143-151, 2003.
[380] G.M.Taylor et al., Koch bacillus: a look at the first isolate of mycobacterium tuberculosis from a modern perspective, Microbiology, 149 (Pt. 11):3213-20, 2003.
[381] George Rosen, Uma história da saúde pública, São Paulo, Unesp, 1994.
[382] George C. Kohn, Encyclopedia of plague and pestilence, New York, Facts on File, 1995.
[383] Sócrates Litsios, Plague legends: from the miasmas of Hippocrates to the microbes of Pasteur, Science & Humanities Press, 2001.
[384] Patrice Debré, Pasteur, São Paulo, Scritta, 1995.
[385] M.C. Schneider e C. Santos-Burgoa, Tratamiento contra la rabia humana: um poço de su historia, Revista de Saúde Pública, 28(6):454-63, 1994.
[386] J. Gomez-Alonso, Rabies: a possible explanation for the vampire legend. Neurology, 51(3):856-859, 1998.
[387] J.F. Donna, Resurgence of rabies: a historical perspective on rabies in children, Archives of Pediatrics Adolescent Medicine,149(3):306-312, 1995.
[388] H. Badrane e N. Tordo, Host switching in Lyssavirus history from the chiroptera to the carnivore orders. Journal of Virology, 75(17):8096-8104, 2001.
[389] G.J. Hughes et al., Evolutionary timescale of rabies virus adaptation to North American bats inferred from the substitution rate of the nucleoprotein gene, Journal of General Virology, 86:1467-1474, 2005.
[390] A. Dobson, Raccoon rabies in space and time, PNAS, 97(26):14041-14043, 2000.
[391] S.L. Messenger et al., Emerging pattern of rabies deaths and increased viral infectivity, Emerging Infectious Diseases, 9(2):151-154, 2003.
[392] J.A. Leonard et al., Ancient DNA evidence for old world origin of new world dogs, Science, 298 (November 22):1613-1616, 2002.
[393] O. Matouch e J. Jaros, Rabies – Epizootiological situation and control in the Czech Republic up to 1998, Deptartment of information of SVA CR – Czech Republic, 8 (February), 1999.
[394] H. Bourhy et al., Ecology and evolution of rabies virus in Europe, Journal of General Virology, 80:2545-2557, 1999.
[395] E.C. Holmes, The phylogeography of human viruses, Molecular Ecology, 13:745-756, 2004.
[396] A. Lyczak et al., Epizzotic situation and risk of rabies exposure in Polish population in 2000, with special attention to Lublin province, Annals of Agriculture Environmental Medicine, 8:131-135, 2001.
[397] M.W. Gaunt et al., Phylogenetic relationships of flaviviruses correlate with their epidemiology, disease association and biogeography, Journal of General Virology, 82:1867-76, 2001.
[398] G. Kuno et al., Phylogeny of the genus Flavivirus, Journal of Virology, 72(1):73-83, 1998.
[399] E. Wang et al., Evolutionary relationships of endemic/epidemic and sylvatic dengue viruses. Journal of Virology, 74(7):3227-3234, 2000.
[400] Oswaldo Paulo Forattini, Epidemiology and phylogenetic relationships of dengue viruses, Dengue Bulletin – Escola de Saúde Pública da Universidade de São Paulo,27:91-94, 2003.
[401] S.S Twiddy; E.C. Holmes; A. Rambaut, Inferring the rate and time-scale of dengue virus evolution, Mol. Biol. Evol., 20(1):122-29, 2003.
[402] A.C. Moncayo et al. Dengue emergence and adaptation to peridomestic mosquitoes, Emerging Infectious Diseases,10(10):1790-96, 2004.
[403] Laurie Garrett, A próxima peste: novas doenças num mundo em desequilíbrio, Rio de Janeiro, Nova Fronteira, 1995.
[404] P.M. Armstrong & R. Rico-Hesse, Efficiency of dengue serotype 2 virus strains to infect and disseminate in Aedes aegypti, American Journal Tropical Medicine Hygiene, 68(5):539-544, 2003.
[405] S.N. Bennett et al., Selection-driven evolution of emergent dengue virus, Mol. Biol. Evol., 20(10):1650-1658, 2003.

[406] W.B. Messer et al. Emergence and global spread of a dengue serotype 3, subtype III virus, Emerging Infectious Diseases, 9(7):800-809, 2003.

[407] Y. Suzuki & T. Gojobori, The origin and evolution of Ebola and Marburg viruses. Mol. Biol. Evol., 14(8):800-806, 1997.

[408] M. Balter, On the trail of ebola and marburg viruses, Science, 290(5493):923-25, 2000.

[409] M.C. Georges-Courbot, Isolation and phylogenetic characterization of Ebola viruses causing different outbreaks in Gabon, Emerging Infectious Diseases, 3(1):59-62, 1997.

[410] C.J. Peters & J.W. LeDuc, An introduction to Ebola: the virus and the disease, Journal of Infectious Diseases, 179(suppl. 1):9-16, 1999.

[411] X. Pourrut et al. The natural history of Ebola virus in Africa. Microbes and Infection, 7:1005-1014, 2005.

[412] J.M. Morvan et al. Identification of Ebola virus sequences present as RNA or DNA in organs of terrestrial small mammals of the Central African Republic. Microbes and infection, 1: 1193-1201, 1999.

[413] H. Feldmann et al., Ebola virus ecology: a continuing mystery, Trends in Microbiology., 12(10):433-437, 2004.

[414] P.D.Walsh et al., Wave-like spread of Ebola Zaire, Plos Biology, 3(11):1-8, 2005.

[415] M. Barmejo et al., Ebola outbreak killed 5000 gorillas, Science 314(8 December): 1564, 2006.

[416] E.M. Leroy et al., Multiple ebola virus transmission events and rapid decline of Central African wildlife. Science, 303(16 January): 387-390, 2004.

[417] J. Keegan, Inteligência na guerra: conhecimento do inimigo, de Napoleão à Al-Qaeda, São Paulo, Companhia das Letras, 2006.

[418] P. Rouquet et al., Wild Animal Mortality Monitoring and human Ebola outbreaks, Gabon and Republic of Congo, 2001-2003, Emerging Infectious Diseases, 11(2):283-290, 2005.

[419] S.I. Okware et al,. An outbreak of ebola in Uganda, Tropical Medicine and International Health, 7(12):1068-1075, 2002.

[420] Bausch et al., Risk factors for Marburg Hemorrhagic Fever, Democratic Republic of the Congo, Emerg. Infect. Dis., 9(12):1531-1537, 2003.

[421] E.M. Leroy et al., Fruit bats as reservoirs of Ebola virus, Nature, 438:575-576.

[422] C.H. Calisher et al., Bats: important reservoir hosts of emerging viruses. Clinical Microbiology Review, 19(3):531-545, 2006.

ICONOGRAFIA

Pág. 35: "Mummy of priest of Amen", *c.* 1000 a.C., Nova York, Academia de Medicina de Nova York. **Pág. 53:** Tela de Bartolomé Esteban Murillo, óleo sobre tela, *c.* 1675. **Pág. 79:** Fotografia, autor desconhecido, 1878. **Pág. 92:** Fotografia de Paul Ehrlich, Gênova, OMS – Organização Mundial da Saúde. **Pág. 93:** O. da S. Araújo, em "A prophylaxia da lepra e das doenças venéreas no Brasil e a actuação do departamento Nacional de Saúde Pública". Rio de Janeiro: Off. Graphica da Inspectoria de Demographia Sanitária, 1927. **Pág. 119:** "Overflowing of Nile, Egypt", de G. Belzoni, 1822. **Pág. 121:** "Ming handbook of chinese industry", s/d. **Pág. 123:** Fotografia, autor desconhecido, *c.* 1900. **Pág. 137:** Litogravura, autor desconhecido, 1607. **Pág. 143:** Fotografia, autor desconhecido, 1918, Biblioteca da Universidade de Iowa. **Pág. 161:** Johann Moritz Rugendas, "Navio negreiro", *c.* 1830. **Pág. 163:** Fotografia, autor desconhecido, *c.* 1899. **Pág. 165:** Theobald Chartran, "De l'Auscultation Médiate, ou, Traité du Diagnostic des Maladies des Poumons et du Coeur", 1819. **Pág. 167:** Fotografia, autor desconhecido, Wellcome Institute Library, s/d. **Pág. 171:** Albert Edelfelt, 1885.

O AUTOR

Stefan Cunha Ujvari é médico infectologista do Hospital Alemão Oswaldo Cruz – São Paulo. Mestre em doenças infecciosas e especialista em doenças infecciosas e parasitárias pela Escola Paulista de Medicina – Universidade Federal de São Paulo (Unifesp), foi professor substituto da disciplina de Emergência Médica na mesma universidade.

GRÁFICA PAYM
Tel. [11] 4392-3344
paym@graficapaym.com.br